C0-AMU-679

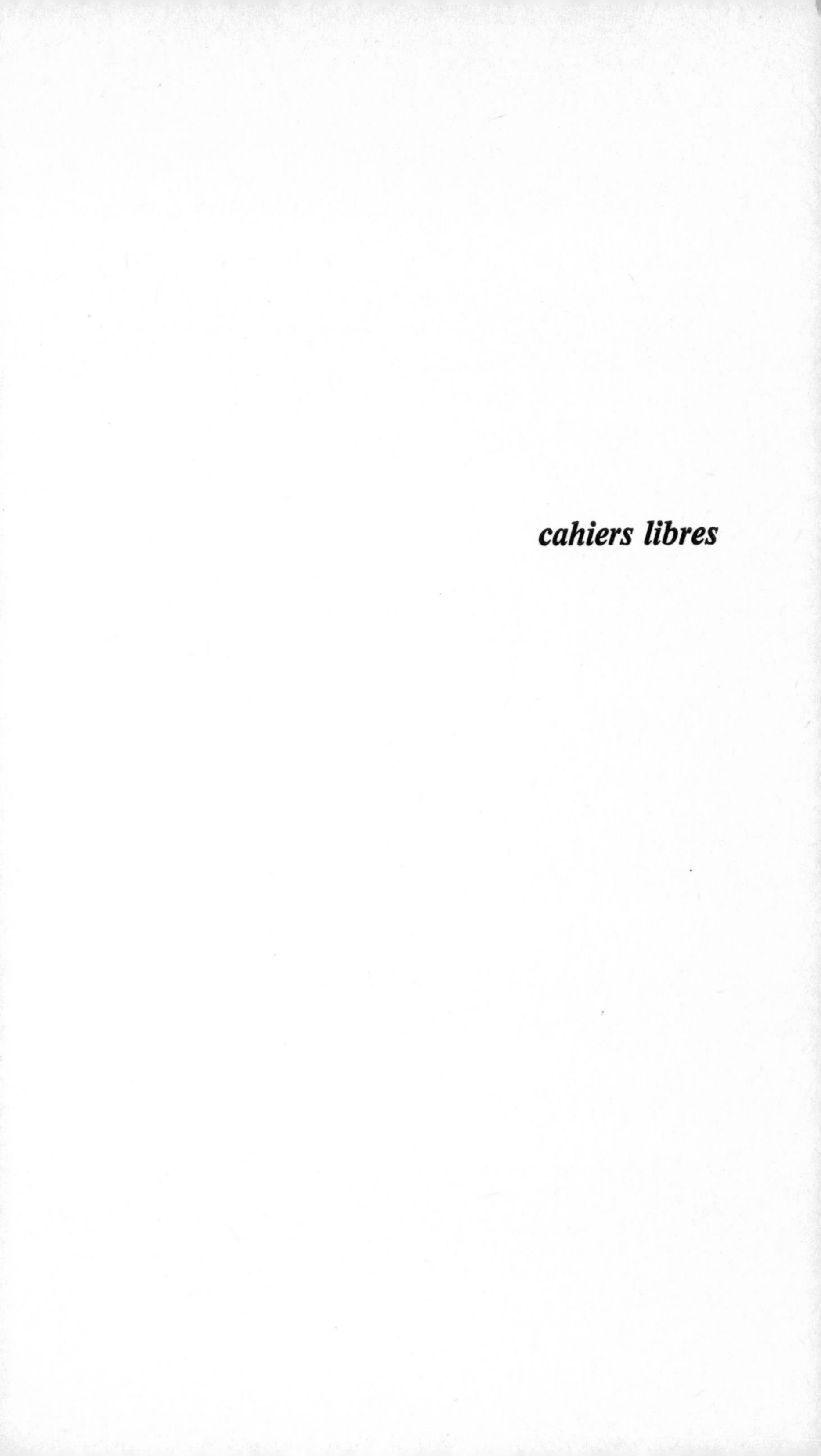

cahiers libres

DU MÊME AUTEUR

Culture, personnalité et sociétés, Éditions Sociales, 1973.

Nos rêves camarades, Seuil, 1979.

Histoire mondiale des socialismes, ouvrage collectif sous la direction de Jean Elleinstein, Éditions des Lilas, Armand Colin, 1984.

Gérard Belloin

Entendez-vous dans nos mémoires... ?

Les Français et leur Révolution

ÉDITIONS LA DÉCOUVERTE
1, place Paul-Painlevé
PARIS Ve
1988

Si vous désirez être tenu régulièrement informé de nos parutions, il vous suffit d'envoyer vos nom et adresse aux Editions La Découverte, 1, place Paul-Painlevé, 75005 Paris. Vous recevrez gratuitement notre bulletin trimestriel **A La Découverte.**

ISBN 2-7071-1776-5

Introduction

A l'évidence la Révolution n'est pas terminée.

Son histoire, ses enjeux et son héritage n'ont pas cessé d'être l'objet d'interprétations divergentes. La vigueur des affrontements auxquels celles-ci donnent lieu laisse parfois l'impression que nous assistons, à deux siècles de distance, à la poursuite du même combat.

Pour tous les citoyens, même les moins engagés politiquement, la Révolution tient une place à part dans leur représentation du passé. Elle est perçue comme un moment de l'histoire de France constitutif de leur identité. Considérée avec sympathie, réserve ou hostilité, elle est source de références pour l'idée qu'ils se font de leurs devoirs civiques. Lorsqu'ils l'évoquent, leurs propos font émerger, inextricablement mêlés, des connaissances et des convictions, des images et des idées, des craintes et des espoirs, de l'intime et du social. Il y est question, dans un incessant télescopage des temps, du passé, du présent et de l'avenir.

Pour quelles raisons la Révolution a-t-elle, deux cents ans après son déroulement, gardé ce pouvoir ? Par quels cheminements vient-elle s'inscrire dans le lien qu'établit l'individu entre sa représentation du passé et celle de son propre rôle comme dépositaire et continuateur de ce passé ? A l'aide de quels matériaux et par quels processus la mémoire tisse-t-elle ce lien ? Pourquoi le moment d'histoire que constitue la Révolution demeure-t-il une force agissante ? Par quelles voies devient-il un élément mobilisateur de la conscience individuelle ? Telles sont quelques-unes des questions que nous avons tenté d'explorer.

Dans les représentations de la Révolution qui entretiennent sa dynamique, il convenait de mettre en évidence le rôle déterminant que jouent le milieu socio-culturel, les influences familiales, les pratiques religieuses, les engagements politiques. Comme on le verra, ce sont des mondes de représentations historiques très différents qui surgissent selon que parlent des lycéens ou des militaires, des Vendéens ou des immigrés, des catholiques ou des juifs, des paysans ou des hommes politiques. Le survol de la mosaïque que constituent les divers fragments de cette mémoire éclatée qu'est maintenant la mémoire de la Révolution éclaire la profondeur des oppositions que celle-ci suscite.

Mais pour chercher à comprendre l'étonnante aptitude de la Révolution à se lier à la part la plus intime des convictions, celle dans laquelle s'enracinent les exigences éthiques, nous avons tenté d'approcher au plus près les diverses manières dont le « rapport à la Révolution » était personnellement vécu. Pour cela nous avons mêlé l'interview et l'analyse des textes, l'enquête sur le terrain et la réflexion, la prise en compte de l'histoire et l'attention à l'anecdote. Cette méthode a permis, pensons-nous, d'éclairer certains des mécanismes de la formation et du fonctionnement de l'imaginaire historique. Nous avons parfois laissé longuement la parole à notre interlocuteur, car le développement de son propos faisait entrevoir les voies souvent inattendues par lesquelles s'opère la rencontre entre les motivations les plus secrètes et les grands idéaux collectifs.

Les représentations actuelles de la Révolution sont aussi le fruit, pour une large part, de la vie politique. Celle-ci fait appel, en permanence, à un arrière-plan imaginaire structuré autour de grands moments du passé. Pour les uns, la Révolution y tient la place d'un acte fondateur, pour les autres, celle d'une faille à combler. Jusqu'à une époque récente cette opposition a nourri la vie politique française d'enjeux à la fois réels et symboliques. Lors du Front populaire et de la « Révolution nationale » de Vichy, dans la Résistance et à la Libération, la Révolution française fut à la fois, notamment au travers de son héritage, un enjeu immédiat des luttes politiques et une sorte « d'autre scène » sur laquelle semblait continuer de se dérouler une pièce commencée un siècle et demi plus tôt. Cette toile de fond historique exerça une emprise d'autant plus grande sur les acteurs de ces luttes que la Révolution française connaissait alors des prolongements internationaux qui l'inséraient dans des affrontements planétaires : la Révolution russe se voulait sa continuatrice tandis que l'Allemagne hitlérienne déclarait vouloir rayer l'an 1789 de l'histoire.

La Révolution française s'est retrouvée au cœur de l'histoire du XXe siècle par la volonté conjointe des camps en présence. Elle a partie liée avec des temps forts de notre passé récent. Il convenait donc de croiser l'approche des fragments de sa mémoire avec un rappel de ses réinvestissements successifs dans l'histoire en train de se faire, qui contribuent à lui donner le visage d'une révolution interminable.

Un dernier mot. Si je me suis efforcé de conduire ce travail avec honnêteté, je ne prétends nullement avoir déjoué tous les pièges de mon propre imaginaire. Il va donc sans dire que ceux qui ont bien voulu laisser le leur parler pour moi, ce dont je les remercie ici, ne sauraient en rien être engagés par mes commentaires, réflexions et hypothèses*.

---

* Tous les propos cités qui ne font pas l'objet d'un renvoi en notes proviennent d'entretiens privés accordés à l'auteur. Les interlocuteurs sont désignés par leurs initiales, sauf lorsqu'il s'agit de personnes publiques.

I

Fragments d'une mémoire éclatée

1

La mémoire de demain
La Révolution à l'école

« Quelle drôle d'histoire que l'Histoire. »

MUSIL, *L'Homme sans qualité.*

« Pour moi, la Révolution c'est d'abord beaucoup de morts... une véritable guerre entre beaucoup de personnes.
— C'est le début d'une certaine liberté. Ce n'est plus la royauté. C'est le début d'un autre mode de vie.
— Oui, mais je trouve qu'ils auraient pu s'arranger autrement et voir ensemble comment ils pouvaient essayer de créer une nouvelle société où tout le monde serait à égalité. »

Ces trois points de vue ouvrent, dans cet ordre, le débat dans la classe de seconde A du lycée Jacques-Feyder à Épinay-sur-Seine, dans la banlieue parisienne. Au cours de ce débat, les élèves (une trentaine de garçons et de filles de 16-17 ans) ont librement discuté pendant une heure de la Révolution, à partir de cette seule question : « C'est quoi pour vous la Révolution française ? » Une expérience identique s'est déroulée dans deux autres classes de seconde du même lycée, dans deux classes de troisième du lycée d'Épernon (Eure) et dans une classe de seconde d'un établissement privé (le Cours Victor-Hugo) du 16e arrondissement de Paris.

Quelle vision ont de la Révolution celles et ceux qui auront vingt ans lors de son bicentenaire ? On ne saurait faire dire à six heures de débat entre cent cinquante d'entre eux plus qu'elles ne le peuvent. Toutefois, ce qui s'y est exprimé offre suffisamment de trais communs — et significatifs — pour fournir quelques éléments de réflexion.

Une « image de marque » déplorable

Les trois premiers échanges de la classe de seconde A du lycée Jacques-Feyder rapportés ci-dessus balisent d'emblée le terrain sur lequel va se dérouler le débat. Les arguments vont s'ordonner, dans les autres classes également, autour de ces trois pôles majoritaires : *1*) une image négative ou plutôt négative de la Révolution ; *2*) de la reconnaissance pour son œuvre ; *3*) la condamnation du recours à la violence pour résoudre les problèmes sociaux et politiques. Essayons de démêler cet écheveau.

On ne peut mettre entièrement au compte du hasard la priorité accordée à l'évocation de la violence révolutionnaire. Elle a surgi, de manière quasi instinctive et systématique dès que les mots « Révolution française » ont été lâchés. « Le sang/beaucoup de sang/beaucoup de morts/la guillotine/la confusion/les prisons pleines/l'injustice/le pillage... » Ces expressions récurrentes dessinent les premières images « scolaires » de la Révolution. Elles sont largement partagées. Ceux qui tenteront de les nuancer ou de leur donner un autre éclairage seront finalement assez peu nombreux. Ils interviendront timidement et non sans éprouver une certaine gêne.

Tenons compte néanmoins d'un correctif important avant de tirer quelque conclusion que ce soit. Dans des débats de ce type, ceux qui interviennent cherchent à donner, par le truchement d'une image de la Révolution, une image d'eux-mêmes. En stigmatisant la violence, ils estiment se valoriser aux yeux de leurs camarades. Ce qui n'est évidemment possible qu'en raison du consensus dont le rejet de la violence, y compris la violence révolutionnaire, est l'objet. Ainsi s'éclaire un aspect essentiel de la pensée politique des lycéens.

La violence à quoi ils identifient d'abord la Révolution française est-elle spécifique de cette révolution ou l'attribuent-ils fondamentalement à l'idée de révolution en général ? Il y a sans doute des deux. Leurs descriptions de la violence de la Révolution sont le plus souvent très vagues. Lorsqu'elles se précisent, elles sont souvent naïves. « Lorsqu'il y a eu la montée sur Versailles, dit l'un d'eux, ils ont tout détruit. Ils ont brûlé beaucoup de meubles. On serait très contents de les avoir encore. Maintenant ce ne sont plus que des copies. » En général, à part le mot « guillotine », rien n'indique qu'il s'agit de la fin du XVIIIe siècle et l'on dirait qu'ils parlent, *via* la télévision, d'événements contemporains.

Le caractère plus ou moins abstrait que revêt pour eux la violence de la Révolution est confirmé par les débats sur le nombre de ses victimes. Un élève de la classe de troisième B du lycée d'Épernon cita le chiffre de « un ou deux millions de morts ». Il s'ensuivit cet échange :

« Il y en a eu beaucoup plus.

— Moi, je dirais quinze millions.

— Oh ! non... pas plus de cinq millions.

— A mon avis, beaucoup moins. Environ trente mille. »

La démesure — quinze millions ! — confirme la fragilité de la représentation. Elle est davantage une image de la violence en tant que telle qu'une représentation de ce que fut réellement la violence de la Révolution. Elle doit probablement beaucoup aux impressions laissées par les images de cinéma et de télévision. Celles-ci ont un effet de choc, elles amplifient la violence réelle qu'elles montrent. Cet effet risque d'être d'autant plus fort que le spectateur est plus jeune.

Le chiffre de trente mille morts, évaluation la plus basse de la classe de troisième B du lycée d'Épernon, apparaîtrait excessif aux élèves de troisième A de ce même lycée qui ont parlé tout au plus de « milliers », « d'environ un millier, peut-être plus ». Les adolescents éprouvent, plus encore que les adultes, une difficulté à se représenter les coûts humains des drames de l'histoire. D'où la prodigalité extrême et la non moins extrême parcimonie de leurs estimations du nombre des victimes de la Révolution.

Leur représentation des événements de mai 1968 — dont nous verrons qu'ils occupent une place importante dans leur imaginaire historique — incite également à ne pas prendre pour argent comptant leur vision sanglante de la Révolution. En effet, Mai 68 et la Révolution exsudent, pour eux, la même violence meurtrière, comme en témoignent ces propos entendus dans une des classes du lycée Jacques-Feyder :

« Mai 68, c'est une révolution qui n'a pas abouti car elle a été étouffée. Ce n'est pas une révolution, mais une émeute qui a été tout de suite écrasée par l'armée.

— Il y a eu des morts ?

— Oui, bien sûr. Mais ç'a été étouffé. Il a dû y en avoir beaucoup. Beaucoup plus qu'en 89. »

Rencontre fortuite sur le chemin de l'ignorance ? Certes, mais qui prend néanmoins un certain sens si l'on ajoute qu'il ne s'est trouvé personne, dans cette classe, pour appeler à un peu plus de mesure et que, dans la classe voisine, les élèves estimèrent, après discussion, le nombre des morts en mai 1968 à « environ cinq cents ».

Les images de la violence sont de celles qui ne peuvent être ni regardées ni évoquées « froidement ». Lorsqu'un enfant ou un adolescent voit à la télévision des images d'archives montrant les charges des CRS en mai 1968 dans la nuit trouée par les incendies de voitures et déchirée par les explosions de grenades lacrymogènes, il lui est sans doute extrêmement difficile de ne pas croire qu'il n'y a pas eu de morts lors de ces affrontements. Il suffit de se rappeler, pour mesurer la difficulté qu'il éprouve à se représenter ces événements, la vision apocalyptique qu'en eurent les provinciaux au cours de leur déroulement. Ajoutons que l'histoire appelle volontiers, pour ses représentations, l'excès, la démesure, voire le grandiose. Or, pour lui, Mai 68 c'est de l'histoire ; au même titre que 1789.

Le pain, cause sacrée

Lorsque le débat passe de l'image de la Révolution comme événement à l'examen de son œuvre, les appréciations virent de bord. De négatives ou plutôt négatives, elles deviennent majoritairement positives ou plutôt positives. Cette perception contradictoire est souvent exprimée par les mêmes intervenants. En toile de fond demeure la violence qui a d'abord provoqué un mouvement de rejet, mais cette violence n'efface pas la portée bénéfique généralement attribuée à l'événement. La Révolution c'est « un point de départ », « un début », « le commencement de notre histoire », « c'est la rupture entre deux époques totalement différentes », « l'année zéro », « le début d'une certaine liberté ». Les lycéens se sentent reliés personnellement, comme par un fil invisible, à ce « point de départ ». Aussi le présent fait-il souvent irruption dans le débat. L'histoire et la découverte des problèmes politiques les plus aigus du moment se télescopent. Il en résulte parfois des situations cocasses. Des lycéens se sont déclarés gênés pour intervenir dans la discussion parce qu'ayant 18 ans... ils étaient électeurs. Ils craignaient que l'on déduise de leurs propos sur la Révolution la couleur de leur prochain bulletin de vote.

Avant « le début » que constitue la Révolution, c'est un autre monde qui, à la différence de celui qui voit le jour en 1789, n'a aucun lien avec leur vie. Deux griefs majeurs sont généralement retenus contre l'Ancien Régime : la misère des paysans et le pouvoir absolu du roi.

Des bancs lycéens, la France pré-révolutionnaire est vue comme un pays souffrant d'une extrême pauvreté. Il n'y a pas le moindre débat, la moindre restriction sur ce point, mais, au contraire, une surenchère noircissant de plus en plus le tableau. L'escalade simplificatrice ne s'effectue que dans un seul sens : le pire. « Il fallait que les gendarmes séparent les gens qui se battaient entre eux pour un morceau de pain » ; « Dans ce temps-là tu vivais jusqu'à trente ans maximum » ; « La plupart des gens mouraient de faim. »

Cette misère est une misère paysanne. La France de l'Ancien Régime n'est quasi peuplée que de malheureux et ces malheureux sont des paysans. Ce sont eux qui ont fait la Révolution. Dans la galerie des stéréotypes scolaires, à côté de « révolution = violence », a pris place, cet autre stéréotype : « faim = révolution ». L'enchaînement faim / violence / révolution, voilà la dynamique interne de la Révolution.

Le pain, dans cette représentation, prend symboliquement la place centrale. Ce qui, d'une part, tend à ramener les causes de la Révolution à la seule dimension de l'économie, voire à un besoin physiologique, et, d'autre part, à conférer une légitimité inattaquable à l'action des hommes de 1789. On peut se demander si les lycéens ne parviennent pas à faire tenir ensemble leur condamnation de la violence de la Révolution et leur appréciation néanmoins positive de celle-ci grâce à sa « justification par le pain ». L'accusation portée contre sa violence épargne généralement la violence paysanne. La violence des paysans malheureux luttant pour leur pain est admise et même assez souvent magnifiée. Leur fourche, l'arme la plus répandue dans les récits lycéens sur la Révolution, est l'instrument d'un combat dont le bien-fondé n'est, en tout cas, pratiquement pas contesté.

Mais où sont passés les bourgeois ?

La bourgeoisie trouve difficilement place dans ces représentations. Son image est tributaire du sens que les adolescents donnent généralement au mot « bourgeois » pour désigner l'ensemble des valeurs qu'ils rejettent.

Bourgeois et révolution : pour l'adolescent ces deux termes s'excluent. Le « bourgeois » n'est-il pas, par excellence, celui qui bénéficie de « privilèges » ? N'incarne-t-il pas « naturellement » le passé ? Contre qui, sinon contre les bourgeois, la révolution se ferait-elle ? Dès lors, où les caser dans la Révolution française ? Ils ne pouvaient pas être du côté des révolutionnaires et le pôle opposé n'était-il pas composé des nobles et du roi ? Car, bien entendu, dans la représentation habituelle de toute révolution, il n'y a place que pour deux camps en tout point opposés.

Certains élèves ont résolu le problème en reportant la naissance des bourgeois... après la Révolution. « La bourgeoisie, c'est le XIXe siècle. A l'époque de Louis XVI, c'étaient les nobles, la noblesse. La bourgeoisie n'existait pas sous la monarchie. C'est venu après. » Mais les leçons des profs ne sont pas si totalement oubliées qu'un tel point de vue puisse rencontrer une large adhésion. Pour la majorité des lycéens, il y a bien des bourgeois en 1789.

Certains maintiendront fermement l'idée que la Révolution s'est faite contre eux : « C'est surtout chez les bourgeois que ç'a été bousculé. Ils ont moins de privilèges à partir de la Révolution » (seconde A du lycée Jacques-Feyder d'Épinay). Cette intervention a entraîné le débat suivant sur les « privilèges des bourgeois » :

« Ils ne payaient pas d'impôts.

— Ils habitaient sur leurs terres. Ils étaient protégés par le roi. Ils n'avaient pas à travailler, alors que le paysan devait labourer et travailler du matin au soir. Le paysan n'avait aucune possibilité d'avoir une bonne culture.

— Les bourgeois étaient protégés par le roi. En cas de guerre, ils allaient avec le roi dans la Cour.

— Les bourgeois, c'étaient ceux qui décidaient si les paysans devaient vivre ou pas, puisqu'ils prenaient leurs récoltes contre pas beaucoup d'argent. »

Les bourgeois ainsi dépeints ont, à l'évidence, certains des traits de la noblesse. Le problème a été déplacé, mais il n'a pas été résolu. C'est pour la noblesse qu'il faut maintenant trouver une place dans la Révolution. Nouveau débat :

« Les nobles étaient plus haut placés que les bourgeois au point de vue culture.

— Je crois qu'il y a une grande différence entre les bourgeois et les nobles. Les nobles n'ont pas le droit de travailler, tandis que les bourgeois, eux, travaillent.

— Noble, c'est simplement un titre. On peut être noble sans être riche et riche sans être noble. Ils sont nobles parce que ça fait des générations qu'ils sont nobles. Mais les bourgeois, ce n'est pas du tout pareil...

— Être bourgeois, c'est une classe sociale, en fait. Les bourgeois c'étaient les gens les plus riches qu'il y avait en France.

— Les bourgeois ont réussi à atteindre le stade de la bourgeoisie en travaillant, même si avant ils faisaient partie des pauvres. En économisant, ils ont réussi à atteindre le stade de la bourgeoisie. Alors que les nobles, c'est héréditaire.

— Elle dit : "Ils deviennent bourgeois à force de travail." Je ne crois pas. Si quelqu'un fait partie du tiers état, il reste dans le tiers état, s'il est bourgeois il reste bourgeois. C'est héréditaire. On ne peut pas changer de classe. Les bourgeois ont plus d'argent et ils sont cultivés. Le tiers état, ce sont les pauvres et ils sont analphabètes. »

On sent, dans cet échange, toute la pesée du présent sur la représentation des classes sociales de l'Ancien Régime. L'image de la bourgeoisie est une projection de certains traits empruntés à son image contemporaine, ce qui l'exclut d'un tiers état dont on peut se demander si sa représentation ne souffre pas d'une contagion sémantique venue de l'expression « tiers monde ». « Le tiers état, c'est-à-dire tous les pauvres », dira un élève du Cours Victor-Hugo. On remarquera la place du critère culturel comme signe distinctif des classes sociales et l'absence de référence à la notion de propriété.

Il n'est nul besoin d'insister sur les contresens historiques auxquels conduisent ces représentations. La quasi-impossibilité de se représenter des bourgeois en posture révolutionnaire confirme la vision d'un monde paysan considéré comme la force motrice de la Révolution. Toutefois, cette vision cadre mal avec certains fragments du savoir lycéen et conduit à d'insolubles énigmes. Par exemple : les paysans étant illettrés, qui a bien pu rédiger les cahiers de doléances ? Ou encore : puisque Robespierre a été le plus révolutionnaire de tous les révolutionnaires et qu'il n'était pas un paysan, à quelle catégorie sociale appartenait-il ? Eh bien, on le reconnaîtra plus aisément noble que bourgeois ! De même, on verra plus facilement des nobles que des bourgeois tenir la plume d'oie pour consigner les plaintes des paysans. Affaire de « culture » sans doute...

Un roi « moderne »

Heureusement, il y a le roi.

Il émerge de la mêlée confuse des classes sociales et donne sens à la Révolution. Mais il est victime du même anachronisme que les bourgeois. La figure royale est le résultat d'un bricolage dans lequel entrent quelques connaissances scolaires sur la monarchie française et beaucoup de traits des despotes modernes. Louis XVI a un air de parenté avec Hitler, Staline ou Pinochet. « Avant la Révolution, le roi était un dictateur. Il faisait guillotiner toutes les personnes qui le gênaient dans son activité de roi » (lycée d'Épernon, classe de troisième A). Même vision d'une guillotine royale et quelque peu « stalinienne » dans la classe de seconde A du lycée Jacques-Feyder d'Épinay : « N'empêche que le peuple a eu vachement du courage, quand on pense que les gens étaient guillotinés simplement parce qu'ils n'étaient pas d'accord avec le roi. »

Louis XVI trouve peu de défenseurs sur les bancs de l'école. Sa décapitation entre pour peu dans l'image de violence attachée à la Révolution, à la différence de l'exécution de la reine et du sort réservé au dauphin. Médiocrité : ce mot revient constamment à propos du roi. Une médiocrité qui, selon certains, condamne sans appel le principe monarchique : « Le fait que la monarchie soit héréditaire est l'une des causes de la Révolution. On était roi de père en fils. Le premier était peut-être génial, mais ça s'est désagrégé. Ce n'était plus une forte personnalité qui accédait au pouvoir comme c'est devenu le cas au XXe siècle. Louis XVI n'avait aucun magnétisme » (Cours Victor-Hugo, Paris).

La représentation lycéenne de l'œuvre de la Révolution se dessine par opposition à l'image de l'Ancien Régime dominée par la figure royale. La république a pris le contre-pied de la monarchie. Dans cette transposition terme à terme, ce qui était considéré comme l'essentiel de la monarchie, à savoir la personne et la fonction du roi, se retrouve comme l'essentiel de la république, concrétisé cette fois dans la personne et la fonction de son président. « La Révolution, c'est le début de la République. Le peuple pouvait choisir... j'allais dire son dictateur. Mais ce n'est pas le mot. Le peuple pouvait choisir son président. C'est le premier président » (troisième B du lycée d'Épernon). Le voisinage des mots « dictateur » (sous-entendu : le roi) et « président », puis le passage de l'un à l'autre grâce au suffrage universel expriment une conception selon laquelle la république est un régime à la fois très semblable et très différent de la monarchie, à la fois le même et son contraire. Il est difficile de faire la part qui revient, dans cette manière de voir, aux leçons entendues sur les bancs de l'école et à celles qui relèvent des effets produits par l'exercice de la fonction présidentielle depuis l'élection du président au suffrage universel. Bornons-nous à constater ce fait : pour les lycéens, la Révolution c'est la République et la République se définit d'abord par l'élection de son président au suffrage universel.

Il est significatif que les discussions lycéennes sur les développements souhaitables de la démocratie aient tourné presque exclusivement autour de la fonction présidentielle. La place qu'elle a prise dans nos institutions n'a été que très marginalement contestée. Un mince filet anarchisant renvoie la monarchie et notre actuelle république dos à dos au nom du principe d'exclusion du chef. Le poids de la fonction présidentielle est invoqué comme « la preuve que la Révolution n'a rien changé. Il n'y a plus un roi qui commande, mais enfin c'est pratiquement la même chose » (classe de seconde 3 du lycée Jacques-Feyder). Un peu plus important est le courant qui estime que « le pouvoir est trop concentré », qu'il « est entre les mains de quelques personnes » ou « qu'il n'est pas vraiment diversifié ». Mais ces critiques se heurtent invariablement aux répliques majoritaires de ceux que satisfont nos institutions. Encore une fois, pour ces derniers, le critère essentiel d'un régime républicain, c'est la possibilité d'élire le président de la République au suffrage universel. « Quand il y avait un roi, il était tout seul. Il décidait, il faisait ce qu'il voulait. Il n'y avait rien à dire. Bon, maintenant c'est un président, mais ce sont les Français qui l'élisent. Puis on a plus de pouvoir sur la politique. On est d'accord avec lui ou on en élit un autre » (classe de seconde A du lycée Jacques-Feyder).

Rappelons pour mémoire que la réforme constitutionnelle instaurant l'élection du président de la République au suffrage universel fut, en son temps, combattue par la gauche. Celle-ci la tenait pour une évolution contraire à l'esprit et aux principes républicains.

« La liberté, en gros, on l'a »

Le problème des droits de l'homme tient naturellement une place importante dans ce va-et-vient conceptuel entre monarchie et république. L'œuvre de la Révolution dans ce domaine se profile dans le prolongement d'un regard qui fait de Louis XVI, ne l'oublions pas, un ancêtre des dictateurs du XXᵉ siècle. La portée de la Déclaration est déduite également de la comparaison entre les violations les plus flagrantes dont les Droits de l'homme sont quotidiennement l'objet de par le monde et ce qu'il en est de leur application dans notre pays. Si cette démarche témoigne d'un incontestable et réconfortant attachement à la liberté, elle n'est pas génératrice d'une attitude inventive et conquérante s'agissant des moyens susceptibles de développer les droits et les pratiques démocratiques ici et maintenant. La France contemporaine apparaît en effet, à la lumière de cette confrontation, comme le pays de cocagne des Droits de l'homme.

Le débat qui suit (dans la classe de seconde A du lycée Jacques-Feyder) est représentatif de ce qu'on pourrait définir comme un sentiment démocratique un peu trop lesté d'autosatisfaction. Il a pour point de départ la réflexion d'un élève — il s'en trouve toujours un ! — qui estime « que rien n'a changé par rapport à ce que c'était avant la Révolution ».

« C'est beaucoup plus libéral.

— On est quand même un pays assez libre. Quand on voit ce qui se passe dans d'autres pays, comme en Amérique latine. On est un pays libre.

— Oui. On a de la chance. Parce que, quand on regarde des pays, je ne sais pas, par exemple, l'Afrique du Sud où il n'y a ni liberté ni égalité. Donc, on n'est pas les moins gâtés.

— On n'est pas tout à fait libres. Si tu as des opinions politiques et qu'on le dit au patron, tu peux te faire renvoyer. »

Allait-on cesser de prendre uniquement le pire à témoin et s'engager dans une approche d'aspects, négatifs ceux-là, de la situation française en matière de droits et libertés ? Il n'en fut rien. D'une manière générale, les rares appels à s'attarder davantage sur les réalités de la démocratie française contemporaine suscitent une fin de non-recevoir quasi unanime. Ce qui se passe ailleurs est toujours là pour relativiser les éventuels manquements intérieurs et, à la limite, pour les annuler. En la circonstance, le débat s'est, sans surprise, poursuivi de cette manière :

« Il y a, dans des pays, des gens qui ne peuvent même pas lire un bouquin autre que les bouquins du gouvernement.

Regarde en Russie comment ça se passe. Si tu n'as pas ta carte, tu ne vis pas... enfin tu vis très mal. En France, tu as le droit d'avoir n'importe quel parti. C'est quand même la liberté.

— Oui, tu choisis ton parti. Tu peux faire ce que tu veux dans ta vie. Alors que dans d'autres pays tu es obligée...

— Moi je pense que dans le domaine des libertés on est bien servi. »

Ainsi, derrière l'opposition intérieur/extérieur, l'image de la liberté apparaît comme une sorte de gâteau mis en partage entre tous les pays du globe. N'y a-t-il pas, dès lors, quelque inconvenance à voir accroître une portion qui est déjà, comparée à la plupart des autres, l'une des plus substantielles ?

Les sondages sur la jeunesse confirment systématiquement son attachement aux Droits de l'homme et les ambiguïtés qu'il recouvre. Dans un sondage publié en septembre 1987 [1] et réalisé conjointement par *Le Monde*, *Antenne 2* et la radio *NRJ* auprès des 16-24 ans, 48 % des sondés déclarent qu'ils seraient « prêts à s'engager dans une association de défense des droits de l'homme ». Ils placent ce type d'association en tête de toutes celles vers lesquelles vont leurs préférences. Une « association de défense de la paix » vient immédiatement après (42 %), à égalité avec une « association humanitaire » (42 %). L'engagement dans un « syndicat professionnel », un « syndicat étudiant » ou un « parti politique » arrive loin derrière avec, respectivement, 10 %, 9 % et 7 %. L'image peu attrayante de ces organisations est évidemment en cause. Mais l'idée selon laquelle « la liberté, en gros, on l'a » (classe de troisième du lycée d'Épernon) ne conduit pas à tenir la participation à leur action pour une nécessité. S'ils envisagent d'un œil nettement plus favorable d'apporter une contribution personnelle à une association de défense des droits de l'homme, c'est essentiellement en raison de l'énormité du déficit international dans le domaine de la liberté.

Une autre ambiguïté à propos des Droits de l'homme retient également l'attention. Dans les discussions, ces droits deviennent très souvent « les droits de l'homme *et de la*

---

1. *Le Monde*, 14 septembre 1987.

femme ». Il faut voir là, pour s'en réjouir, une preuve de la vitalité de la revendication de l'égalité des sexes, exprimée par les jeunes filles. Cette revendication, la seule, pratiquement, à nous ramener à l'intérieur de l'Hexagone, s'accompagne de propos généralement optimistes : « Le gouvernement fait vraiment tout ce qu'il peut pour l'égalité de l'homme et de la femme » (classe de seconde A du lycée Jacques-Feyder). En définitive les mots « et de la femme » accolés aux mots « droits de l'homme » signalent moins un manque qu'un acquis.

« Histoire spectacle » et « politique spectacle »

Mai 68 et 1789. Le rapprochement peut, à première vue, surprendre. Pour les jeunes lycéens, il semble pourtant s'imposer. Leur rencontre avec Mai 68 s'opère, soit lorsqu'ils remontent le temps à partir d'aujourd'hui, soit lorsqu'ils le descendent à partir de la Révolution.

Suivons ce dernier cheminement. Lorsque les lycéens se posent la question : « Quelles sont les autres révolutions survenues en France depuis celle de 1789 ? », la réponse qui leur vient le plus spontanément et le plus généralement à l'esprit est : « La révolution de Mai 68. » Comparés au « score » qu'obtient cette « révolution », les moments révolutionnaires qui jalonnent le XIXe siècle (1830, 1848 ou la Commune) sont dans un rapport d'environ un à dix, à égalité avec... la révolution industrielle.

Le rôle joué en mai 1968 par la génération d'étudiants qui précède immédiatement la leur fournit une première explication de ce véritable plébiscite. Ajoutons-y le légendaire familial — cette génération est celle de leurs parents — et l'abondante utilisation médiatique d'images à haute teneur symbolique (souvenons-nous du débat sur le nombre des victimes). Pour les 15-18 ans, l'événement ainsi valorisé, bien que proche d'eux, bénéficie en outre de l'aura qui s'attache à l'histoire. Il n'en faut peut-être pas plus pour qu'il leur apparaisse comme l'un des pics qui jalonnent le passé et même comme le seul qui se puisse comparer à cet autre pic, le premier de la chaîne révolutionnaire, 1789.

Une autre donnée joue certainement un rôle dans cette

mise en parallèle inattendue. Les lycéens rencontrent Mai 68, avons-nous dit, en remontant le temps. En effet, c'est dans le prolongement de leur réflexion sur l'état actuel des droits de l'homme que les lycéens trouvent la grande contestation étudiante. Elle leur apparaît alors comme la source d'un nouvel enrichissement de ces droits, de leurs droits, depuis que la Révolution en a jeté les fondements. Cet enrichissement leur semble d'autant plus important qu'il concerne des domaines auxquels, du fait de leur âge et de leur condition de lycéen, ils sont particulièrement sensibles : les relations parents/enfants, les rapports enseignants/enseignés, la liberté d'expression, le recul des tabous dans le domaine des mœurs, etc. Bref, un ensemble à la fois très précis et extrêmement diffus de changements qu'ils englobent sous le qualificatif de « culturel ». Ils appartiennent à la première génération, après celle de leurs parents qui contribua à les promouvoir, qui en bénéficie. C'est, à leurs yeux, un acquis venu parfaire le socle de 1789. En la schématisant un peu, on pourrait résumer ainsi leur pensée : la Révolution a apporté la part politique des Droits de l'homme et Mai 68 la part qui a trait à leur mise en œuvre dans les rapports quotidiens de l'individu. Écoutons les élèves de seconde A du lycée Jacques-Feyder :

« Aujourd'hui, s'il y a les Droits de l'homme...

— ... et de la femme...

— S'il y a les Droits de l'homme et de la femme et plein de choses comme cela, c'est à cause de Mai 68.

— Les Droits de l'homme, c'est après la Révolution.

— Je ne parle pas que des Droits de l'homme. Je parle de tout, de la manière dont on se dirige, des conditions de vie. Si on était sous les rois, ce ne serait pas du tout comme ça, bien sûr. C'est à partir de la Révolution que ça a commencé à changer. Mais c'est la révolution de Mai 68 qui a fait beaucoup de choses.

— Tu n'exagères pas un peu ?

— Non, pas du tout. Après la Révolution, il y a eu la République. D'accord, c'était mieux qu'avant. Du moins ce n'était plus le pouvoir absolu. Le peuple avait le droit de s'exprimer, de faire beaucoup de choses qu'il n'avait pas le droit de faire avant. Mais surtout, si on a la liberté qu'on a maintenant, si on a le droit de parler librement comme on le fait en ce moment, si on a le droit de discuter avec le professeur, c'est grâce à Mai 68.

— Mai 68 a eu surtout un apport culturel. Ce n'était pas pour les droits de l'homme ni pour quelque chose de politique. C'est parti de la culture, du manque de culture dans les lieux scolaires et ailleurs.

— Ce que tu dis fait partie aussi des Droits de l'homme. Pas des droits politiques, mais culturels. Ça en fait partie. »

Cette vision de l'histoire de la conquête des Droits de l'homme met en évidence, entre autres, la difficulté à percevoir ce qui est l'étoffe même de l'histoire : le temps. Elle est génératrice d'un comportement politique. Ce qui disparaît avec l'évacuation de l'épaisseur du temps, c'est le rôle, dans l'avènement des transformations sociales, des actions quotidiennes et du lent cheminement des mentalités collectives. La difficulté à percevoir l'importance du « facteur temps » dans l'évolution de la société n'est sans doute pas sans rapport avec la tendance des grands médias à présenter la politique, l'histoire qui se fait, de manière spectaculaire. La « politique spectacle » renvoie à « l'histoire spectacle ». L'une et l'autre sont comme les deux faces d'une médaille. L'une et l'autre représentent le réel comme le fait un spectacle. Elles abolissent la durée, taillent dans la vie des personnages, condensent leurs actions. Et elles établissent une barrière invisible, mais généralement inviolée, entre les acteurs et les spectateurs.

Dans ce débat sur les révolutions et les droits de l'homme, nulle mention n'a été faite du mouvement ouvrier, des doctrines socialiste et communiste et de l'histoire des partis politiques de gauche. 1848, la Commune, le Front populaire, la Libération non seulement sont absents du mémorial lycéen des grands mouvements populaires à connotations révolutionnaires, mais ne suscitent aucune mise en rapport avec l'évolution des droits de l'homme. Voilà qui ne prédispose pas les lycéens à s'engager dans la réflexion sur leur enrichissement, notamment dans les domaines économique et social

Égalité... ou égalité des chances

La République, en faisant suivre dans sa devise le mot « liberté » du mot « égalité », a ouvert un débat qui n'est pas près d'être clos. Avant d'en évoquer les « aspects lycéens », réglons le sort du troisième mot de la devise républicaine, le mot « fraternité ». Les constatations à son propos sont d'ordre quasi clinique : pratiquement personne ne voit la fraternité à l'œuvre. C'est tout juste si le constat est assorti de regrets. « La fraternité... de ce côté, on n'est pas très fort », ou encore : « C'est vrai que c'est pas terrible la fraternité. On pourrait faire mieux » (classe de seconde A du lycée Jacques-Feyder). Bref, on est sans grandes illusions et on ne s'en afflige pas trop.

Il en va tout autrement des rapports entre « liberté » et « égalité ». Certains ont une vue résolument idyllique des lendemains immédiats de la Révolution (« Tout le monde était égaux », classe de troisième A d'Épernon) et courent après ce paradis perdu. D'autres, de beaucoup les plus nombreux, jugent l'évolution des deux derniers siècles plutôt positive. La réflexion suivante (classe de seconde 2 du lycée Jacques-Feyder) peut être considérée comme représentative de leur manière de penser : « Il y a le même schéma qu'avant la Révolution. Avant, il y avait les paysans et les royalistes, maintenant ce sont les ouvriers et les patrons. Mais il y a eu quand même une évolution. Entre le riche et le pauvre il n'y avait rien. Maintenant on peut mettre quelque chose entre les deux. »

Ce « quelque chose entre les deux » est un espace quasi providentiel. Grâce à lui, des problèmes apparemment insolubles vont pouvoir être résolus. Ainsi de la différence entre l'égalité des droits et l'égalité effective des individus, et des rapports de ces deux types d'égalité avec la liberté.

Certains de ceux qui n'avaient éprouvé aucune difficulté à admettre « qu'en gros la liberté on l'a » se sont trouvés subitement fort dépourvus d'arguments lorsque a été abordée la question de l'égalité. On passait sans transition des aspects les plus nobles des Droits de l'homme aux considérations les plus terre à terre. « Si on n'a pas un sou en poche, si on ne peut pas voyager, par exemple, on n'est pas libre. Donc, il n'y a pas de liberté en fait. La liberté c'est si on est... si tout le monde est égal. Or, il n'y aura jamais d'égalité. Il y aura toujours une hiérarchie et des classes sociales. Donc liberté et égalité, ça va ensemble. On ne peut pas être libre sans être égal. Et comme on n'est pas égal... » (classe de seconde A du lycée Jacques-Feyder).

Personne ne propose de construire une société égalitariste telle qu'ont pu l'imaginer des utopistes du XIXe siècle ou tenté de la réaliser les Khmers rouges de sinistre mémoire. Pas grand monde ne semble prêt à miser sur la lutte des classes comme moyen d'une transformation sociale qui, à terme, verrait leur disparition et l'avènement d'une égalité des conditions sociales des individus.

L'aspiration lycéenne à l'égalité se situe essentiellement au niveau de l'égalité des chances. Elle a sa source dans la situation des couches sociales qui sont « entre les deux » ou qui espèrent que leurs descendants pourront venir s'y placer. Elle naît d'une satisfaction : celle qu'engendre le sentiment d'avoir franchi un pas en avant par rapport à la limite inférieure du « schéma », c'est-à-dire « les ouvriers ». Elle est souvent aussi tenaillée par une crainte : celle d'être ramené vers cette limite. La réussite personnelle apparaît alors comme l'enjeu principal de l'existence. Le respect des règles du jeu permettant un déroulement loyal de la compétition constitue la revendication première adressée à la société. Cette aspiration à l'égalité et sa revendication sont vécues par les lycéens sur un mode d'autant plus aigu que, l'opposition classique riches/pauvres, à laquelle ils veulent échapper, leur parle dans bien des cas de l'histoire de leur propre famille. Ces « paysans », puis ces « ouvriers » qui les ont relayés comme porteurs du symbole de la pauvreté, ce furent souvent leurs grands-parents, voire leurs parents.

Un « individualisme généreux »

On trouvera une confirmation de ces remarques dans le sondage publié dans *L'Express* [2] en octobre 1987 et réalisé auprès des jeunes de 15-20 ans. Voici les pourcentages de réponse à la question : *En l'an 2000 souhaiteriez-vous être plutôt...*

2. *L'Express*, 2-8 octobre 1987.

— *Salarié dans le secteur nationalisé ?* .... 9 %
— *Salarié dans la fonction publique ?* .... 19 %
— *Salarié dans le secteur privé ?* .... 13 %
— *Installé à votre compte (entreprise ou profession libérale) ?* .... 57 %
— *Ne se prononce pas* .... 2 %

Jamais, dans notre pays, les classes moyennes urbaines n'avaient été aussi nombreuses et ne s'étaient accrues numériquement aussi vite. Cette évolution sociologique produit naturellement un effet idéologique de masse au sein de la nouvelle génération. Celle-ci relaie et amplifie le mouvement de désengagement, déjà sensible chez ses prédécesseurs, à l'égard des conceptions politiques élaborées dans un monde qui a en grande partie disparu : priorité accordée à l'action collective et aux enjeux globaux, rôle moteur ou d'avant-garde attribué à la classe ouvrière, place accordée aux doctrines politiques dans la transformation sociale, etc. Par opposition à la finalité et aux valeurs qui fondaient ces conceptions, l'attitude lycéenne est incontestablement une attitude que l'on peut qualifier d'individualiste. Cependant, l'aspiration à l'égalité et la revendication principale de l'égalité y tiennent une place si importante et si forte qu'elles déterminent un comportement politique qui ne se ramène pas à un simple et pur individualisme. Cette aspiration et cette revendication, alors même qu'elles sont chargées d'un certain égoïsme puisqu'elles portent principalement sur l'égalité des chances, génèrent en contrepartie une incontestable générosité. Le paradoxe n'est qu'apparent. On ne peut pas, en effet, vouloir très fortement l'égalité pour soi en restant totalement insensible à ce qu'il en est de l'égalité pour les autres. D'où l'aptitude de la « revendication égalité » — on l'a vu lors du mouvement lycéen de novembre-décembre 1986 — à devenir la revendication collective par excellence et à constituer la base d'une action, à bien des égards sans précédent.

Nos observations corroborent tout à fait celles de Joël-Yves Le Bigot, président de l'Institut de l'enfant, qui réalise chaque année un « baromètre » des 15-25 ans : « L'égologie, écrit-il, a succédé à l'écologie. L'individualisme qui devient peu à peu la seule valeur sûre, celle qui commande toutes les autres, va de pair avec l'ouverture et la générosité : on peut parler d'un individualisme généreux [3]. »

Pour revenir à la Révolution, on peut se demander si la schématisation scolaire dont elle est quelquefois l'objet ne joue pas un tour à sa postérité. A présenter sous un jour un peu trop simpliste la structure sociale de l'Ancien Régime — le fameux schéma riches/pauvres —, on s'expose au retour de bâton d'une surestimation de la fluidité sociale à notre époque et des possibilités de promotion qu'elle offre réellement.

L'enseignement de l'histoire, obligé de procéder à grands traits auprès des enfants et des adolescents, n'engendre-t-il pas une manière schématique de penser le passé et donc le présent ? Auquel cas, les visions scolaires les plus abruptes de la Révolution ne seraient pas forcément les plus susceptibles de générer une attitude révolutionnaire.

Révolutionnaires ou républicains réformistes ?

Une nouvelle révolution, en tout cas, ne s'impose pas comme une nécessité à l'esprit lycéen. Timidement, un élève de la classe de troisième B du lycée d'Épernon évoqua cette éventualité « pour que les usines appartiennent aux ouvriers ». Il suscita quelques rires et des remarques sarcastiques sur le « grand soir ». Un autre, dans une classe voisine, parla, avec le même insuccès, d'une révolution « pour imposer le désarmement ».

Plus ou moins confusément, les lycéens perçoivent, cependant, que le pouvoir de l'argent concentré entre les mains d'une classe de privilégiés limite le champ de la liberté et rend plus qu'aléatoire cette égalité à laquelle ils aspirent. Il y a du regret dans cette constatation de l'inachèvement du projet révolutionnaire prêté aux hommes de 1789 : « Nous sommes égaux sur les droits civiques, mais sur le plan des classes ce n'est pas encore ça. Et là, c'était une idée à eux. Ils voulaient qu'il n'y ait pas de division de classes » (classe de troisième A du lycée Jacques-Feyder).

Une nouvelle révolution, ayant cette fois pour but de surmonter la « division des classes », se révèle-t-elle pour

3. *Le Monde*, 14 septembre 1987.

autant indispensable ? Très peu le pensent. Il ne s'ensuit pas que les autres doivent être automatiquement taxés d'apolitisme. Mais le regard qu'ils portent sur la société se concentre plus sur le fonctionnement de celle-ci que sur ses fondements structurels. Autrement dit, ils sont plutôt satisfaits du type de société dans laquelle ils vont vivre, et leur préoccupation essentielle concernant son devenir n'est pas de la remplacer par une autre, mais d'en corriger ce qui leur apparaît comme des défauts. Transportons-nous dans la classe de seconde A du lycée Jacques-Feyder :

« Une nouvelle révolution ? Non, pas maintenant. Peut-être plus tard. On ne sait pas...

— On ferait une révolution contre quoi, pour quoi ? On a voulu une république, on l'a. On vote. C'est démocratique. On ferait une nouvelle révolution pour avoir de nouveau un roi ? A quoi ça servirait une nouvelle révolution ?

— Pour l'instant on n'a pas besoin tellement de révolution. C'est vrai, on a des problèmes. Il y a le problème du chômage. On est en crise. Mais je pense que le gouvernement fait ce qu'il peut pour régler ça. Ça se réglera petit à petit. On traverse une mauvaise passe. Mais on en a traversé je ne sais combien d'autres. Ce n'est pas une révolution qui arrangera les choses, au contraire.

— Il dit que nous ne sommes pas égaux. Mais avant, on ne pouvait pas changer de classe sociale. Tandis que maintenant, quand même, grâce à l'école... Bon, ce n'est pas donné à tout le monde, mais on a quand même la possibilité d'avoir un autre avenir. Celui qui est fils d'ouvrier, vraiment quelqu'un qui ne gagne rien du tout, ce sera peut-être dur pour lui de faire des études, mais quand même il a la possibilité d'arriver à bien gagner sa vie. Je trouve qu'il y a quand même plus d'égalité qu'avant. Avant, un paysan n'aurait jamais pensé à devenir noble ou bourgeois. C'était inconcevable. »

Il est à peine besoin de commenter cet échange qui montre à l'œuvre tous les ingrédients du réformisme politique : le suffrage universel considéré comme le critère unique de la démocratie ; la promotion sociale mise à la portée de tous, y compris des plus pauvres ; le rôle décisif joué par l'école dans l'accroissement de la fluidité des structures sociales ; les inégalités jugées essentiellement à l'aune du mérite personnel...

Cette perception de la réalité sociale et les comportements politiques qu'elle induit s'inscrivent dans cet « individualisme généreux » évoqué précédemment. Tout tourne autour de ce fameux « entre les deux » du schéma riches/pauvres. Dès lors que cet « entre les deux » représente une terre d'accueil pour les espérances et les ambitions du plus grand nombre, la volonté politique majoritaire ne peut qu'osciller entre ces deux pôles : rejet d'une égalité qui ferait disparaître cet « entre-deux » ou en réduirait sensiblement l'étendue et rejet d'une inégalité qui en limiterait par trop l'accès.

Que dire à propos des sympathies politiques des lycéens ? Cette question n'est venue dans les débats qu'en contrepoint des réflexions sur la Révolution. Généralement, la gauche est identifiée à la Révolution et la droite à ses opposants et à ses ennemis. Le clivage gauche/droite est reconnu comme une réalité toujours actuelle qui correspond à des différences importantes dans la manière d'aborder les problèmes politiques et sociaux. En tant qu'héritière de la Révolution, la gauche est créditée de la générosité reconnue aux hommes de 1789. Elle serait plutôt du côté de la liberté et de l'égalité. Mais à condition qu'elle « n'aille pas trop loin ». Car elle est tenue également pour l'héritière potentielle des excès de la Révolution. Au fond, le cœur lycéen penche moins vers la radicalisation de l'opposition gauche-droite que vers une sorte de centrisme actif qui associerait de manière dynamique ces fameux partis du mouvement et de la stabilité. « Les communistes perdent énormément, déclare un élève de la seconde B d'Épernon, parce que les gens ne veulent pas que la coupure gauche/droite s'accentue. »

Ce républicanisme prudemment réformiste traduit un indéniable et profond attachement aux valeurs qui fondent la société dans laquelle nous vivons. Il est confirmé par le sondage réalisé à la demande du journal *Le Monde* et d'*Antenne 2* déjà évoqué. Alors qu'aucune transformation sociale d'envergure n'est discernable, 74 % des 16-24 ans (il ne s'agit pas seulement des lycéens, mais de l'ensemble des jeunes et donc de ceux d'entre eux qui travaillent... ou sont au chômage) se déclarent « plutôt optimistes sur leur propre avenir », contre 19 % « plutôt pessimistes » et 7 % sans opinion. Ces chiffres, il est vrai, doivent être confrontés avec ceux obtenus à la question suivante : « Êtes-vous plutôt optimiste, plutôt pessimiste sur l'avenir des jeunes en France ? » 57 % se déclarent « plutôt optimistes », 38 % « plutôt pessimistes » (5 % sont sans opinion). On est plus optimiste pour soi que pour les autres.

Antiracisme et politique

La nouvelle génération n'a probablement pas fini de brouiller les cartes du jeu politique. Sa lucidité sur les ressorts profonds de la société dans laquelle elle s'éveille à la vie pourrait la rendre cynique. Elle est généreuse. Sa générosité pourrait l'amener à placer ses espoirs vers les grands idéaux qui affichent encore des prétentions à la guérison des maux dont souffre l'humanité. Elle n'a pour eux qu'un regard distrait teinté d'un certain amusement.

Un seul mot en « isme » a le pouvoir de l'émouvoir : le racisme. L'attention qu'il provoque dans ses rangs est empreinte de gravité. Il y a plus que de la générosité à l'œuvre dans son refus du racisme. Sa conscience est en cause.

Ce refus recèle un énorme potentiel de lutte contre la chose elle-même. L'attention aux réalités sociales qu'il traduit et qui incite à relativiser l'individualisme prêté à la nouvelle génération n'est pas forcément destinée à se limiter au problème du racisme proprement dit. Cet antiracisme agit à la manière d'un révélateur. Parce que le racisme représente la mise en cause la plus inadmissible de la dignité humaine, il tend naturellement à polariser contre lui la conscience politique naissante des classes d'âge en train de découvrir la société. Cette conscience politique en gestation va, à juste titre, au plus urgent et au plus « voyant ». Mais rien ne dit qu'elle en restera là. La gravité de l'engagement des lycéens contre le racisme autorise à voir dans leur rejet de celui-ci autre chose qu'un commun dénominateur vaguement humaniste et parfaitement apolitique pour une jeunesse en panne d'idéaux à l'heure des basses eaux de l'idéologie.

Lorsqu'une nouvelle génération apparaît sur le devant de la scène, les générations antérieures ont souvent du mal à remarquer ce qu'elle apporte d'inédit dans l'ordre politique. Elles ont vite fait de parler de « recul du politique », voire d'apolitisme.

La lutte contre le racisme met en jeu une forte composante « personnelle ». Le racisme atteint ses victimes au plus intime d'elles-mêmes. Il concerne personnellement chaque individu. L'ampleur prise par la mobilisation de la jeunesse contre ses méfaits confirme une évolution de la pratique politique constatée ces dernières années. L'objet de cette pratique se déplace d'une attention globale portée « aux masses » ou à telle catégorie sociale, vers la personne, vers « les gens » considérés dans leur individualité.

Il est significatif en tout cas que la devise de la République française *Liberté-Égalité-Fraternité* conduise au plus actuel des combats pour la dignité humaine. Le succès du mouvement antiraciste est une manifestation éclatante de la vitalité et de la modernité des valeurs qui la sous-tendent.

2

La Vendée
Le cheminement d'une mémoire enclavée

« Contre nous de la République
L'étendard sanglant est levé... »

La Marseillaise des Blancs.

Vendée. Ce nom s'est trouvé chargé de devoir dire tout le sens d'un moment capital de notre histoire. A lui seul il accusait. La Révolution pour les uns. La royauté, les nobles, l'Église pour les autres.

Vendée. C'était toute la sauvagerie d'un temps en ses bases bouleversé, la violence presque à l'état originel, la lame de l'intolérance dans son contact nu avec le corps de ses victimes.

C'était ? C'était et c'est encore. Car si l'aveuglement semble parfois avoir reflué et lentement cédé du terrain à l'analyse, des rechutes périodiques et violentes de l'anathème menacent encore la difficile progression des esprits vers l'approche sereine des événements.

Vendée. Ce nom n'en finit pas de donner sa caution à de singulières facilités politiciennes, à de paresseux raccourcis historiques, à de hâtives approximations scolaires.

Le « souvenir vendéen » ou la difficulté de gérer la mémoire

Sur la carte de France des souvenirs de la période révolutionnaire, la mémoire vendéenne « blanche » n'a pas d'équivalent. Elle est conjointement régionale, familiale, religieuse et royaliste. Ces quatre composantes ne se retrouvent nulle part ailleurs avec la vigueur qu'elles ont acquise et conservée en Vendée. Nulle part ailleurs, elles n'ont conduit à ce farouche sentiment d'appartenance à une communauté singulière qui caractérise la mémoire vendéenne « militante ». Cette particularité jette rétrospectivement quelques lueurs sur la spécificité de cette région de France au moment de la Révolution et sur les événements qui s'y sont alors déroulés.

Le « Souvenir vendéen » s'est fixé pour but de « perpétuer la mémoire de l'épopée vendéenne de 1793 ». C'est la plus ancienne et la plus active des associations de ce type. Ses mille huit cents adhérents sont conviés chaque année à un pèlerinage historique en Vendée militaire et, à Paris, à une messe anniversaire de la mort du roi Louis XVI. Un bulletin trimestriel leur apporte l'écho infiniment prolongé des exploits de leurs ancêtres, le tout dernier détail retrouvé de la vie des hommes illustres de leur terroir, la relation toujours identique à elle-même de la débauche d'horreurs subies par leurs aïeux.

Comparé à d'autres supports de diffusion de la mémoire vendéenne, le « Souvenir » jouit en apparence d'une influence modeste. Rien de commun avec le rayonnement du spectacle du Puy-du-Fou ou avec l'énorme imagerie du « chouan » mise sur le marché par le commerce local et qui va de l'étiquette de camembert aux enseignes de boutiques en passant par des reproductions « artistiques » en tout genre...

Mais ce que l'impact du « Souvenir » perd en étendue, il le gagne en intensité. C'est un mouvement militant. Il s'emploie, on l'a dit, à faire partager son analyse de « l'épopée vendéenne ». De fait, il anime avec l'aide d'historiens « sympathisants », et grâce aux relais dont il dispose dans les médias, le débat toujours renaissant sur la Vendée, lequel tend souvent à envahir tout le débat sur la Révolution elle-même

Pour Mme Simone Loidreau, l'actuelle secrétaire du « Souvenir vendéen », il ne s'agit que de faire avancer la vérité historique. « Le départ de l'association, en 1933, fut intellectuellement difficile. On vivait sur une tradition orale qui, comme toute tradition orale, était fausse. Les gens avaient exagéré dans un sens et dans un autre. Les descendants directs de ceux qui avaient vécu cette période, y compris les événements de 1832, étaient morts. Il y avait une espèce de légende dorée qui s'était forgée. »

C'est à *« l'histoire réelle »*, souligne Mme Loidreau, qu'entend se tenir le « Souvenir vendéen ». A preuve, sa vigilance à l'égard des tentatives de dévoiement politique. « Malheureusement, beaucoup de gens s'imaginent que nous sommes automatiquement d'extrême droite et viennent chez nous parce qu'ils sont passionnés par tout ce qui touche un passé contre-révolutionnaire. Nous avons donc une marge de gens que nous essayons d'éliminer, en Vendée militaire, parce qu'ils essaient de se servir de notre mouvement pour réussir une carrière politique. Dès que nous les découvrons, nous nous efforçons de les évacuer. »

Mais d'autres préoccupations ne risquent-elles pas de parasiter la recherche de « l'histoire réelle » ? « Nous sommes tous théoriquement royalistes de 93, mais nous n'avons pas à savoir ce que sont devenus nos adhérents. Remarquez, on le sait toujours, mais enfin ça ne nous regarde pas. Qu'ils soient républicains ou restés royalistes, qu'ils votent dans tel ou tel sens, rien de tout cela ne nous concerne. Mais il est évident que nous sommes un mouvement religieux puisque toutes nos réunions commencent par une messe. Donc, il faut bien avouer que la gauche n'a pas place chez nous. »

On notera la fixation à « 93 », date à laquelle le temps semble s'être arrêté. « Qu'ils soient *restés* royalistes... » Il en est parlé comme s'il s'agissait des mêmes personnes. On constate un blocage historique identique à propos des rapports entre le politique et le religieux dans l'allusion à « la gauche ». On ne peut s'empêcher de penser à ces films dont la dernière image fige brusquement et pour l'éternité les gestes des personnages.

La recherche historique n'est-elle pas, dès lors que les époques se télescopent ainsi, assimilable au travail de restauration des tableaux anciens ? Pourrait-elle poursuivre un autre but que de parfaire encore et toujours la même toile ?

« Nous » avons tué

Mme Loidreau évoque les « légendes » auxquelles s'en est pris le « Souvenir vendéen ». « Personnellement, j'ai démoli la légende de Barra et la légende de Valmy. Valmy n'a jamais existé. Entendons-nous, Valmy n'a jamais été une victoire. On démolit les légendes les unes après les autres, y compris de notre côté. Nous reconnaissons tout à fait des erreurs que nous avons pu commettre...

— Par exemple ?

— *(Dans un profond soupir :)* Machecoul... qu'on nous flanque régulièrement à la figure. A Machecoul, nous avons tué... il n'y a pas de problème... cent quatre-vingts personnes. »

Les erreurs que « *nous* » avons pu commettre... « *Nous* » avons tué... Le processus d'identification est à l'œuvre. Mme Loidreau s'estime comptable des « erreurs » de ses ancêtres. Elle en souffre personnellement et il lui en coûte de devoir préciser ce qui s'est passé à Machecoul. « Les Blancs ont assassiné les Bleus, je dirais pratiquement sans préavis, des prêtres constitutionnels, des municipaux, le notaire... enfin tous les gens qui avaient pactisé, qui avaient préféré — pour les prêtres — la nation au pape et — pour les autres — leurs biens au roi. »

Il y a deux personnes en Mme Loidreau : l'une qui recherche la vérité historique et l'autre qui s'est identifiée à ses ancêtres. Elle vit dans deux temps différents : le temps d'alors et le temps présent. Ses paroles expriment cette dualité : « On a comme ça deux ou trois massacres qui ne sont pas jolis, jolis. Ce qui d'ailleurs nous permet de dire que ni en quantité ni... — j'allais dire en qualité —, il n'y a de rapport entre nos erreurs et celles des Bleus. Je m'occupe personnellement des colonnes infernales envoyées par la République pour mater les Vendéens. Je suis arrivée au chiffre, entre le 21 janvier 1794 et la fin mai de la même année, de 180 000 morts, dont 150 000 femmes et enfants. Je suis convaincue que mon chiffre est exact ; c'est un chiffre donné par les Bleus et non par les Blancs. Les Bleus eux-mêmes avouent, dans tous les livres républicains, de gauche, que le quart de la population à peu près a été massacré. »

Effectivement, personne ne discute plus l'ampleur de la répression républicaine et les estimations admises par Mme Loidreau sont plutôt en retrait par rapport aux chiffres avancés par certains tenants du « génocide vendéen ».

Mais le plus significatif, dans ses propos, c'est la phrase relative aux « erreurs » respectives des Blancs et des Bleus. Le souci de la vérité historique manifesté par Mme Loidreau concernant Machecoul et « deux ou trois massacres » semblables conforte son identification à l'un des deux camps en présence. Une foi solide n'a rien à redouter de l'épreuve de la vérité ; elle en sort même renforcée. Les « erreurs » de « son » camp ne sauraient entacher la cause de celui-ci. Elles ne sont pas à mettre sur le même plan que celles des gens d'en face « ni en quantité ni en qualité ». Les reconnaître aujourd'hui est une démarche dont l'honnêteté remonte le temps et rejaillit sur les auteurs des « erreurs » en question.

Mme Loidreau et certains bigots de la Révolution sont sur des positions symétriques. Pour ces derniers, la Vendée fut à la France révolutionnaire ce que Machecoul fut à la Vendée royaliste : une « erreur ». Par rapport à Mme Loidreau, ils changent d'échelle et ne font pas référence aux mêmes séquences de temps. Mais, comme pour elle — symétriquement — la reconnaissance de « l'erreur » vendéenne leur « *permet* » d'affirmer que « ni en quantité ni en qualité » les « erreurs » de la Révolution ne sont comparables à celles de ses adversaires.

L'intime cheminement de l'identification aux figures héroïques

Cette approche de l'histoire est surplombée par une forte identification à des figures héroïques du passé. Celles-ci constituent des « modèles » auxquels on s'efforcera de ressembler. D'où la difficulté de considérer leurs actes comme des actes accomplis par des hommes et le besoin de relativiser leurs fautes, souvent même de les justifier.

Edgar Quinet a admirablement dit les dangers qu'elle comporte : « Dispensés de rendre à chacun ce qui lui est dû dans ses œuvres pour le bien et le mal, nous léguons aux esprits à venir les anneaux de la chaîne de la nécessité. Légitimant toute faute, nous ôtons tout nerf à la conscience comme à l'intelligence. L'âme périt la première dans cette œuvre. Démentis perpétuels à nos propres principes, surprises, miracles du plus fort, œuvre artificielle où vous ne sentez plus la vie humaine. Que serait-ce que cela, sinon une histoire automatique pour enfanter dans la postérité des générations d'automates [1] ? »

L'identification à des figures héroïques s'inscrit dans le processus par lequel, dans son jeu avec les images parentales, le sujet se constitue. De glissement en glissement, la figure du ou des héros devient une sorte de double amplifié des qualités prêtées au père et/ou à la mère ou une construction imaginaire destinée à pallier les carences réelles ou supposées de ceux-ci.

En Vendée, ce glissement des images parentales aux figures héroïques de l'histoire s'opère souvent sans quitter le cadre de la famille. Dès son plus jeune âge, l'enfant est élevé dans le culte de ses aïeux, culte qui se confond avec celui des héros de « l'épopée vendéenne ». Lien familial et sublimation de ce moment d'histoire conjuguent leurs effets. Cet enclavement du rapport à l'histoire, à la fois dans la famille, dans une région relativement isolée et dans un moment du passé historique porteur d'une charge émotionnelle intense, constitue l'une des originalités de la « mémoire vendéenne ».

Pour pénétrer plus avant dans ce que peut être l'identification aux figures héroïques, nous suivrons le cheminement du culte des ancêtres à travers quatre générations successives d'une même famille. La formation d'un certain souvenir vendéen apparaîtra au jaillissement même de sa source. Nous verrons, à l'opposé, une famille républicaine inscrire — c'est le mot qui convient — le culte révolutionnaire dans la personne de son enfant. La mythification du passé n'est le monopole d'aucune idéologie.

---

1. Edgar QUINET, *La Révolution*, Belin, Paris, 1987, p. 54.

« Aussi loin que mes souvenirs remontent... »

Mlle Marie S., née avec ce siècle, est la descendante d'un des acteurs de la guerre de Vendée. Elle a grandi dans le culte de cet aïeul dont elle a connu les petits-fils. Cette précision renseigne sur le degré de proximité de sa génération avec les acteurs de la Révolution. « Ma mère était une B. de S. L'aïeul B. de S. était sénéchal de Mortagne-sur-Sèvre, à côté de Cholet. Dans sa maison, il a reçu tous les généraux vendéens. Il les renseignait. Il ne s'est pas battu parce que je crois qu'il avait déjà un certain âge. Il y a beaucoup de gens qui le lui reprochent. Pourtant, il a été guillotiné à Nantes. J'ai vécu toute mon enfance à Cholet. Ma grand-mère avait une propriété entre Mortagne et Les Herbiers. Là, je n'ai entendu parler, forcément, que des guerres de Vendée puisqu'il y avait eu cet ancêtre qui a été guillotiné sur la place Bouffet à Nantes. Donc, depuis que j'ai conscience de quelque chose je retrouve l'évocation de ces événements. Et il y avait tous les lieux... On nous indiquait, par exemple, l'endroit où La Rochejaquelein a été tué. On nous montrait le « champ des Martyrs » et la fameuse église, à Saint-Mars-la-Réole, près des Herbiers. Dans cette église, ç'a été Oradour. On parle d'Oradour, mais il y en a eu trente-six en Vendée. »

Cette référence aux atrocités nazies est fréquente. Elle fait plus, parfois, que comparer deux types de déchaînement de la terreur, comme si la Vendée devait rester, dans le domaine de l'horreur aussi, inégalable. Elle aboutit à relativiser l'étendue des crimes hitlériens.

Mme Antoinette de C. est la cousine de Mlle S. Elle appartient à la génération suivante. La présence du passé dans son enfance vendéenne n'a en rien reculé par rapport à ce qu'elle fut dans celle de Mlle S. : « Je peux dire qu'aussi loin que mes souvenirs remontent on m'en a parlé. Depuis que je suis enfant, on m'en a toujours, toujours, parlé. Ça m'a marquée depuis mon enfance. Par exemple, lorsque j'étais toute petite, à chaque fois que je revenais de chez ma grand-mère maternelle avec mon père qui était en garnison à Laval, papa disait, solennel : "Recueillons-nous. Nous passons à La Croix-Bataille où Jean Chouan a mis en déroute les cavaliers de la République."... Je ne le dis pas trop fort parce qu'il y a le maçon sur le toit... Je ne voudrais pas le choquer. »

Les pèlerinages familiaux sur des lieux chargés d'histoire n'étaient que l'aspect le plus banal, le plus quotidien des pratiques destinées à perpétuer le souvenir. L'univers domestique regorgeait de signes porteurs de légendes. « Chez mes grands-parents à Angers, dans l'entrée, il y avait une armoire toujours bien resplendissante, bien cirée. Mais lorsqu'on la regardait de près, on voyait qu'elle était très égratignée. C'était une armoire qui avait résisté aux colonnes infernales. Elle était même brûlée à un endroit, mais on avait volontairement laissé les traces du feu car c'est dans cette armoire que notre aïeul s'était caché avec sa mère quand il y a eu le déchaînement des colonnes infernales. Il était alors tout jeune. Vous savez, tout a été détruit. Il y a des phrases qu'on nous apprenait dans notre enfance. Par exemple celles de Westermann, vainqueur des Blancs à Savenay : "Il n'y a plus de Vendée, elle est morte sous notre sabre libre... J'ai écrasé les enfants sous les pieds des chevaux et massacré les femmes. Je n'ai pas un prisonnier à me reprocher." Moi, comme petite fille, je me disais : "Mon Dieu, pourvu qu'on ne revoie jamais ça." »

L'enfance s'arrime naturellement aux images les plus fortes proposées par son entourage familial. Celle de Mme de C. fut bercée par l'omniprésent rappel du sacrifice de ses ancêtres. « On nous parlait de nos ancêtres comme de martyrs, martyrs surtout de la foi. Et par voie de conséquence, dans la famille on est tous restés très monarchistes, parce que le Roi Très Chrétien était le protecteur des autels. Quand Louis XVI a été guillotiné, ç'a été un drame dans tout le pays. Il avait eu sa faiblesse, parce qu'il a tout de même, au début, regardé d'un bon œil la Constitution civile du clergé. Mais après il a refusé de la signer. Dans ma famille, c'est le sacrifice de nos aïeux qui m'a marquée. On m'a toujours dit quand j'étais petite fille : ce sont des martyrs dont nous devons toujours garder le souvenir. On m'en a parlé énormément. Papa nous en parlait beaucoup et puis ma grand-mère paternelle. Dans ses mémoires, elle parle d'une personne qui transmettait des messages au général de Charette. Elle avait aussi recueilli les souvenirs de sa belle-mère dont les parents avaient été mêlés à tout cela. Ma grand-mère est morte à 100 ans, il y a vingt ans. Donc elle avait beaucoup de choses à nous raconter. Je ne regrette qu'une chose, c'est de ne pas l'avoir fait parler davantage. Oui, je dois dire que tout cela m'a beaucoup imprégnée. Ainsi, par exemple, jamais on n'aurait fait une réunion de famille sans évoquer, en parlant des uns et des autres, le souvenir de nos pères vendéens, qui sont morts en combattant pour Dieu et pour le roi. Pour les quatre-vingt-dix ans de mon père, comme je suis la fille aînée, j'avais été chargée d'évoquer le souvenir. Il m'avait dit "très court"... mais enfin je l'ai fait. »

« Il vaudra mieux mourir vous aussi »

De cette reconstitution de l'enfance par la mémoire se détache l'exemple des ascendants ; exemple qui oblige les suivants dans la lignée et trace les devoirs auxquels ils ne sauraient se soustraire sans faillir. « Mon père, quand nous étions petites, et surtout ma grand-mère, nous ont dit plusieurs fois : "Vous voyez, plutôt que d'être en désaccord avec votre, notre religion, plutôt que d'y renoncer ou de dire que vous n'êtes plus catholiques, il vaudra mieux mourir vous aussi." On trouvait ça très beau, mais ça nous faisait tout de même un peu peur. J'avais dix ans... Remarquez qu'on l'acceptait beaucoup mieux à huit-dix ans parce qu'on ne se rend pas très bien compte. Mais après, on y repense et on se dit : "Ils ont raison, il faudrait le faire." »

L'entretien du souvenir, lorsqu'il est commandé par un devoir d'une aussi haute teneur affective, franchit assez facilement les frontières du raisonnable pour devenir comme ivre de lui-même. Mme de C., pas plus que sa cousine, ne résiste à la tentation des comparaisons historiques plus que discutables. « On ramène, dans les livres d'histoire, un génocide à une ligne. Or, cela a été dix fois ce qu'ont été les massacres des Allemands. Alors c'est très injuste. Seulement, les gens qui perdent, évidemment, on les écrase et on écrase leur souvenir. Sauf s'ils ont des descendants très dynamiques, comme par exemple les protestants. Ils ont eu bien moins de massacres que nous autres Vendéens ou chouans. Eh bien, ils en parlent tout le temps. La Saint-Barthélemy n'a pas fait 3 000 morts. En Vendée, il y en a eu 200 000. »

Mais comment mes interlocutrices voient-elles, au-delà des atrocités de la répression, la Vendée de 1789-1794 ? Quelles sont, à leurs yeux, les causes de sa révolte ? « Tous les départements de l'Ouest, explique Mme de C., ont accueilli l'idée de réformes avec enthousiasme. Beaucoup plus vite que bien d'autres départements. La noblesse du coin, à part des gens qui étaient de la noblesse de cour, comme les La Rochejaquelein qui avaient des propriétés splendides et qui vivaient à la fois sur leurs terres et à Paris, était plutôt pauvre...

Mlle S. — La Rochejaquelein était un officier des armées royales et de Charette officier de marine.

Mme de C. — Oui, mais autrefois c'était très cloisonné. Je ne sais pas si les La Rochejaquelein auraient été les amis intimes des Charette. Les de Charette, c'était de la petite noblesse comme nous, comme la famille de mon père... »

Nous n'irons guère plus loin avec Mme de C. sur les dimensions sociales de la question vendéenne. Elle s'en tient aux causes religieuses de la révolte. « La conscription, c'est la goutte d'eau qui a fait déborder le vase. Les paysans ne comprenaient pas qu'on les mobilise pour un gouvernement qui emprisonnait ceux qu'ils appelaient les "bons prêtres", ceux qui n'avaient pas prêté serment, et qui ensuite guillotinait le roi, la reine. Et il y a eu des soulèvements. On nous l'a dit dans notre jeunesse. On nous parlait, par exemple, de Machecoul où le curé jureur [2] est arrivé pour prendre possession de sa cure. Toutes les femmes du pays se sont ruées sur lui avec leur *pichette* à taper le linge et il a été rossé. » Bagatelle pour un massacre...

« Les paysans nous aimaient »

Ce sont les propos de Mlle S. qui se révéleront finalement les plus intéressants pour la compréhension des rapports entre

2. « Les curés qui n'ont pas prêté serment, appelés pour cela "insermentés", ou "réfractaires", perdent progressivement le droit de célébrer le culte, doivent abandonner leurs paroisses et sont remplacés par ceux qui ont satisfait aux exigences de l'État, les "assermentés" ou "jureurs". Dans les paroisses rurales, les fidèles soutiennent le curé auquel ils étaient habitués, et craignent que le nouveau ne leur garantisse pas la valeur des sacrements (baptême, mariage, inhumation) qui permettent l'accès à la vie éternelle » (Jean-Clément MARTIN, *Blancs et Bleus dans la Vendée déchirée*, Gallimard, coll. « Découvertes », Paris, 1986, p. 24).

les classes de la société vendéenne. Elle évoque la campagne du début du siècle. Au travers de menus souvenirs se révèlent un monde et une vision du monde. « Les nobles et les paysans étaient très, très proches. Ils formaient un tout. Je peux dire que j'ai connu ça dans mon enfance. Je me vois encore arriver dans les fermes avec ma grand-mère. Les paysans nous appelaient "notre maître". Ils étaient d'un dévouement extraordinaire. Vous ne pouvez pas vous imaginer ce que c'était. Ma grand-mère était bonne pour ses fermiers et ils l'aimaient beaucoup. Et les domestiques... Les domestiques faisaient partie de la famille et nous aimaient comme des membres de la famille. Je vous parle de mon enfance, mais c'était comme cela pendant la Révolution. Je me souviens, une fois ma grand-mère nous avait emmenées dans une ferme et elle nous avait donné des poupées qu'elle avait achetées à une foire. Lorsque nous sommes arrivées à la ferme, les petites ont joué avec nous et notre grand-mère a dit, ça je m'en souviendrai toujours : "Laissez vos poupées aux fermières." Pour vous dire comment étaient les relations entre les gens. »

Ces paroles, au-delà de ce qu'elles confirment à propos du paternalisme qui caractérisait les rapports sociaux, nous renseignent sur l'un des traits de la société vendéenne : la « proximité », pour parler comme Mlle S., entre nobles et paysans. Elle a incontestablement joué un grand rôle dans la guerre civile. Une fois la part faite à l'idéalisation rétrospective, cette société apparaît néanmoins comme un bloc. Les différences entre les classes sont recouvertes de l'immense manteau des valeurs communes unanimement admises et partagées. Ces différences sont très accusées et scrupuleusement respectées. Mais l'existence des classes elle-même est considérée comme l'œuvre d'une volonté extérieure à la société et non comme la résultante de son fonctionnement. Dès lors le devoir de chacun est d'être à sa place : le noble dans son rôle de maître, le paysan dans l'obéissance et le respect.

Ce n'est pas sans raison que Mlle S. parle de rapports familiaux. La vision de la hiérarchie sociale qu'elle évoque est fondée sur le principe de l'autorité paternelle. Elle assure l'ordre des choses et dispense l'amour. Elle est à la source de la monarchie catholique : le manant obéit au seigneur, le seigneur au roi et le roi à Dieu. On pense à ces paroles de Halmalo au marquis de Lantenac, dans le *Quatre-vingt-treize* de Victor Hugo : « On doit obéissance à Dieu, et puis au roi qui est comme Dieu, et puis au seigneur qui est comme le roi [3]. »

La « fixation » vendéenne à 1793 nous transmet, intacte, l'essence du monarchisme. Non seulement le politique et le religieux ne constituent pas des sphères distinctes, mais le social lui-même n'a pas de réalité. Il est ravalé au rang de rapports interpersonnels.

Un souvenir de famille

Pour les générations à venir, la nostalgie sera-t-elle toujours ce qu'elle est ? Lançons un pont à travers le temps, et de la génération de Mlle S. sautons à celle des petits-enfants de Mme de C., une fille de 9 ans et un garçon de 8 ans. « Avec eux, rappelle Mme de C., hier soir, on a chanté les *Mouchoirs de Cholet*. Une chanson finalement apocryphe... mais les authentiques sont beaucoup moins entraînantes. »

Ce sont les chansons que la mère de ces deux enfants, Mme Véronique V., 38 ans, fille de Mme de C., retrouve au plus profond de ses souvenirs vendéens. « On a commencé à chanter des chansons royalistes quand nous étions enfants, principalement des chansons de Botrel. C'est comme cela qu'on a commencé à en parler. Et puis ça a continué. Je ne contredis pas mes parents quand ils en parlent. Mais moi je suis de mon époque. C'est vraiment ma mère que ça intéresse. Pas mon père. J'ai des souvenirs... Le *Souvenir vendéen* auquel j'étais abonnée... Je l'ai lu un certain temps, mais c'est tellement cafardeux que je m'en suis détachée. Maman est davantage tournée vers le passé, et moi pas du tout. Je ne veux pas dire que je ne regarde pas cela de manière affectueuse. C'est un souvenir intéressant. Mais il y a aussi beaucoup d'autres choses qui m'intéressent. Malgré tout, c'est le souvenir d'un sacrifice. Ça représente pour moi

3. Victor HUGO, *Quatre-vingt-treize, Œuvres romanesques complètes*, tome IV, Livre Club Diderot, Paris, 1971, p. 636.

quelque chose qui n'est pas seulement historique. C'est ma famille. C'est un souvenir de famille qu'on transmet comme tel. Mais en même temps on regarde aussi vers l'avenir. Bien que l'avenir... c'est aussi un peu ce qu'ils ont fait là-bas. Pourtant, j'avoue que j'en ai un peu assez des causes perdues. »

On perçoit dans ces propos un émouvant mélange de fidélité à un héritage au sein duquel la part de l'histoire apparaît solidement tenue par les liens familiaux, et le besoin de prendre quelque distance à son endroit. Il y a là un phénomène naturel d'érosion du souvenir qui affecte le passage du relais aux générations futures.

A mesure qu'elle s'éloigne de son éclosion, la mémoire historique, travaillée et retravaillée par ses dépositaires successifs, distend ses liens avec ce que fut l'événement fondateur. Ce qui, avec le temps, s'installe dans les esprits au titre d'un certain « souvenir vendéen », c'est moins la relation d'un ensemble de faits qu'une image globale porteuse d'une leçon. On est davantage dans le domaine de la légende que dans celui de l'histoire.

L'ambiguïté de l'attitude de Mme V. à l'égard du legs vendéen de sa famille se retrouve dans ce qu'elle transmet à ses enfants. « Pour les enfants, c'est intéressant, c'est important qu'ils s'en souviennent. Mais en même temps la vie continue. Comme je ne suis pas une spécialiste et que j'ai des souvenirs assez lointains, ce que je transmets aux enfants c'est le souvenir du sacrifice de mes ancêtres. Mais ce serait valable pour tous les sacrifices du même type. Tous les gens qui meurent pour un idéal sont exemplaires. En même temps, si mes enfants peuvent avoir le choix et ne pas avoir de sacrifice à faire, c'est ce que je leur souhaite. Je ne leur raconte pas tous les jours la Vendée, mais seulement si l'occasion se présente. Ils sont encore petits. L'aînée a neuf ans et demi. Donc, si vous voulez, on parle du roi. Par exemple, puisque mon fils s'appelle Louis, je lui dis toujours de ne jamais finir comme Louis XVI... »

« On ne peut pas raconter une guerre civile aux enfants »

La guerre de Vendée proprement dite, qui était encore, nous l'avons vu, pour Mme de C. une affaire de famille dont on pouvait parler aux enfants, devient pour sa fille, en s'éloignant dans le temps, de plus en plus anonyme. Celle-ci emploie à son propos une définition qu'on ne trouve pas dans les récits de ses aînés : la « guerre civile ».

Ces deux mots substituent l'idée d'une déchirure d'un même tissu à celle d'une population unanimement dressée contre l'agression d'un ennemi extérieur. Ce glissement rend plus difficile l'évocation, auprès de ses enfants, des violences vendéennes. Les parents considèrent que les enfants peuvent tout entendre de la passion des hommes pour la mort, à condition qu'elle se réfère à l'image de purs martyrs. La notion de « guerre civile » ne signifie pas, dans l'esprit de Mme V., qu'il n'y eut pas de martyrs, mais elle introduit au moins une interrogation sur l'enjeu du martyrologe. Mme V. transmet à ses enfants le respect des martyrs mais sur un mode plus abstrait que ses ascendants : « On ne peut raconter aux enfants une guerre civile. Bon, mes enfants, ils savent qu'il y a eu un côté exemplaire dans ce qui s'est passé en Vendée. Mais le roi c'est une autre époque. D'ailleurs elle leur plaît beaucoup. La reine d'Angleterre, les princesses les passionnent. Pour mon fils, c'est une espèce de rêve. A mon avis, c'est au niveau des contes de fées. Je leur dis que le président de la République ce n'est pas un roi, mais enfin que c'est quand même encore le même principe. Pour moi, voyez-vous, ça s'arrête à peu près là. C'est un souvenir sentimental. »

Mme V. va exprimer longuement encore sa difficulté à situer sa propre démarche entre, d'une part, un passé que son éducation a installé en elle comme un bloc sacralisé de réminiscences historiques et de valeurs familiales et, d'autre part, les exigences du présent, de cette vie « qui continue ». « Pour mon grand-père, qui aurait 95 ans, c'était vraiment comme si ça avait été hier. Bon, maman est passionnée et moi pas du tout. Maman n'a pas de chance avec ses quatre enfants parce qu'aucun de nous n'est passionné comme elle. Moi je ne suis pas que vendéenne. Peut-être est-ce trop tôt. Peut-être que plus âgée il me viendra le goût du souvenir, le besoin de racines, parce qu'au moment de mourir on se dit : "Il faut transmettre ce que l'on sait, parce que sinon..." Si je rencontre quelqu'un dans un salon qui me dit : "Je suis vendéen", je me dis tant mieux, mais bon... C'est une manière de se reconnaître, mais ça ne va guère plus loin. Pour moi c'est affectif, par rapport à la famille, à des gens qui ont fait un sacrifice. Ce sacrifice on le retrouve dans la guerre de 14 chez les gens qui se sont fait tuer pour la France. C'est toute une façon d'approcher le passé. Ce n'est pas par rapport à un événement. C'est par rapport à l'ensemble. L'exemple peut donner du courage pour soi-même. C'est un idéal. Ça évite de débloquer complètement. Ça fait des références. Il est certain que lorsqu'on habite ce quartier [Mme V. habite le quartier des Halles à Paris], on a besoin de références. Ce sont des garde-fous... au sens large. A mes enfants, je leur transmettrai au moins ça, c'est-à-dire l'idée qu'il y a des valeurs qui sont plus fortes que la vie. Si jamais ils ont le même choix à faire, eh bien, qu'ils le fassent, même si ce n'est pas drôle ! J'espère qu'ils n'auront pas à le faire. Mais malgré tout, dans l'existence, les gens qui vous marquent ce sont les gens qui sont capables de faire ces choix-là. »

Qu'ajouter à ces propos ? Sinon qu'ils nous font percevoir l'étendue de ce qu'on pourrait appeler « l'arriéré » (au sens de dette) que l'enfant trouve dans sa famille et qu'adulte il transmet à ses descendants. Cette dette est à la fois insupportable et vitale. Elle place notre vie sous le regard des générations mortes, mais c'est dans ce regard que nous quêtons nos raisons de vivre. La singularité « vendéenne » du parcours de Mme V. tient au caractère exceptionnel du lien entre un moment exacerbé de l'histoire et sa famille. C'est cette intensité originelle du rapport familial avec l'histoire qui a fait se prolonger celui-ci deux siècles durant, et une volonté officielle d'effacement n'a pas peu contribué à l'entretenir. Chacun de nous est en mal de racines et de valeurs dans un monde dont le rythme s'accélère. Mme V. cherche du côté de ce que certains appelleraient la « Vendée figée » et interroge cette pièce importante de son héritage

Les enfants de la mort

Retrouvons Mme Loidreau. Sa relation des activités du « Souvenir vendéen » prend un relief nouveau après le plan en coupe de cette mémoire familiale. La mort, qui y tient une si grande place, nous la retrouvons, avec Mme Loidreau, sur le terrain. « On trouve toujours beaucoup de squelettes en Vendée. Noirmoutier, d'où ma famille est originaire, est un charnier effrayant. Il doit y avoir à peu près quatre mille corps. On en trouve beaucoup parce qu'on fait énormément de travaux en ce moment : les résidences secondaires, les parkings souterrains, les caves. Lorsqu'on retrouve un squelette, on s'aperçoit qu'il n'y a pas que les vieux que ça intéresse. Des jeunes de douze-treize ans viennent, demandent des explications et sont intéressés par la question. Donc il y a un renouveau d'intérêt. »

Le lien personnel de Mme Loidreau avec les guerres de Vendée atteste le caractère populaire de celles-ci et la complexité des motivations de leurs participants. « Mon aïeul direct était marin pêcheur. Il avait fait la guerre d'Indépendance américaine. Il a été noyé dans son marais salant, lorsque l'île a été reprise par les Bleus, le 2 janvier 1794. Mon aïeule, elle, a subi le sort habituel des Vendéennes : le viol. Mon aïeul est très probablement inhumé dans le terrain de ma maison, puisque, mort de mort violente, il n'avait pas le droit de se faire enterrer au cimetière. On a toujours pensé qu'il avait été enterré par sa femme dans la propriété. On doit, d'ici quelque temps, agrandir le chemin qui est derrière chez moi. Un de mes fils ou moi ira s'installer là-bas parce que, si on retrouve des ossements, je tiens à les récupérer. Je veux l'inhumer dans son terrain. Il est chez lui. On ne va pas aller le mettre ailleurs. »

L'histoire, en Vendée, semble avoir actualisé la symbolique du mystère divin exalté dans le *Vexilla Regis* que les insurgés de 1793 entonnaient lorsqu'ils partaient au combat derrière la croix et la bannière de leur paroisse :

Voici briller le mystère de la croix
Sur laquelle l'auteur de la vie a reçu
La mort et par elle nous a donné la vie.

La guerre civile, en fauchant massivement des pères et des mères, a donné une portée personnelle à ces paroles qui célèbrent la mort comme source de la vie. Ceux qui ont « reçu la mort » sont aussi, pour leurs descendants, ceux qui leur ont « donné la vie ». Cette transposition familiale de la passion du Christ n'a pas peu contribué à développer cette familiarité avec la mort qui affleure quand on évoque la transmission du souvenir.

A propos du « génocide franco-français »

L'expression « génocide franco-français » a été avancée dans le sillage d'une thèse d'État soutenue par Reynald Sicher. Mme Loidreau reproche bien à ce dernier d'avoir « minimisé d'une façon fantastique les choses », mais enfin, « grâce à lui le mot *génocide franco-français* va passer à l'Académie française. L'Académie l'a accepté. Ils pourront dire tout ce qu'ils voudront, y compris Pivot à *Apostrophes*. Chaunu l'a accepté. Meyer, Tulard aussi. C'est-à-dire les grands pontes de l'université. Ils ont accepté de le présenter à l'Académie française et nous savons d'avance que le mot va être accepté. Il n'y a pas de raison qu'un génocide soit automatiquement étranger. D'autant plus qu'il n'y a pas de problème : il y a eu génocide. Je me suis amusée un jour à faire une étude sur le cimetière de Picpus où beaucoup des victimes de la Terreur ont été inhumées. J'ai découvert, ce que j'ignorais et c'est assez amusant, que j'y avais une grand-tante et une de ses filles. Elles étaient venues de Vendée et se sont fait guillotiner. Or, toute personne guillotinée avait un dossier. Le leur, que j'ai retrouvé aux archives, n'est pas gros. Elles ont été condamnées pour correspondance avec l'ennemi, avec l'étranger. Or, elles étaient illettrées. Elles n'ont pas pu signer leur nom. Elles sont passées devant le tribunal, avec vingt-deux autres accusées. A la dernière minute, on leur a adjoint un dénommé Corentin Le Floch. Il ne parlait pas un traître mot de français. Il parlait breton. Bien entendu, personne au tribunal révolutionnaire ne parlait breton. On a dit : "Ça ne fait rien. C'est un Breton, donc c'est un chouan, donc on le tue." Moi j'appelle ça un exemple de génocide. C'est parce qu'il était né breton, le malheureux, qu'il s'est fait assassiner. Je peux vous dire que nos Vendéennes, c'est parce qu'elles étaient vendéennes qu'elles se sont fait guillotiner. Donc, c'est bien un génocide. Parce qu'elles sont de telle race... Parce qu'on a beau dire qu'être breton ou vendéen ce n'était pas une race, eh bien, c'était bien considéré comme tel à l'époque !

« L'énorme reproche qu'on peut faire à la République porte sur l'action des colonnes infernales. Plus que sur la guerre proprement dite, car la guerre nous l'avons voulue finalement. Et nous savons très bien que ceux qui sont venus la faire n'étaient pas responsables des décrets de la Convention. Ils faisaient la guerre comme les Vendéens faisaient la guerre, pour leur foi. Mais, par contre, le génocide c'est quelque chose d'autre. Il a été voulu. On a donné aux chefs des colonnes infernales toutes les autorisations de voler, de violer, de piller. Il fallait anéantir la Vendée, y compris d'ailleurs la Vendée bleue. Et de cela le souvenir est resté marqué. C'est la responsabilité d'abord de Turreau. Il n'a eu l'autorisation de la Convention que neuf ou dix jours après avoir commencé ce qu'il appelait "les promenades des colonnes infernales". Mais il savait qu'il aurait cette autorisation. C'est pourquoi on ne peut pas dire que la Convention soit en dehors de la question. Il s'agissait de supprimer un département. C'est d'ailleurs pourquoi on avait même enlevé jusqu'à son nom. On voulait en faire autre chose. On avait décidé de supprimer tous les autochtones. On allait peupler la Vendée d'autres ressortissants dans les trois ou quatre années suivantes. Ni Hitler ni Staline n'ont dépassé ces horreurs. Nous avons eu une tannerie de peau humaine aux Ponts-de-Cé. Saint-Just l'avait installée à Meudon d'abord. Nous connaissons onze ou douze culottes en peau de Vendéens tannée. On parle des abat-jour faits par les nazis. J'aime encore mieux un abat-jour qu'une culotte. »

Versons ces propos au dossier de l'actuel débat sur le « génocide franco-français ». Non sans remarquer que la « préférence » sur laquelle ils s'achèvent ne manquera pas de confirmer les craintes de ceux qui voient dans la campagne pour imposer ce « mot » plus que le souci d'obtenir une réparation historique.

Mme Loidreau se dit pourtant consciente d'une sorte de dérapage de l'enjeu vendéen. « On est à la mode, regrette-t-elle, trop à la mode. » Mais elle voit là, malgré tout, une occasion de transformer un « souvenir vendéen » porté à bout de bras par quelques centaines de défenseurs de la mémoire en monument national définitivement à l'abri des atteintes du temps. Peu importent alors les approximations, les excès, les arrière-pensées, la mobilisation de ressorts affectifs primaires, puisque, après deux siècles d'une pénible traversée, la mémoire va enfin toucher au port. « Le spectacle du Puy-du-Fou ? C'est un contrecoup, et non l'inverse, du renouveau d'intérêt que nous avons suscité. Il y a des erreurs dans ce spectacle, mais ça n'a pas tellement d'importance. Peut-être joue-t-il un peu trop sur les nerfs des spectateurs. Ce n'est pas nécessaire. Vous savez qu'ils ont eu un problème pour trouver ceux qui jouent des rôles de Bleus. Ceux-ci ont fini par accepter parce que ce n'était pas possible de faire autrement. Mais ils sont furieux. D'abord parce qu'ils estiment que pour leurs aïeux ce n'est pas drôle de tenir de tels rôles. D'un autre côté, il faut bien dire que les malheureux, quand ils arrivent sur scène, alors que les autres se font couvrir de bravos, pour eux c'est autre chose. Je connais un jeune obligé d'accepter un rôle de Bleu parce qu'il n'y en avait plus d'autre. Alors il attaque en traître le Vendéen dans le spectacle pour montrer comment les Bleus attaquaient. On ne lui en demandait pas tant. Il y a eu le même problème pour le tournage du film d'Henri de Turenne, *Les Grandes Batailles du passé*. Il fallait des jeunes pour faire les Bleus. Ils ont répondu : "Ce n'est pas possible. Le grand-père se retournerait dans sa tombe." On a proposé de les payer. Ils ont répondu : "Il n'en est pas question. Se faire payer par la République pour faire les Bleus ? Ça ne tourne pas rond." Ils ont dû prendre un club de football de Nantes. C'est viscéral, comprenez-vous ? Ils sont nés comme cela. Ils ont appris ça. Un des bienfaits du Puy-de-Fou, c'est qu'on est sûr que les enfants qui y participent transmettront l'histoire automatiquement à leur descendance. »

Certes. Mais quelle histoire ?

L'autre mémoire

La mémoire « blanche » n'est pas toute la mémoire vendéenne de la période révolutionnaire. A côté d'elle s'est développée une mémoire vendéenne « bleue » ou républicaine.

Chacune de ces mémoires s'est nourrie des excès de l'autre.

La mémoire républicaine, extrêmement minoritaire sur les terres de la Vendée militaire, a vécu en situation d'assiégé. Sylvie et Maurice B. sont instituteurs en Vendée. Ils y sont nés et y ont fait toute leur carrière. Ils décrivent l'emprise de « M. le curé » et « de notre maître » sur les campagnes. L'un et l'autre régentaient toute la vie de la majorité de la population. Ceux qui ne se soumettaient pas à leur autorité étaient traités en ennemis. Intolérance habituelle de tout système de valeurs assuré d'être le seul dans la vérité et le bien.

Les propos des curés vendéens sur l'école laïque ne se distinguaient pas de ceux entendus dans d'autres régions. Elle était « l'école du crime », « l'école du diable ». La différence tenait en ceci : en Vendée, les croyants prenaient ces expressions au pied de la lettre et plus massivement qu'ailleurs. Comme ils étaient largement majoritaires, les non-croyants étaient rejetés dans un ghetto. L'intolérance déchirait une commune. Elle sommait sa population de choisir l'un des deux camps en présence et en guerre perpétuelle l'un contre l'autre.

« Ma grand-mère, raconte Maurice B., n'eut plus le droit de communier lorsque son fils entra à l'école normale d'instituteurs. Ce fut, pour elle qui était pratiquante, un véritable drame. Cela se passait en 1928 ou 1929. »

La mémoire vendéenne « bleue » vécut, en Vendée militaire, dans une sorte de camp retranché. Mais l'établissement du régime républicain en France lui conféra un caractère officiel. Elle seule eut droit de cité dans les écoles de la République. On imagine le parti que la mémoire « blanche » tira du manichéisme auquel celles-ci succombèrent souvent.

Maurice B. se souvient des leçons de ses maîtres, dans les années cinquante. « A l'école, on nous parlait bien entendu des guerres de Vendée. Puisque nous étions dans cette région, nous leur prêtions une attention particulière. Pour nos maîtres, le bilan de la Révolution ne souffrait aucune restriction. La responsabilité des guerres de Vendée incombait uniquement à une frange de hobereaux qui avaient réussi à entraîner les paysans. Ils étaient coupables des massacres. On nous disait fort peu de choses sur la répression exercée par les colonnes infernales. C'était une vision édulcorée de l'histoire, tout à fait dans la tradition de l'école républicaine. »

« Engagé à gauche », Maurice B. ajoute que sa prise de conscience de la complexité des événements vendéens est relativement récente. « Pendant longtemps, il y a eu de ma part un refus de voir et d'entendre certaines choses. » Pourtant, descendant d'une lignée de Vendéens et ayant toujours vécu en Vendée, certaines de ces « choses » n'auraient pas dû lui échapper. En premier lieu, les motivations religieuses de la révolte et le fait qu'au début de celle-ci les nobles locaux ont plus été entraînés par les paysans qu'ils ne les ont entraînés eux-mêmes.

En expliquant cet aveuglement partiel et volontaire, il met en évidence l'emprise du présent sur la lecture de l'histoire. « Lorsqu'on parlait de la Révolution, ce n'était pas les paysans vendéens de 1793 qui nous venaient à l'esprit, mais ceux que nous côtoyions quotidiennement. A les voir murés dans une soumission sans faille aux curés et aux notables, nous qui étions à chaque moment en butte à l'omnipotence bornée de ceux-ci, nous ne pouvions pas imaginer qu'ils n'aient pas été, en 1793, de simples marionnettes entre leurs mains. » C'est l'évolution de la société vendéenne au cours des dernières décennies qui a conduit Maurice B. à reconsidérer sa vision de l'histoire de sa région. « Le clivage catholiques/anticléricaux a longtemps marqué toute la vie politique de la Vendée. Il reléguait à l'arrière-plan les oppositions d'intérêts entre les classes sociales. Or, cette opposition gauche/droite, essentiellement fondée sur le critère religieux, a été remise en cause notamment par le développement du syndicalisme. J'ai vu, par exemple, tel patron d'une entreprise moyenne, actif président de l'amicale laïque et conseiller municipal de gauche de sa commune, s'en prendre violemment à ses ouvriers pour la raison qu'ils avaient osé former un syndicat : il a déchiré leurs cartes et justifié son comportement en arguant du fait que le responsable qu'ils avaient élu... sortait de l'école privée catholique. »

Dies irae, ou comment la Révolution vient aux enfants

Les Vendéens ont-ils, en 1793, mené, *volens nolens*, un combat contre-révolutionnaire ? Se sont-ils, au contraire, dressés contre des déviations antipaysannes, antipopulaires, bourgeoises au sens strict, de la Révolution ? Ou les causes de leur révolte furent-elles essentiellement religieuses ? Y a-t-il eu un enchevêtrement de ces diverses motivations et de leurs conséquences ? Quel rôle a joué leur foi ? Ce sont là autant de questions qu'il appartient aux historiens d'éclairer.

Bornons-nous à noter que les effets de cette foi ne sont pas univoques et qu'ils peuvent se transformer radicalement à travers le temps. La foi a conduit, en effet, certains « bons catholiques » vendéens à épouser la cause de ceux que la mémoire « blanche » tient pour leurs pires ennemis. Tel Claude B., sociologue, un homme d'une cinquantaine d'années. « Mes parents étaient pauvres. Ils furent rejetés par les autres membres de la famille qui, eux, étaient restés riches. Cette différence et ce rejet m'ont beaucoup marqué. Je les ai vécus comme une injustice profonde. Elle m'a rendu très jaloux et très hargneux contre les possédants. La Révolution française m'est apparue, alors que j'étais encore un enfant, comme le bras qui rétablirait la justice dont j'avais été dépossédé. C'était très enfantin, mais on sait bien que ce qui est enfantin agit avec une très grande force sur la personnalité. Alors, des gens aussi ombrageux et même, à certains égards, aussi terrifiants que Saint-Just, Robespierre ou Marat, avaient toute mon admiration au cours de mon adolescence. Pour moi, qui avais eu une éducation catholique, ils incarnaient les idées du *dies irae*, le jour de colère de Dieu, le jour du rétablissement de l'égalité entre les hommes et de l'avènement de la justice. L'égalité, c'était le mot le plus brûlant de l'affaire. La liberté ? Je sentais moins le sens de ce mot. La fraternité ? Étant donné ce que je vivais dans ma famille, je ne ressentais pas le monde comme fraternel mais bien plutôt comme absolument bestial, déchaîné, haineux. Donc, j'organisais ma haine contre la haine. Voici la racine de mon engouement pour les révolutionnaires les plus intransigeants. La Révolution me semblait l'arme de Dieu qui rétablit l'ordre du monde. Dans cette optique du jugement de Dieu, de vengeance divine en faveur des pauvres et des déshérités, j'appréciais beaucoup que les révolutionnaires aient osé s'attaquer au symbole des valeurs apparemment les plus puissantes du monde : la tête d'un roi. Tout cela est plein de contradictions et ne cadre guère avec les enseignements de l'Église. »

C'est précisément parce que « ça ne cadre pas » que c'est intéressant. Cet exemple nous met en garde contre une vision linéaire des rapports entre l'éducation reçue et sa résultante. Il nous rappelle la distinction qu'il convient d'établir entre l'analyse sociologique des courants de pensée et les liens, toujours personnels, que les individus établissent avec ces courants. Surtout, il confirme ce que nous avons déjà souligné à propos de la mémoire « blanche » : la force de l'identification enfantine aux figures héroïques et la place qu'y tiennent les images parentales. « L'engagement enfantin » de Claude B. — qui vibre encore dans ses paroles — est aussi passionné que celui des Vendéennes dont nous avons parlé précédemment. Il procède de l'enseignement des mêmes principes religieux, mais s'investit sur les héros « de l'autre bord ». Les Vendéennes le reliaient à leurs aïeux morts, lui le relie à ses parents pauvres.

Le poids des générations mortes

Auprès de ses parents, pauvres, mais plus encore, rejetés et humiliés par le reste de la famille, le monde est apparu à Claude B. « bestial, déchaîné, haineux ». On ne lui a probablement jamais « appris » cela. On a même dû lui enseigner le contraire. Mais lui, très tôt, a eu son idée du monde. Il l'avait peut-être tout simplement lue, un jour, dans le regard de sa mère ou bien avait-elle germé dans son esprit au détour d'une conversation entendue à la maison. Peu importe. Un enfant décèle toujours les blessures que portent ses parents. L'injustice et l'humiliation sont de celles qu'il ressent comme les plus insupportables. Elles ont pour lui le goût du malheur absolu et dès lors ce n'est pas trop de vouer sa vie à hâter la venue du jour de colère de Dieu... ou celui de la révolution. « Nous vengerons nos pères que les brigands ont exploités », promettait *La Jeune Garde*, l'hymne des Jeunesses communistes.

La Révolution, pour Claude B., fut d'abord une affaire de famille. Il porte, en effet, comme deuxième prénom celui, peu banal, de Hébert. Il l'a hérité d'un oncle que l'on avait délibérément baptisé ainsi en hommage au rédacteur du *Père Duchesne*, substitut du procureur général de la Commune de Paris de 1791 à 1793 et qui donna son nom à une faction ultra-révolutionnaire.

La coupure de la famille de Claude B. en deux tronçons hostiles remonte assez loin dans le temps. Les haines réciproques ont été à la mesure de la violence des affrontements qui ont ravagé la Vendée. Elles ont perduré et ont été reprises à leur compte par les générations successives qui les ont cultivées amoureusement. A ceux des membres de cette famille qui déclaraient « préférer se couper le pied à la hache plutôt que de servir dans les armées de la République » (cela dura jusqu'en 1940, affirme Claude-Hébert B.), les autres répliquaient en leur jetant à la face un prénom qui claquait comme un étendard. Ce prénom, ils l'avaient choisi pour signifier que le combat continuait. Symboliquement. Mais avec l'acharnement des premiers jours. Qui n'a pas connu la violence que déchaîne dans une famille le schisme provoqué par un grand ébranlement social ne comprendra jamais tout à fait de quels sentiments se nourrit la politique.

L'attribution de ce prénom avait établi un lien personnel entre Claude-Hébert B. et « l'événement Révolution française ». Elle l'avait chargé d'un héritage familial à propos de cet événement. Rien de tout cela ne fut peut-être jamais dit ni même vraiment pensé. Ce n'en fut pas moins important dans son itinéraire.

Chacun sait, s'il réfléchit à sa propre enfance, qu'il trouve au plus profond de celle-ci une attente de ses parents à son égard. Attente réelle ou qu'il a imaginée ? Attente imaginée à partir de l'attente réelle et sur laquelle il bâtira l'idée qu'il se fait de la conduite de sa vie. Avant même qu'il ait vu le jour, le désir de ses parents l'a inscrit dans la lignée de leur propre histoire et a modelé pour lui une place et un rôle dans le futur. Il portera plus loin leurs espoirs et leurs rêves, effacera leurs déceptions et leurs regrets, deviendra celui ou celle qu'ils n'ont pas pu être.

L'histoire est plus ou moins mêlée à cette projection dans

l'avenir, surtout ces moments passionnels que sont les guerres et les révolutions. On reporte sur le fils ou la fille (mais plus souvent sur le fils) la réalisation d'un idéal indéfiniment ajournée par l'acharnement du quotidien à se reproduire. On attend de l'enfant qu'il soit à l'image de celui que l'on a admiré et que l'ingratitude des circonstances nous a empêchés d'égaler. Le choix d'un prénom pour un enfant est, pour ses parents, un moyen parmi d'autres de signifier leur attente à son égard. Prénommer un fils Hébert, prénom plus rare encore que Robespierre, ne fut pas un acte innocent. Pas plus que ne le fut, pendant l'Occupation, le choix de Philippe par ceux qui voulurent ainsi ceindre le front de leur progéniture des lauriers prêtés au maréchal Pétain.

Le poids des générations mortes pèse sur celles en train de faire l'histoire, notait Karl Marx. Oui, dès avant le berceau.

3

Les catholiques et la Révolution
La fracture

> « La Révolution continue le christianisme, et elle le contredit. Elle en est à la fois l'héritière et l'adversaire.
> « Dans ce qu'ils ont de général et d'humain, dans le sentiment, les deux principes s'accordent. Dans ce qui fait la vie propre et spéciale, dans l'idée mère de chacun d'eux, ils répugnent et se contrarient.
> « Ils s'accordent dans le sentiment de la fraternité humaine. Ce sentiment, né avec l'homme, avec le monde, commun à toute société, n'en a pas moins été entendu, approfondi par le christianisme. A son tour, la Révolution, fille du christianisme, l'a enseigné pour le monde, pour toute race, toute religion qu'éclaire le soleil.
> « Voilà toute la ressemblance. Et voici toute la différence. »
>
> MICHELET, *Histoire de la Révolution française* (t. I, p. 54, Robert Laffont, coll. « Bouquins », Paris, 1979).

De tous les mots hérités de la Révolution, le mot « dîme » est encore l'un des plus présents dans les esprits. Dans l'immense iconographie révolutionnaire, la mémoire collective a fait son tri. Du petit lot d'images qu'elle a retenues émerge celle du paysan portant sur son dos un noble et un prélat.

Un certain anticatholicisme primaire s'enracine dans cette image. Habiles manipulateurs invitant les pauvres à lever les yeux au ciel pour permettre aux nobles de leur faire plus aisément les poches et percevant au passage une part du butin, les « curés » apparaissent comme l'un des rouages essentiels du système d'exploitation féodal.

Détour par les États-Unis

Le signe d'égalité entre Révolution et athéisme militant doit sa vigueur et sa pérennité à l'imbrication de l'Église et de la religion catholiques dans le tissu de l'Ancien Régime. L'exercice de la religion catholique était obligatoire pour tous les Français et l'État réprimait tout manquement à cet exercice. La remise en cause de l'Ancien Régime, « dont tout le système de l'État apparut comme une unique injustice », selon l'expression de Hegel [1], atteignait, par contrecoup, le catholicisme qui jouissait du statut de religion d'État. Dans la mesure où elle s'opposa à cette remise en cause, l'Église contribua à se constituer en cible de la Révolution. Par la suite, en se mêlant aux entreprises revanchardes, elle fit beaucoup pour empêcher qu'on puisse être à la fois républicain et catholique. Enfin son hostilité au mouvement ouvrier, dès ses premiers pas et pendant longtemps, donna de solides arguments à ceux qui dénonçaient dans la foi un « opium du peuple ».

Pour mesurer les conséquences de ce comportement de l'Église sur la structuration des rapports entre la religion et les idéaux politiques, il est intéressant de procéder à une comparaison avec ce qui s'est passé aux États-Unis. Les révolutions américaine et française, à certains égards voisines, ont conduit, dans le domaine des rapports entre le politique et le religieux, à des situations opposées. Tandis qu'aux États-Unis, écrit Marcel Gauchet [2], « l'ordre de la croyance est resté associé au développement du monde issu des prémisses chrétiennes, dans l'autre cas [celui de la France], il s'est arc-

1. *La Révolution française vue par les Allemands*, textes traduits et présentés par Joël Lefebvre, Presses universitaires de Lyon, 1987, p. 239.
2. Marcel GAUCHET, *Le Désenchantement du monde, une histoire politique de la religion*, Gallimard, Paris, 1985, p. 232.

bouté sur l'héritage et l'idéal d'un passé mort, de telle sorte que l'esprit de liberté, le travail de la raison, la volonté de transformation ne se sont imposés que moyennant la défaite de l'autorité religieuse, au terme d'une longue bataille ». L'absence de rupture entre le politique et le religieux aux États-Unis a eu, entre autres, l'effet suivant : leur histoire a été « comprise comme le déroulement linéaire d'une promesse providentielle, demeurée durant tout son cours en proximité vivante avec son pacte fondateur, sans déchirements ni conflits révolutionnaires sur les principes constituants de la communauté politique, et sans grande mobilisation par conséquent d'idéologies séculières dans les luttes civiles — ainsi la lutte des classes a-t-elle pu prendre, à des moments de l'histoire du mouvement ouvrier américain, un tour d'extrême âpreté ; elle n'a pas pour autant fait profondément pénétrer l'idée socialiste, ni introduit avec elle le dissensus radical sur les valeurs et les fins de l'organisation collective. On conçoit dans ces conditions la vitalité solidement ancrée d'un esprit de religion qui n'a pas eu à essuyer en permanence, comme dans la plus grande part du Vieux Continent, le feu de l'esprit du siècle, quand il n'est pas devenu, comme en France, l'enjeu même de la guerre sociale ».

« Voilà pourquoi je m'appelle Révolution »

Le monopole spirituel détenu par le catholicisme a été brisé par l'article 10 de la Déclaration des droits de l'homme et du citoyen : « Nul ne doit être inquiété pour ses opinions, même religieuses, pourvu que leur manifestation ne trouble pas l'ordre établi par la loi. » Cet article supprime les sanctions attachées à la non-observation de l'obligation religieuse.

Considérée avec des yeux du XXe siècle, la proclamation de la liberté d'opinion semble une mesure d'affranchissement de l'homme dont on ne voit pas quelles réserves elle pourrait susciter. On s'étonne même qu'elle ait pu être contestée en son temps. Notre étonnement tient au fait que nous avons beaucoup de mal à imaginer la place et la fonction de la religion catholique dans l'Ancien Régime. Cette religion était, selon l'expression d'Edgar Quinet, « la réunion et l'âme de tous les rapports ». En la plaçant sur le même plan que d'autres « opinions » ou d'autres religions, la Révolution mettait en cause le sens même de l'édifice politique, économique, social et culturel de l'Ancien Régime, de la totalité que constituait cet édifice. Rien à voir donc avec la « liberté d'opinion » au sens contemporain du terme.

La portée de la remise en cause, par la Révolution française, de cette homogénéité de la société et de la hiérarchie qu'elle fonde, a été décrite il y a plus d'un siècle, avec une très grande rigueur, par Mgr Jaume. Peu d'auteurs ont su, comme lui, définir avec une aussi grande économie de mots *l'essence* de cette révolution.

« Si arrachant le masque à la Révolution, écrivait-il en 1859[3], vous lui demandez : "Qui es-tu ?" Elle vous dira... "Je suis la haine de tout ordre religieux et social que l'homme n'a pas établi, et dans lequel il n'est pas roi et Dieu tout ensemble.

« "Je suis la proclamation des droits de l'homme contre les droits de Dieu, je suis la philosophie de la religion de la révolte, la politique de la révolte, la religion de la révolte ; je suis la négation armée ; je suis la fondation de l'État religieux et social sur la volonté de l'homme au lieu de la volonté de Dieu ; en un mot, je suis l'anarchie ; car je suis Dieu détrôné et l'homme à sa place. Voilà pourquoi je m'appelle Révolution, c'est-à-dire renversement, parce que je mets en haut ce qui, selon les lois éternelles, doit être en bas, et en bas ce qui doit être en haut." »

La logique des intégristes

Aujourd'hui, l'analyse de Mgr Jaume demeure la clé de voûte de l'attitude des catholiques intégristes. Ceux-ci constituent le fer de lance du combat contre la Révolution. Les disciples de Mgr Lefebvre sont des disciples de Mgr Jaume.

Dans l'entretien qu'il nous a accordé, l'abbé Philippe

---

3. Mgr JAUME, *La Révolution, recherches historiques*, douze tomes, Vitle éditeur, 1859.

Laguérie, curé de Saint-Nicolas-du-Chardonnet, formule une condamnation sans appel de 1789. « La Révolution, dont je fais remonter les causes dans le domaine des idées au XIVe siècle, a été, au niveau des faits, une violence antichrétienne absolue. Le peuple français a été exacerbé et il l'a été contre les curés, contre la foi. Pas d'abord contre le roi. Le roi, on voulait le sauver. Si on était parvenu à établir une distinction entre le roi et ce qu'il représentait, on l'aurait gardé.

« Pourquoi cette violence contre les curés et toute la religion en général ? J'avoue, je ne vous le cache pas, qu'il y a là un mystère. Parce que le peuple français était profondément chrétien. Il y a eu les loges maçonniques et leur travail de taupes. Il y a eu aussi l'évolution de l'intelligence du pays. Le XVIIIe siècle est un siècle de philosophes qui ne sont neutres ni philosophiquement ni politiquement. Ils sont contre le christianisme. Rousseau se dit catholique, mais il n'y pas plus anticatholique que lui. Son sentimentalisme dissout la foi et son *Contrat social* dissout l'hégémonie chrétienne, l'équilibre chrétien. Il est beaucoup plus antichrétien que Voltaire, même s'il mange moins du curé.

« Maintenant, comment a-t-on réussi à mobiliser les foules ? Outre les causes dont j'ai parlé, il faut peut-être ajouter la question des privilèges. Je ne prétends pas expliquer toutes les causes qui ont permis de dresser le peuple, en quelques années, contre ceux qu'il adorait. C'est encore, en partie, un mystère. Mais je pense qu'est intervenu, aussi, un châtiment divin. Je suis prêtre, je crois que je peux le dire. Toute la noblesse, la cour royale vivaient dans la corruption. Cela finit par avoir des conséquences.

« Nous sommes encore dans la Révolution. On la subit encore. Mais le Français en a par-dessus la tête de deux siècles de chaos. Il faut voir ce qu'était la France de l'Ancien Régime. C'était le premier État du monde. Avec 26 millions d'habitants quand l'Angleterre en avait 5 millions. Avec une armée fantastique. Sans police... 35 000 hommes pour tenir la police dans un État de 26 millions d'habitants. Une culture prodigieuse. Une richesse économique faramineuse. Comment la France a-t-elle pu tenir tête pendant quinze ans de guerre à l'Europe tout entière, sinon parce qu'elle était une puissance vertigineuse. Mais, entre l'échafaud et les guerres napoléoniennes, on a fait de la France un champ de bataille. Elle a perdu sa renommée internationale depuis ce temps-là. Elle continue à vivre sur les idées de prestige, mais c'est un prestige qui ne veut plus rien dire. Elle a mis le feu aux poudres en Europe au point de vue intellectuel. Elle a mis la guerre partout. Et on le paye encore. Pourquoi y a-t-il eu la guerre de 1914 et celle de 1870 ? Il n'y a jamais eu de guerres aussi meurtrières que les guerres napoléoniennes. La première mesure de la Révolution fut de mettre tout le monde sous les drapeaux. La grande réforme de la Révolution — comme toutes les révolutions elle a besoin d'hommes et de sang —, ce fut l'enrôlement.

« La France a fait de l'Europe un champ de bataille. Elle a labouré la Prusse. Les Prussiens ont gardé contre la France une haine implacable. Comme ce sont des soldats étonnants, quand ils ont pu se venger de la France, ils l'ont fait. D'abord à Waterloo, mais ça n'a pas suffi. Et il est certain, absolument certain, que c'est la démangeaison révolutionnaire dans son expansionnisme militaire qui a engendré toutes les guerres subséquentes. Celle de 1870, revanche de la Prusse, celle de 1914, même chose, et celle de 1945. C'est évident. Les deux siècles de guerres qu'a subis l'Europe viennent absolument de la Révolution. »

« Vatican II, c'est 89 dans l'Église »

« Au point de vue religieux nous ne nous sommes pas remis de la Révolution. L'Église ne s'en est pas relevée. Congar a dit : "Le concile de Vatican II, c'est 89 dans l'Église." Ce n'est pas moi qui le dis mais l'un de nos pires ennemis. Or je suis parfaitement d'accord avec lui. Vatican II, c'est le triomphe du libéralisme dans l'Église, cette tentative d'ajustement à la société issue de la Révolution et qui depuis Lamennais a toujours resurgi. Pie IX a dû se battre comme un sauvage contre lui. Il avait condamné avec une violence étonnante et de façon infaillible la liberté religieuse, la liberté de conscience acceptée par Vatican II. Et depuis Vatican II on continue la chose à bon train.

« Maintenant, l'Église c'est une peau de chagrin. Elle n'a

plus aucune influence sur les foules. Maintenant, l'Église c'est une histoire d'évêques qui ne sont pas d'accord entre eux et qui sont plus ou moins marxistes. L'Église imprègne beaucoup de choses. Les études universitaires, par exemple. Après quinze siècles de christianisme, il est bien évident qu'il en reste quelque chose. Mais pour ce qui est de la pénétration des intelligences et donc des conséquences dans la politique et la morale, l'Église c'est fini. Il reste des chrétiens, mais ils n'ont plus du tout droit de cité intellectuel.

« Comment sortir de la Révolution ? Franchement je vous dirai : je ne vois pas comment c'est possible. Ce qu'il faudrait faire ? Premièrement : restaurer l'Église. Il n'y aura pas de société chrétienne sans une restauration de l'Église. Tous ceux qui font de la politique en ayant en tête le schéma d'une civilisation chrétienne et qui, ne voyant pas le rôle essentiel qui revient à l'Église pour cette restauration, commencent à bricoler en matière politique sont des utopistes. Il faudrait commencer par ressouder ce qui, dans l'Église, est complètement déchiré.

« Ensuite, il faudrait ressouder la nation. Cela signifie qu'on réintroduise les principes selon lesquels l'État ne doit pas être neutre. Un État qui est neutre, on le voit, reconnaît l'avortement, etc. Il ne peut rien faire contre le terrorisme.

« On parle beaucoup des droits de l'homme. Je dis qu'il n'y a pas de droit qui ne soit la conséquence chez l'homme d'un devoir. L'homme n'a de droits que parce qu'il a des devoirs. N'ayant pas de devoirs, il n'a pas de droits. Si vous enseignez que l'homme a des devoirs, par là même, implicitement, vous enseignez qu'il a des droits. Par contre, la prédication incessante des Droits de l'homme, qui depuis Vatican II a droit de cité dans l'Église, est une imposture. Pratiquement les clercs et les évêques ne bougent plus qu'au nom des Droits de l'homme. Je le répète, c'est une imposture. Comme s'ils n'avaient rien d'autre à dire aux hommes, eux qui ont la révélation entre les mains et l'Évangile, que le discours que leur ont tenu la Révolution et l'ONU ! On est en plein délire. Cette prédication incessante des Droits de l'homme, c'est un danger. Le terrorisme vient de là, évidemment. Comment voulez-vous, lorsque vous éduquez des générations en leur faisant croire qu'elles n'ont que des droits, ne pas en faire des assassins à 16 ou 18 ans. »

Glissements progressifs

Ces paroles ont un mérite : leur franchise. Elles ont une utilité : les motivations d'une certaine extrême droite y apparaissent à ciel ouvert.

Le compte à régler avec 1789 y tient la place centrale. Les propos de l'abbé Laguérie jettent une lumière crue sur le combat que mènent, depuis deux siècles, ceux qui n'ont jamais admis l'établissement de la république. S'il ne s'agissait que de soupeser les raisons qu'ils se donnent à eux-mêmes, on pourrait s'empresser de tourner la page en invoquant la maigreur de leurs cohortes.

L'intérêt que l'examen de ces idées peut présenter pour la réflexion réside principalement dans leur point de rencontre avec certaines tendances profondes de notre histoire nationale.

La religion, on l'a vu et l'abbé Laguérie le confirme, était au cœur des enjeux de la Révolution. Par la suite, elle a été mêlée à la véritable guerre dont l'œuvre révolutionnaire a été l'objet. Cette intrication de la foi et du politique a généré des glissements dont le disciple de Mgr Lefebvre nous montre les mécanismes et les périls. Lorsque la Révolution est condamnée au nom de la foi comme le mal absolu, la voie est ouverte à une dangereuse escalade. La foi se pensant toujours dans les termes du statut qui fut le sien sous l'Ancien Régime et aspirant à reconquérir l'hégémonie qu'elle assurait à l'Église submerge la sphère du politique et en vicie l'approche. L'idéalisation forcenée du passé détourne de la prise en compte des réalités présentes. Elle engendre la nostalgie nationaliste d'une France « d'avant la chute ». Elle conduit à traiter les non-catholiques en ennemis et substitue l'anathème au débat démocratique.

L'abbé Laguérie montre comment s'accomplit le cheminement, à partir de ce point de départ, vers des positions politiques détestables. N'absout-il pas, par exemple, le nazisme au nom de la totale responsabilité de 1789 dans les guerres mondiales, y compris « celle de 1945 » ? Les idées politiques qu'il développe ont une part de responsabilité dans les moments les plus douloureux de l'histoire du XXe siècle. Elles ont nourri une intolérance, un racisme et un antisémitisme trop massifs et récents pour que nous les considérions comme définitivement bannis de notre héritage politico-culturel. L'abbé Laguérie s'est d'ailleurs lui-même chargé d'apporter la preuve que l'extrême droite n'avait pas renoncé à faire fructifier la part honteuse de cet héritage. Au cours de sa grand-messe à Saint-Nicolas-du-Chardonnet, au plus fort du tollé provoqué par les propos de J.-M. Le Pen ramenant les chambres à gaz à un « détail » de la dernière guerre, il s'en est pris à la « pression... des banques tenues en majorité par des juifs », avant d'ajouter : « Je ne porte aucun jugement sur la thèse [des "professeurs" Roques et Faurisson] sur les chambres à gaz car elle est d'ordre scientifique[4]. » On ne peut manquer de voir un lien entre ces paroles et le silence de leur auteur sur la responsabilité du nazisme dans la Seconde Guerre mondiale, responsabilité qu'il attribue uniquement... à la Révolution française.

Le débat sur la Révolution n'a d'utilité que s'il est totalement libre. Mais il est une manière de le conduire qui place chaque citoyen devant une responsabilité de caractère personnel. Le racisme, l'antisémitisme, toutes les formes de l'intolérance et de l'exclusion, même proclamées au nom de Dieu, ne sont pas des opinions. Leur apologie appelle, en réplique, la mobilisation des consciences, tant le corps social peut se révéler enclin à prêter la main aux pires aberrations de la pensée.

On n'a pas fini de s'interroger sur les « leçons » de la Révolution. Au nombre de celles-ci ne convient-il pas de retenir qu'elle a eu pour conséquence de faire du champ politique un domaine qui place chacun devant les exigences de l'éthique ?

« L'exigence d'une réappropriation chrétienne de ces trois mots : *Liberté, Égalité, Fraternité* » (Mgr Lustiger)

La volonté de l'Église de renouer le dialogue avec un monde en pleine mutation est incompatible avec la crispation de ses intégristes à l'égard de 1789. Elle ne peut, lorsque son chef, le pape Jean-Paul II, se pose en champion des Droits

4. *Le Monde*, 22 septembre 1987.

de l'homme, continuer à condamner l'événement qui leur a donné naissance. Même le simple maintien d'une certaine suspicion à son encontre, dans le pays où il s'est déroulé, risquerait pour elle d'être, à la longue, suicidaire. Il est des contradictions qui finissent par se venger cruellement. A sa manière, l'Église doit donc prendre acte de l'inscription de l'héritage de la Révolution française dans la culture contemporaine. Mais elle a trop longtemps tardé à le faire pour que l'on donne tort à ceux qui voient dans son réalisme présent l'aveu d'un échec.

C'est par la voix autorisée du cardinal Jean-Marie Lustiger, archevêque de Paris, que la démarche nouvelle de la hiérarchie catholique à l'égard de la Révolution a été formulée de la manière la plus éclatante [5]. Cette démarche se fonde sur un constat : « Elle [la Révolution française] a imprimé sa marque non seulement sur la France, mais aussi sur toute l'Europe. Les idéaux, les utopies de la Révolution française, nés de l'esprit européen, se sont répandus tout au long de ces deux siècles sur l'Europe, puis sur le monde entier. Ils ont façonné la figure ou du moins le discours de l'actuel concert des nations. »

Le cardinal Lustiger remarque que la trilogie *Liberté, Égalité, Fraternité* évoque pour beaucoup « une arme », « un slogan » qui ont servi contre l'Église et même contre le christianisme. Mais ce fut, selon lui, à tort. Il rappelle ces paroles de Jean-Paul II lors de son voyage en France de juin 1980 : « Que n'ont pas fait les fils et les filles de votre nation pour la connaissance de l'homme, pour exprimer l'homme par la formulation de ses droits inaliénables ! On sait la place que l'idée de *liberté*, d'*égalité* et de *fraternité* tient dans votre culture, dans votre histoire. *Au fond, ce sont là des idées chrétiennes*. Je le dis tout en ayant bien conscience que ceux qui ont formulé ainsi, les premiers, cet idéal ne se référaient pas à l'alliance de l'homme avec la sagesse éternelle. Mais ils voulaient agir pour l'homme. » Au cours de son second voyage dans notre pays, en août 1983, le pape devait évoquer « les mérites et les efforts de [nos] concitoyens — chrétiens ou non — aujourd'hui comme hier pour que [la nation

5. Cardinal Jean-Marie LUSTIGER, archevêque de Paris, conférence donnée à Fribourg le 5 mai 1987 et publiée dans la revue *Commentaire*, n° 39, automne 1987.

française] demeure digne de ses traditions de *liberté* et de *fraternité* ».

Ainsi *Liberté, Égalité, Fraternité*, ce sont, affirme le pape, des « idées chrétiennes ». Le cardinal Lustiger précise qu'il s'agit, originellement, de dons reçus de Dieu par la France et l'Europe. Mais leurs dépositaires furent soumis à l'épreuve de la tentation et ces « idées chrétiennes » ont pu être utilisées contre le christianisme en raison du triomphe de la « tentation véritable » qui consiste « à se laisser séduire par le don en oubliant Dieu qui est le donateur ». Des hommes se sont emparés de « ces dons comme d'un rapt, en oubliant celui qui donne et son don le meilleur, c'est-à-dire le donateur lui-même ». Ces hommes ont prétendu se faire « la source du don de Dieu », et ont oublié que « la liberté ne subsiste que dans la fidélité à Dieu qui la suscite, à Dieu qui la donne, à Dieu qui la renouvelle ». L'homme européen a voulu s'approprier ce don « comme l'œuvre de sa raison, de son ambition, voire de sa bonne volonté ». Dès lors, de ces « idées chrétiennes devenues folles » ont jailli les déchirements, les violences, les folies et les mensonges attestés par l'histoire et la situation contemporaine.

Devant cette situation, « n'y a-t-il pas aujourd'hui besoin d'un nouveau travail d'évangélisation de l'espérance que ces trois mots (liberté, égalité, fraternité) ont suscitée et ne cessent de susciter à travers le monde ? N'y a-t-il pas exigence d'une reprise chrétienne, et si j'ose dire, d'une réappropriation chrétienne de ces trois mots, de ces trois dons précieux d'un héritage que nous ne voulons pas laisser se perdre » ? L'insistance présente de l'Église sur les Droits de l'homme, qui « peut étonner certains », est une invite à « donner à ces trois mots leur contenu proprement chrétien », à faire en sorte qu'ils retrouvent « leur portée évangélique et chrétienne fondatrice ». C'est, selon le cardinal Lustiger, « la seule manière de les présenter à notre siècle — pour tous les hommes, pour toutes les femmes, croyants et incroyants, chrétiens ou non — pour leur rendre crédible l'espérance d'y trouver une norme pour la raison et les gages de la victoire sur le désespoir et sur l'infidélité ».

Si l'Église a « exorcisé les tentations » de « se substituer aux responsabilités des hommes dans la vie sociale, dans le savoir scientifique, dans le juste excercice de leur liberté, dans l'organisation de leurs rapports mutuels », elle n'en rappelle pas moins qu'à ses yeux « l'essentiel de ce qui fonde la liberté, l'égalité et la fraternité des hommes échappe aux responsables de la vie sociale, politique ou économique ». Pour elle, non seulement « la liberté religieuse est le fondement et le garant de toutes les autres libertés », mais, si l'on va « jusqu'au bout de la signification chrétienne de la liberté [...], la vraie liberté appartient à ceux qui ont été régénérés », à ceux qui « ont été engendrés à nouveau pour connaître et pratiquer la volonté de Dieu, notre Père Tout-Puissant, car la toute-puissance du Père est l'unique condition de la libération de l'homme ». Sans cette œuvre de délivrance spirituelle, « les valeurs proprement humaines, politiques et sociales de la liberté [...] restent toujours fragiles, toujours menacées, sinon déjà perverties ».

Comme pour l'accès à la liberté, la réalisation de l'espérance d'une égalité entre les hommes, « qui n'est pas une illusion », ne peut qu'être « fondée dans l'œuvre du Christ, dans la communion de l'Église, dans sa mission sacramentale ». C'est le mystère de la Rédemption qui rend à la personne humaine son égalité véritable. « En dépit des inégalités déterminées par l'histoire et la biologie, en dépit des inégalités installées par l'injustice et la violence, parfois fixées par les mécanismes sociaux, l'humilité chrétienne, l'humilité du Christ instaure un égal respect à l'égard de tous, qu'elle reconnaît comme les enfants d'un même père. »

La fraternité, enfin, « cette revendication d'ordre social et politique, ne peut être satisfaite si elle n'est pas référée à Dieu ou au moins si elle ne trouve pas quelques témoins qui assurent cette référence et en sont les garants [...]. Les personnes humaines sont fraternelles les unes pour les autres si elles reconnaissent la paternité divine qui est la source de leur transcendance singulière et de leur communion [...]. Personne n'est le frère de personne s'il n'a Dieu pour Père. Et, ajoutons-nous, si l'Église n'est pas sa mère (Psaume 87) ».

Le cardinal Lustiger n'évoque à aucun moment l'application concrète, la traduction dans l'ordre temporel des valeurs exprimées par le triptyque *Liberté, Égalité, Fraternité*. La « réappropriation chrétienne » de ces valeurs consiste, selon lui, à inscrire exclusivement et totalement leur réalisation dans la soumission à l'ordre divin : la liberté « ne subsiste que dans la fidélité à Dieu » ; l'égalité « peut devenir réelle et être à nouveau respectée si de la part des chrétiens, disciples du Christ, il y a reconnaissance de l'unique seigneurie du Père des cieux » ; la fraternité est reniée, comme les autres idéaux, « si l'humanité [...] ne s'affirme pas en dépendance et en référence à Dieu ».

Cette démarche ne peut manquer, en tout cas pour le non-croyant, de provoquer un certain malaise. La « réappropriation » ainsi conçue a des allures de récupération. Dans son optique, toute la partie positive de l'histoire des valeurs révolutionnaires et leur fécondité à venir seraient, en dernière analyse, à mettre au compte de l'Église. L'envers négatif de cette histoire serait, lui, le fruit de l'homme en proie au péché. « Il a fallu la révélation de l'alliance et de l'évangile de Dieu pour donner aux hommes l'espérance de la liberté, de l'égalité et de la fraternité. Il faut aujourd'hui l'Évangile et l'Église de Dieu pour renouveler cette espérance. »

Il a fallu... Le cardinal Lustiger oublie de mentionner qu'il a fallu « ceux qui ont formulé les premiers cet idéal et qui ne se référaient pas à l'alliance de l'homme avec la sagesse éternelle », pour reprendre les paroles... du pape. Ce « moment terrestre » de l'idéal, le moment de sa formulation en objectifs politiques et du début de sa mise en œuvre concrète, constitue précisément la caractéristique essentielle de la Révolution. Sa radicale nouveauté s'enracine dans ce moment et la portée *actuelle* de ses idéaux tient au fait que des hommes, non seulement ont su les formuler et les proclamer, mais, qu'on pardonne la trivialité de l'expression, ont également « mis leurs mains dans le cambouis » pour entreprendre leur réalisation ici-bas. Force est de constater que le cardinal Lustiger passe sous silence cette dimension de la Révolution ou n'en retient que son lot d'errements. Il semble difficile d'aboutir ainsi à une « réappropriation chrétienne » positive de ses idéaux, car ceux-ci sont inséparables d'une volonté affirmée de les mettre concrètement en œuvre dans la cité. En ne montrant que le ciel aux hommes à la recherche d'une société plus libre, moins inégalitaire et plus fraternelle, l'Église perpétuerait ce qui fut, c'est un euphémisme, son malentendu avec la Révolution. L'hiatus entre leur attente et son message risque d'être d'autant plus profond qu'elle dénonce certains maux sociaux avec une grande netteté. Le cardinal Lustiger, pour sa part, souligne que « le principe [de l'égalité] apparaît aujourd'hui bien formel face à l'évidence tragique des inégalités sociales [...], les inégalités de fait ont servi de prise pour installer l'injustice et l'exploitation de l'homme par l'homme », et que même l'espérance de l'égalité devant la loi « a été déçue dans notre histoire et, reconnaissons-le, demeure souvent bafouée ». Face à un tel constat, on ne pourra manquer de trouver un peu court le rappel « qu'à la table du Seigneur, le corps et le sang du Christ sont intégralement livrés à chacun, pauvres et riches, jeunes et vieux » et que l'amour de Dieu va préférentiellement aux plus pauvres.

Le bonheur sur la terre comme au ciel

On ne peut parler que de points de vue *de* catholiques sur la Révolution et non d'un point de vue *des* catholiques. Parmi les fidèles, un mouvement s'est développé au cours des dernières décennies qui a conduit nombre d'entre eux à établir une distinction entre, d'une part, leur foi et leur pratique religieuse et, d'autre part, leurs conceptions politiques et leur intervention dans la société en tant que citoyens.

Des prêtres rencontrés dans la région lilloise, surtout préoccupés de leur engagement dans le monde, voient dans les valeurs et les enseignements de la Révolution une source de références pour leur action. Ils ont une grande expérience du milieu ouvrier et ne s'en sentent que plus à l'aise pour réfléchir sur la fonction d'utopie de la Révolution française.

La force de l'utopie « Révolution française », en son temps et encore deux siècles après, tient à la nature même de l'idéal proclamé en 1789. En tant qu'idéal social, c'est-à-dire idéal fondant un projet de société, il est indépassable. Il promet aux hommes les biens les plus précieux. La liberté et l'égalité fondent et garantissent leur droit au bonheur. La fraternité (le mot viendra plus tard) ajoute au nouvel édifice social l'amour entre les citoyens. On ne peut attendre davantage d'une société.

La Révolution n'a pas seulement formulé cet idéal. Elle l'a fait descendre des régions éthérées de l'utopie pour tenter de le concrétiser sur terre. Elle est passée de l'idée à la pratique, du champ de l'idéal à celui du politique. Le premier est celui du désirable, le second celui du possible.

Une difficulté de taille devait nécessairement surgir. L'idéal de bonheur terrestre proclamé par la Révolution se substituait dans l'esprit des gens de l'époque à l'idéal de bonheur antérieur : celui porté par la religion. Lorsque Saint-Just parle du bonheur comme d'une idée neuve, il n'a pas tout à fait raison. C'est l'idée du bonheur *terrestre* qui est une idée neuve. Les hommes avaient déjà en eux — sans doute l'ont-ils toujours eue — l'idée du bonheur. Ils l'appelaient autrement, mais sa fonction tendait au même but. La Révolution n'a pas inventé le désir des hommes d'échapper à leur condition. Elle a entrepris d'y répondre autrement. Elle a fait passer le lieu de sa réalisation du ciel sur la terre. Le changement est évidemment capital. On peut effectivement parler de révolution. Mais on peut également se demander si, en passant d'une idée du bonheur à une autre, la Révolution ne s'est pas trouvée avec, sur les bras, une espérance impossible à combler. L'idéal de bonheur précédent, celui de la religion, était à certains égards absolument inégalable. Sa réalisation n'était promise que dans l'au-delà, mais ce « report » était compensé par ce qu'aucun bien terrestre ne pourra jamais procurer à l'homme : l'éternité.

Il y a un monde entre le bonheur ou le salut — les mots importent peu si l'on veut bien considérer le problème sous l'angle de ses enjeux imaginaires — fondé sur la croyance en l'immortalité de l'âme et toute tentative d'en réaliser l'équivalent sur la terre. Bien des hommes de la Révolution, à commencer par Robespierre, en eurent conscience et considérèrent avec effroi le vide qui s'ouvrait sous leurs pas. La Révolution, eût-elle été en tout point d'une perfection absolue, était impuissante à le combler. La Terreur et la Vertu associées devaient, certes, régénérer la société. Mais il y aurait toujours une place, dans son imaginaire, pour l'« Être suprême ».

Reprocher aux hommes de la Révolution l'inadéquation entre les résultats de leur action et leurs intentions n'aurait évidemment aucun sens. L'histoire ne se fait jamais autrement. Mais cette constatation n'interdit pas de l'interroger.

Les hommes de la fin du XVIIIe siècle avaient quelques raisons de considérer que le politique pouvait tenir lieu d'équivalent du religieux. Ce changement de plan était le résultat d'une lente et longue évolution du religieux. Mais il était inévitable que la mutation à laquelle elle devait conduire fût, en partie, pensée dans les termes de l'ancien ordre du monde. Ils ont donc cru à tort qu'une bonne organisation sociale pouvait résoudre tous les problèmes de l'individu, répondre à toutes ses interrogations jusques et y compris celles sur la vie et la mort. Autrement dit, ils ont cru à tort que l'État pouvait être l'instrument de la réalisation d'un bonheur terrestre qui tarirait progressivement mais définitivement le besoin auquel répondait la religion.

Ils avaient une autre excuse : la religion qu'ils voulaient ainsi renvoyer au bric-à-brac des vieilles superstitions concourait effectivement trop souvent au malheur terrestre.

Les utopies sont à la fois inévitables et souhaitables. Mais toutes comportent des dangers. Le principal danger, toujours actuel, de ce que l'on pourrait appeler « l'utopie Révolution française » réside dans l'idée que le manque inhérent à tout être humain, ce décalage entre sa finitude et son désir d'illimité, pourrait être comblé par un bon État, une bonne société. Le péril de l'utopie découle de l'idée que ce drame de toute vie — mais qui en constitue le moteur et en fait sa grandeur — ne serait, au fond, qu'un problème d'organisation de la société que la politique pourrait résoudre. Peut-être la force et le danger du totalitarisme tiennent-ils à l'illusion que le type de société qu'il promet réalisera la fusion du temporel et du spirituel et garantira à ses sujets une destinée qui couvrira toutes les dimensions de leur existence. Cette promesse expliquerait son pouvoir de séduction et son aptitude, souvent prodigieuse, à produire une nouvelle croyance. Or, sur ce chemin, le politique tend inévitablement vers une sorte de religieux dont le Parti/État est le bras séculier.

Le goulag n'est pas le produit tardif de la Révolution française. Mais on peut se demander s'il ne devient pas inévitable lorsque l'utopie qui a généré cette révolution cesse d'être considérée comme une utopie et devient l'utopie enfin réalisée. « Toute relation avec l'utopie est positive, écrit Miguel Benasayag, à condition d'être capable d'y renoncer, car elle nous donne un repère important dans la possibilité de changer notre réalité humaine. L'utopie perçue comme projet humain, c'est-à-dire comme le fruit heureux de la liberté agissante, est tout le contraire du totalitarisme... Mais la prétention d'une utopie réalisée a le visage de l'horreur [6]. »

6. Miguel BENASAYAG, *Utopie et liberté*, Éditions La Découverte, Paris, 1986, p. 54.

4

Juifs, protestants, francs-maçons
Le socle républicain

« ... ces étrangers de l'intérieur... Les juifs, les protestants et les francs-maçons [qui] composent les trois volets de l'anti-France... »

Charles MAURRAS.

« La Révolution française marque le début de l'émancipation des Juifs. » Rares sont les juifs qui parlent de la Révolution sans d'abord procéder à ce rappel historique, assorti immédiatement de l'expression d'une profonde reconnaissance.

« La Déclaration des Droits de l'homme ouvrait des perspectives auxquelles la communauté juive ne pouvait qu'être extrêmement sensible », déclare Me Théo Klein, président du CRIF. « En France, poursuit-il, cette communauté était, à l'époque, composée de juifs d'origine portugaise (essentiellement à Bordeaux et à Bayonne-Saint-Esprit), des juifs du comtat Venaissin depuis longtemps en France, et d'une masse plus importante constituée des juifs d'Alsace et de Lorraine. Les Alsaciens, qui ne parlaient pratiquement pas le français et vivaient dans des communautés relativement fermées, n'ont peut-être pas été autant que d'autres touchés par l'amorce du processus révolutionnaire. Mais si le mouvement déclenché par la Déclaration n'a pas été perçu également par toute la communauté juive de France, aujourd'hui, celle-ci, dans son ensemble, la considère comme l'élément fondamental de la Révolution française. Les Droits de l'homme, une fois proclamés, entraînaient logiquement l'émancipation des juifs.

« Dans l'ensemble des populations juives, pas seulement en France mais dans le monde, la France a une place particulière parce qu'elle a été le premier pays à émanciper les juifs. Il n'en résulte d'ailleurs pas que des côtés positifs. Toute attitude française qui paraît hostile, notamment à propos des problèmes du Proche-Orient, est ressentie beaucoup plus profondément, en Israël ou ailleurs, que la même attitude hostile provenant, par exemple, de l'Angleterre ou d'un autre pays. Dans l'imagerie des juifs, la France c'est le pays des Droits de l'homme et le pays de l'émancipation. »

Le rabbin Josy Eisenberg, producteur de l'émission télévisée *A bible ouverte*, rappelle « qu'avant 1789, plus précisément avant le vote par la Constituante en 1791 de l'égalité des droits, les juifs étaient des parias. Certes, un mouvement se dessinait sous Louis XVI (notamment avec l'abbé Grégoire) et en Allemagne pour une modification de cette condition. Mais c'est la Révolution qui leur accorda l'égalité des droits. Cela ne s'est pas fait facilement et il y aura des tentatives de retour en arrière. Napoléon Ier remit cette égalité en question en s'interrogeant sur la capacité des juifs à s'intégrer réellement à la société française ».

Il se trouve encore des gens pour penser que c'est la « hâte de naturaliser », manifestée par la Révolution, qui est à l'origine de l'antisémitisme dans notre pays. Dans un ouvrage paru en 1987 qui porte ce titre-programme : *Pourquoi nous ne célébrerons pas 1789*, Jean Dumont estime que du fait de la naturalisation, en 1791, des « juifs askenazim de l'Est [...] d'un seul coup, instinctivement, sans prendre aucune précaution de bonne conduite individuelle ni d'intégration effective dans la société française, [...] l'antisémitisme local tend à devenir national [1] ». Il ajoute : « Cet antisémitisme

1. Jean DUMONT, *Pourquoi nous ne célébrerons pas 1789*, Éditions ARGE, Paris, 1987, p. 79.

devenu national est un produit de la Révolution française. » Toutefois, ce n'est pas l'antisémitisme qu'il déplore, mais le fait que ceux qui le combattent l'utiliseraient comme un moyen de culpabiliser la majorité de la nation et comme une justification des « atteintes portées à l'identité française ». Ce serait de la faute des juifs, « restés étrangers de langue et de comportement », si l'antisémitisme a pris corps et s'est développé. « On dit [Oh, ce "on dit" de tous les temps !] qu'ils ont accaparé à Paris le marché de l'or [...], que les Beer, les Cerbeer sont parmi les pires trafiquants du Directoire [...], qu'ils ont tout de suite eu accès aux entourages des ministres, par les sociétés jacobines. » Et de conclure, benoîtement : « Mais bien sûr l'antisémitisme sera la faute du peuple qui subit, ou de ceux qui constatent, pas celle des politiques imprudents ou cyniques. » Décidément, l'antisémitisme à l'antisémitisme ressemble.

Un événement apocalyptique

« Les idées répandues par la Révolution française constituent, pour le rabbin Eisenberg, un phénomène tout à fait fondamental. C'est l'un des deux ou trois plus grands événements de l'histoire universelle ; peut-être, à la limite, le seul événement humain de l'histoire qui compte pour le monde entier. Car les grands événements qu'a connus l'Extrême-Orient n'affectent pas l'Occident. Les grandes tribulations historiques de l'Occident n'affectent pas la totalité de la planète, que ce soit la guerre de 14-18 ou la bataille de Waterloo, la bataille de Bouvines ou la guerre de Trente Ans. De tous les grands événements historiques auxquels nous nous référons généralement, seul celui-là a une portée universelle. En quelques dizaines d'années, il a exporté des idées dans le monde entier. Parmi les événements que nous avons vécus au XXe siècle, Auschwitz et Hiroshima ont affecté la conscience universelle, mais je ne suis pas sûr qu'ils aient eu un impact comparable à celui de la Révolution française.

« Importante pour tous les hommes, cette révolution l'a été plus encore pour les juifs. C'est un événement de première grandeur dans leur histoire. Ils l'ont perçu comme un événement apocalyptique. Cela signifie que cet événement purement politique a pris dans la conscience juive une connotation en quelque sorte théologique. Les juifs misent beaucoup sur la dialectique de l'aliénation et de la libération. Leur histoire a commencé par une aliénation en Égypte, aliénation dont ils ont été libérés par Moïse. D'une certaine manière, Danton et Robespierre ont joué, pour les juifs, le rôle de Moïse et ils ont vécu cet événement presque comme un signe providentiel. Après avoir été esclave d'un Occident raciste pendant quinze siècles, le peuple juif se voyait, tout à coup, octroyer la liberté. Cette liberté ne venait pas seulement de l'initiative des hommes, mais ces hommes, sans le savoir, étaient, pour les juifs, les messagers des forces de libération du peuple juif qui participent, selon le judaïsme, de l'essence des rapports d'Israël avec lui.

« Il en a résulté, au moins jusqu'en 1939, une glorification quasi permanente de la Révolution française. La France est devenue le parangon de toutes les vertus. Pendant toute cette période, il existe des textes absolument invraisemblables de glorification de la Révolution et de la République par des rabbins. Une grande partie des sermons rabbiniques, tout au long du XIXe siècle, consistait à vouloir établir une adéquation entre les Tables de la Loi et la Déclaration universelle des Droits de l'homme. Il existe toutes sortes de dessins où l'on voit la Déclaration des Droits de l'homme représentée sous la forme des Tables de la Loi. La Révolution était à la fois la sortie d'Égypte et la révélation du décalogue sur le mont Sinaï. La spiritualité des rabbins, en France, au XIXe siècle, reposait sur l'idée selon laquelle il y avait eu deux grands événéments dans l'histoire : Dieu avait donné une loi au peuple juif, puis la Révolution française avait été une resucée de cette révélation. Elle donnait, elle aussi, des Tables de la Loi à l'humanité. Même si les contenus différaient, c'était une même démarche de l'esprit : codifier la justice quelque part et la codifier sur un plan universel, ce que réalisaient et le décalogue et la Déclaration des Droits de l'homme. On a vu, dans l'esprit français, une sorte de résurgence laïque, mais teintée de religiosité puisque la liberté est une vertu divine, un effet de la révélation de Dieu. »

« Qui tue un Dieu tue un roi »

« On comprend qu'il y eût un amour très grand pour la France, non seulement chez les juifs français mais chez les juifs du monde entier. En fait, la France a été le pays phare de la liberté pour les juifs. Ainsi s'explique qu'une partie de l'immigration juive des pays de l'Est se soit dirigée vers la France. Ce n'était pas seulement la « mère des arts, des armes et des lois », c'était la mère de la Loi et des libertés. En Hongrie, en Pologne, en Russie, on lisait partout les écrivains français. La Révolution française était perçue comme le moment où le peuple juif est né à sa condition moderne. »

Ces paroles sont à rapprocher de celles de Maurice Joffo quand il évoque, dans son livre *Un sac de billes*, la découverte de la France par des juifs chassés d'Europe orientale. « Nous sommes à la fin du XIXe siècle. Par familles entières des juifs chassés d'Europe orientale par les pogroms arrivent en France. L'un d'eux raconte :

« “... et puis un jour ils franchissaient une dernière frontière. Alors le ciel s'éclairait et la cohorte découvrait une jolie plaine sous un soleil tiède, il y avait des chants d'oiseaux, des champs de blé, des arbres, et un village tout clair, aux toits rouges, avec un clocher, des vieilles à chignon sur des chaises, toutes gentilles.

« “Sur la maison la plus grande, il y avait une inscription : *Liberté, Égalité, Fraternité*. Alors les fuyards posaient le baluchon ou lâchaient la charrette, et la peur quittait leurs yeux, car ils savaient qu'ils étaient arrivés.

“La France !” [2] »

Retrouvons le rabbin Eisenberg. « Les choses, poursuit-il, ont un petit peu changé avec Pétain. Tout à coup, cette grande histoire d'amour que les juifs ont eue avec la France — et qui a continué en d'autres lieux, car lorsque l'État d'Israël s'est créé, la France n'a pas cessé d'être pour les Israéliens le pays de la liberté — a connu une grave régression. L'annulation par les décrets de Vichy de l'égalité octroyée aux juifs a jeté un voile sinistre sur cette histoire. On s'est dit : finalement, il n'y a pas d'acquis définitifs de la Révolution française ; cela durait depuis cent cinquante

2. Joseph JOFFO, *Un sac de billes*, Jean-Claude Lattès, Paris, 1973, p. 23.

ans et paraissait irréversible. Or, le fait que cela n'ait pas été irréversible a un peu traumatisé la conscience juive. Cela a duré quelques années. Je pense qu'aujourd'hui la réconciliation est faite. Quoi qu'il en soit, ce n'était pas la Révolution française qui était en cause mais la possibilité, pour certains régimes, de revenir sur ses acquis. Cela ne concernait d'ailleurs pas seulement les juifs. On peut se demander si, dans la France d'aujourd'hui, il n'existe pas, à nouveau, des tendances propres à remettre en question certains de ces acquis, lorsqu'on voit comment la Terreur est invoquée pour justifier une réaction contre la Révolution.

« La remise en cause des acquis de la Révolution s'accompagne généralement d'attaques antisémites. Après la mort de Louis XVI, les royalistes ont procédé à un amalgame très curieux entre déicide et régicide. Les juifs ont été rendus responsables de la Révolution, bien qu'il y ait eu très peu de juifs impliqués, sauf dans quelques clubs de jacobins. Il y avait d'ailleurs très peu de juifs à Paris à cette époque. Mais les royalistes n'en ont pas moins développé l'idée qu'il n'était pas étonnant que les juifs aient coupé la tête d'un roi puisqu'ils avaient déjà tué un Dieu. Si on tue un Dieu, on peut tuer un roi. Ce sont vraiment des fantasmes antisémites ridicules, aussi ridicules que de dire que les Maliens sont responsables de la mort de Jeanne d'Arc.

« Le rôle joué par la Révolution française dans leur histoire a suscité un très violent patriotisme de la part des juifs. Ajoutons également que, traditionnellement, ils ont été plus de gauche que de droite. Les seuls hommes politiques juifs qui jouent un rôle important au XXe siècle, que ce soient Jean Zay, Georges Mandel, Léon Blum ou Pierre Mendès France, pour ne citer que les plus éminents, avaient une sensibilité de gauche. On ne retrouve pas de juifs maurrassiens. Je veux dire par là que les juifs ont toujours été républicains ; républicains de gauche, quelquefois du centre et beaucoup plus rarement de droite, mais républicains. Il est évident que les intérêts de classe interviennent. Les grands bourgeois juifs n'avaient aucune raison de voter pour le parti communiste. Mais, dans l'ensemble, la sensibilité politique des juifs a toujours été plutôt de gauche dans la mesure où la Révolution avait été pour eux un phénomène émancipateur et où la droite était antirépublicaine. Car, au fond, la droite n'a admis la République qu'assez récemment. Pour un juif, être de droite aurait voulu dire être royaliste ou proche du bonapartisme. C'eût été complètement absurde, aussi absurde que mordre la main qui vous a sauvé. »

L'an prochain... à Paris

« Je crois qu'aujourd'hui encore ce rapport à la Révolution française est très valorisant. On n'en parle pas tout le temps, mais dans toute la littérature juive elle continue d'être le mot clé de l'histoire moderne des juifs. Il peut y avoir des réserves sur la politique de la France, mais si on parle de la Révolution française il n'y aura pas la moindre réticence.

« Cependant, la Révolution française n'a pas eu que des conséquences positives pour la communauté juive. En effet, ce sentiment euphorique, né du fait que la Révolution a libéré les juifs, a poussé un grand nombre d'entre eux, en raison de son caractère apocalyptique et donc messianique, à se dire : le Messie est arrivé, le drapeau tricolore est l'emblème du Messie et puisque nous sommes bien en France nous renonçons au rêve sioniste "L'an prochain à Jérusalem". Cela a favorisé ce que nous appelons l'assimilation, la déjudaïsation. Ce n'était plus nécessaire de cultiver d'autres idéaux puisqu'on pouvait être pleinement juifs, ici, en France. La perte du sentiment de l'exil est, d'une certaine façon, délétère dans la conscience juive. Mais ce sont là des effets secondaires comme on dit en médecine. »

Jacobinisme/nationalisme/Europe

Me Théo Klein évoque un autre type « d'effets secondaires » de la Révolution sur la conscience juive : le jacobinisme. « La Révolution a été marquée par le jacobinisme. Celui-ci a poussé à l'uniformisation culturelle de la population française. Ce mouvement avait certainement, à l'époque, des causes et des raisons profondes. Mais il a généré une sorte d'idéologie dont l'influence, si elle va en s'atténuant, peut encore avoir des effets négatifs. Je pense aux obstacles opposés au développement des cultures particulières. La population juive est concernée ; les citoyens français d'origine juive, de confession juive ou simplement de sentiment juif sont concernés. J'emploie ces différentes expressions, car il n'y a pas de mot exact pour définir l'"être juif". La différence entre un juif et un catholique, c'est qu'être juif ce n'est pas seulement être de religion juive, puisque des personnalités importantes qui sont d'une autre religion prétendent toujours être juifs. L'"être juif" a une connotation culturelle profonde, éthique aussi. Or, ce sont ces valeurs-là que le jacobinisme tendrait à faire disparaître, au même titre que les éléments de la culture provençale ou de la culture bretonne. »

Le jacobinisme, toujours selon Me Théo Klein, nourrit, dans notre pays, une autre tendance négative : le refus de l'Europe. « Je crois beaucoup que les valeurs de ce que nous appelons l'Occident et qui se sont développées en Europe occidentale risquent de disparaître si nous ne réalisons pas l'Europe. Or, le jacobinisme conduit à un nationalisme étroit qui risque — il y parvient en partie — de bloquer cette évolution nécessaire. »

D'autres interlocuteurs juifs estiment que ce « jacobinisme nationaliste » n'est qu'un aspect de l'héritage révolutionnaire. Ils rappellent que la Révolution a été, pour notre pays, une gigantesque « dé-régionalisation » positive, car elle s'est traduite par une « dé-territorialisation » de l'identité de ses habitants. On n'était plus seulement bourguignon, normand... ou juif. La nouvelle identité se fondait sur une nouvelle entité, à la fois en gestation, mais surtout encore en grande partie à construire ensemble : la nation. Cette nouvelle identité était faite d'une anticipation, d'une volonté et d'un engagement. Aujourd'hui, le problème de l'Europe se pose, à bien des égards, de la même manière.

Il faudrait, à propos des conséquences de la Révolution, cesser de parler uniquement du nationalisme. L'idée de nation a été, en effet, originellement sous-tendue par un mouvement vers l'universel. Les juifs, estiment certains d'entre eux, sont particulièrement bien placés pour procéder à ce rappel, puisque leur émancipation découle de ce mouvement.

Le nationalisme est la contrepartie négative d'un pari d'inspiration universaliste à la fois gagné et perdu ; gagné parce que la nation est devenue une réalité ; perdu parce que, d'une part, cette réalité n'a pas correspondu à l'ambition universaliste initiale et, d'autre part, parce que malgré cela elle a été l'objet d'une idéalisation forcenée. Cette idéalisation devait nécessairement conduire à voir dans l'étranger, dans l'Autre, le responsable des échecs et des malheurs de la nation.

La franc-maçonnerie : une paternité revendiquée

« Un juif n'est jamais responsable de ses origines ; un franc-maçon l'est toujours de son choix. » Pour Pétain, l'auteur de ce propos bien dans sa manière, l'un et l'autre étaient également coupables ; coupables des malheurs de la patrie que couronnait la défaite de 1940 et dont l'origine remontait... à la Révolution. Juifs et francs-maçons constituaient, pour le régime de Vichy, « l'anti-France », ceux que Charles Maurras qualifiait d'« étrangers de l'intérieur ».

Les francs-maçons n'avaient même pas l'excuse de leur origine, en vertu de la curieuse et sinistre logique du racisme pétainiste. Juifs et francs-maçons furent donc offerts à la vindicte de la nation par la conjonction de deux facteurs : d'une part, ce régime, en raison de sa tache originelle, avait plus qu'aucun autre besoin de boucs émissaires ; d'autre part, les circonstances donnaient une occasion de revanche exceptionnelle, tout à fait inespérée, aux forces sociales, spirituelles et politiques qui depuis plus d'un siècle menaient le combat contre le régime républicain. Dans la mesure où la franc-maçonnerie avait tenu une place importante dans cet affrontement, elle devint tout naturellement la cible de ceux qui momentanément triomphaient.

Le régime de Vichy procéda à la dissolution des loges maçonniques dans le cadre de la dissolution des « sociétés secrètes » et mit en place une législation discriminatoire visant à écarter leurs membres de la fonction publique. Le *Journal officiel* publia une liste de 14 600 dignitaires de la franc-maçonnerie qui tombaient sous le coup de ces mesures. Ce fut une véritable entreprise de délation d'État destinée à inciter les Français à pratiquer le mouchardage généralisé. Pour ajouter la cuistrerie à l'odieux, Bernard Fay, administrateur de la Bibliothèque nationale et grand spécialiste des francs-maçons du XVIIIe siècle, précurseurs de la Révolution, fut chargé d'une mission « scientifique » : étudier les documents saisis dans les organisations maçonniques et dévoiler, notamment par des expositions, leur rôle secret — et « néfaste » — sous la IIIe République. Tout comme dans le cas des juifs, la mise en œuvre des mesures répressives à l'encontre des francs-maçons fut antérieure aux pressions allemandes. Elle n'avait pas l'excuse d'une contrainte extérieure. C'est toute une société, la société vichyssoise, qui révélait ainsi sa nature.

Les propagandes, on le sait, s'adonnent volontiers à la facilité. C'en est une que de voir dans les grands événements le fruit d'un complot. Vichy rebattit les oreilles des Français, abasourdis par le choc de 1940, des « preuves » de l'existence d'un « complot judéo-maçonnique » contre la nation, reprise et prolongement du « complot » de 1789.

M. Roger Leray, qui fut grand maître du Grand Orient de France jusqu'en 1987, qualifie d'absurde l'idée, lancée originellement par l'abbé Barruel, selon laquelle la Révolution procéderait d'un tel complot. « La notion même de complot est étrangère à la pratique de la franc-maçonnerie. La franc-maçonnerie, en fait, n'intervient jamais par elle-même. Ce sont les francs-maçons qui agissent sur le terrain qu'ils ont choisi pour exprimer l'idéal dont ils sont porteurs. Ce n'est pas la franc-maçonnerie en tant qu'institution qui a fait les États-Unis d'Amérique du Nord. Mais il se trouve que tous ceux qui ont fait les États-Unis d'Amérique du Nord étaient francs-maçons, de Franklin à l'amiral d'Estaing en passant par Washington, La Fayette, Rochambeau, Jefferson, Paine... tous. Ce n'est pas la franc-maçonnerie qui a donné à l'Amérique du Sud sa configuration géopolitique d'aujourd'hui, mais tous ses libérateurs ont été des francs-maçons, que ce soit O'Higgins au Chili ou San Martin en Argentine, Simon Bolivar dans le Nord ou Juarez au Mexique.

« Ce n'est pas un hasard. La maçonnerie génère la liberté.

Si elle a une dynamique propre, c'est celle de donner à ceux qui sont maçons le goût de la liberté, d'en faire ses défenseurs privilégiés. Il n'y a pas, il n'y a jamais de collusion maçonnique ; pas même à l'intérieur d'un même pays. Je voudrais mettre un terme à toutes les interprétations fallacieuses du fait maçonnique, interprétations auxquelles les francs-maçons se sont souvent prêtés par leur goût du secret, par leur peur d'être reconnus comme tels. A leur décharge, il faut dire que dans nos pays latins on s'employait à leur donner mauvaise conscience et que l'impression qu'ils avaient de courir des risques n'était pas toujours infondée. N'oublions pas l'attitude de Vichy et du nazisme à leur égard.

« La maçonnerie n'est ni une Église ni une secte. Je ne suis pas doté de pouvoirs surnaturels. Je suis un rationaliste. Je suis même athée. La maçonnerie est une organisation exemplairement politique, car politique au plan éthique. Pour être politique de cette manière, elle ne peut être qu'une organisation de réflexion, éventuellement de proposition, jamais d'intervention. Comment pourrais-je exprimer un discours partisan alors que je préside une organisation qui compte en son sein des représentants importants de tous les partis politiques. La maçonnerie n'est pas une machine de guerre destinée à prendre le pouvoir. C'en est même tout le contraire. C'est un contre-pouvoir permanent et à l'intérieur de la maçonnerie il y a des contre-pouvoirs qui sont en situation de dialogue les uns par rapport aux autres. »

Ces principes ont présidé à la naissance de la franc-maçonnerie en Angleterre. Ils éclairent, selon M. Leray, le rôle des francs-maçons dans la Révolution française, un rôle qui tient essentiellement à l'influence intellectuelle qu'ils ont exercée sur leurs contemporains.

La coïncidence entre le lieu de naissance de la franc-maçonnerie et la part importante qui revient à un courant philosophique d'origine anglaise dans la préparation idéologique de la Révolution n'est pas fortuite. M. Roger Leray insiste particulièrement sur le fait que « les idées qui ont nourri et inspiré la Révolution française appartiennent tout autant à un mouvement philosophique qui s'est développé en Angleterre qu'à celui des Lumières en France. Par exemple — et c'est le franc-maçon que je suis qui s'exprime — il n'est pas contestable que la pensée de John

Locke a été particulièrement éclairante pour l'établissement de nouveaux rapports sociaux. Locke devait beaucoup à deux penseurs qui l'avaient précédé, Hobbes et Thomas More. Or, le contenu de cette longue filiation philosophique anglaise, qui aboutissait au rationalisme de Locke, a été diffusé en France par des hommes comme Montesquieu et Voltaire... tous les deux francs-maçons. La franc-maçonnerie, née en Angleterre, a contribué à la reprise en France d'idées qui, également nées en Angleterre, ont notablement inspiré les idéaux de la Révolution. Celle-ci les a portées plus loin et a fait prévaloir — avec quelle générosité ! — une nouvelle conception de l'homme dans la société qui a eu des résonances extraordinaires dans le monde. »

Cette contribution des francs-maçons à la préparation intellectuelle, « idéologique », de la Révolution les prédisposait au rôle actif qui fut le leur dans son déroulement. Car les principes qui régissaient leurs rapports au sein des loges les poussaient également à adopter un comportement militant.

« Originellement, explique M. Leray, dans la démarche même d'adhésion à la maçonnerie, il y avait l'idée de liberté et d'égalité. En maçonnerie, l'homme n'est pas considéré d'après son origine, sa fonction, sa religion ou son parti. Il est considéré en tant qu'individu humain et tout le travail de la loge consiste à le mettre en situation de dialogue ouvert et égal avec des hommes qui viennent de tous les horizons. Retournons au XVIIIe siècle. Les hommes de liberté se retrouvaient en loge. En loge, ils nourrissaient leurs réflexions de la notion maçonnique d'égalité. De là sortaient des idées plus largement exploitables sur le plan de la société. Et une volonté de les faire partager.

« Au fond, ceux qui parlent encore de complot maçonnique expriment une sorte de rage impuissante contre le fait que ces idées ont été finalement partagées par le peuple. Comme ils ne peuvent pas s'en prendre à celui-ci, ils accusent la franc-maçonnerie. »

Les protestants « en sympathie avec l'idéal de la Révolution »

L'approche de la Révolution par les protestants, telle qu'elle ressort d'un entretien avec MM. Jacques Stewart, président du conseil de la Fédération protestante de France, et Jean-Pierre Monsarrat, président du conseil national de l'Église réformée de France, est empreinte de sérénité. Les protestants sont reconnaissants à la Révolution de leur avoir apporté la liberté de pratiquer leur culte. Mais ils n'oublient pas le long chemin qu'il leur a fallu parcourir pour que cette liberté devienne effective.

Les protestants ont célébré en 1987 un premier bicentenaire : celui de la promulgation, par Louis XVI en 1787, de l'*édit de Tolérance* qui leur a rendu l'état civil. On ne pouvait mieux reconnaître qu'entre 1685, date de la révocation de l'*édit de Nantes*, et 1787, les protestants s'étaient vu refuser jusqu'à leur simple identité. Cet édit, combattu par les évêques catholiques, est improprement appelé « de tolérance », car il ne permettait toujours pas aux protestants de pratiquer leur religion. « Il a fallu attendre la Révolution, souligne M. Monsarrat, pour que les protestants aient à nouveau le droit de célébrer leur culte de manière publique. Cette liberté fut d'ailleurs de courte durée, car la Terreur, qui fut antireligieuse tous azimuts, y mit pratiquement un terme. Il reste que les protestants ont participé à la Révolution avec enthousiasme. Ils ont même profité de l'événement, dans certains lieux, pour prendre leur revanche sur les catholiques qui leur avaient été hostiles. La Révolution est, dans la mémoire des protestants, un bon souvenir, dans la mesure où elle marque la fin du régime qui a persécuté leur Église. Durant tout le XIXe siècle, ils ont, en gros, été du côté de la moitié de notre pays qui a été républicaine et anticléricale. La République et la construction d'une société laïque représentaient la seule voie pour que le protestantisme ait pleinement droit de cité. Les protestants sont donc en sympathie avec l'idéal que représente la Révolution. L'imaginaire protestant, la mémoire protestante les a conduits à se placer du côté de la tradition républicaine. »

M. Monsarrat note toutefois l'existence « d'un petit courant protestant monarchiste, héritier d'une tradition qui fut celle des protestants des XVIe et XVIIe siècles, disons jusqu'à la révocation de l'édit de Nantes. Favorables à la monarchie absolue et fidèles au roi sur le plan politique, ils accusaient volontiers ses mauvais conseillers d'être responsables des misères qui leur étaient infligées. Leur situation était particulièrement malheureuse. Bien que reconnaissant l'autorité royale, ils étaient néanmoins suspectés d'être de mauvais citoyens parce qu'ils n'étaient pas de la même religion que le roi ».

Pour M. Jacques Stewart, « la Révolution s'associe à l'idée d'émancipation du pouvoir absolu d'un personnage qui prétend incarner le pouvoir divin, caractéristique de la monarchie absolue. Il y a une antinomie totale entre cette notion et la Réforme. La Révolution a permis aux protestants de réaffirmer l'héritage de la Réforme de Luther et de Calvin qui était sous le boisseau. Mais il faudra encore un siècle pour qu'ils aient pleinement la possibilité d'exercer leur culte puisque les Églises historiques demeurèrent sous la tutelle de l'État. Ce qu'on appelle les ''articles organiques'' fixait de manière extrêmement limitative le mode de vie de l'Église réformée, de l'Église luthérienne et du Consistoire israélite. Il fut, par exemple, impossible de tenir un synode national. Jusqu'au milieu du siècle dernier, dans certaines régions de France, sous la pression de l'évêque catholique qui refusait le retour à la liberté religieuse, les protestants ne pouvaient pas construire de temple et leurs assemblées étaient inquiétées. La préfecture empêchait, par différents moyens, le libre exercice du culte. On peut trouver encore sous le Second Empire des cas de persécution. C'est la séparation de l'Église et de l'État en 1905 qui a rendu aux Églises la possibilité de s'organiser absolument comme elles l'entendaient et qui a instauré de manière définitive la liberté de conscience ».

Cet acharnement dans l'intolérance dont furent victimes les protestants suffit à expliquer qu'ils aient activement participé à l'avènement d'une société laïque, pluraliste, tolérante. Ce ne fut pas toujours sans malentendus avec ladite République. Aussi distinguent-ils deux phases dans la laïcité qu'elle entendait faire prévaloir : la première, qui fut une phase de laïcité ouverte et accueillante à la pluralité des confessions, la seconde qui fut une phase antireligieuse et qui brima les protestants comme elle brima les catholiques. Aussi, les protestants, traditionnellement favorables à l'école laïque, virent-ils grandir parmi eux, à la fin des années trente, un courant favorable aux écoles libres en réaction contre une laïcité vraiment trop agressive à l'égard de la chrétienté.

Sur le plan plus fondamental des rapports entre les idéaux de la Révolution et les valeurs qui fondent la foi religieuse des protestants, M. Monsarrat estime « qu'il n'est pas nécessaire d'inviter ces derniers à se réapproprier les notions de liberté, d'égalité et de fraternité, tant elles leur furent et leur sont toujours familières. Si on explorait les prédications de nos collègues au cours du siècle et demi qui vient de s'écouler on en trouverait certainement de très nombreuses qui mettaient en valeur ces notions ». Pour M. Stewart, « ce sont d'ailleurs trois affirmations dont on pourrait trouver des racines dans les références bibliques. En ce qui concerne la liberté et la fraternité, c'est parfaitement clair. S'agissant de l'égalité, c'est moins évident. Les protestants, se référant à l'Écriture, penseraient moins au mot "égalité" qu'au mot "partage". Pour eux, il y a une revendication de justice en faveur des plus pauvres qui peut amener un partage signifiant qu'il n'y a plus de pauvres. De sorte que dans cette optique, c'est bien le mot "partage" qui convient, mieux que le mot "égalité" ». M. Monsarrat estime qu'il s'agirait plutôt « d'une inégalité inversée, celle que prêche l'Évangile : "Les premiers seront les derniers et les derniers les premiers." »

Il semble que les traces, dans la mémoire protestante, de la Révolution et du combat qu'a exigé la mise en œuvre des principes qu'elle a proclamés n'induisent plus un comportement électoral spécifique des protestants. « Désormais, déclare M. Monsarrat, les protestants votent comme l'ensemble des Français. Longtemps, en revanche, on a pu parler d'un comportement politique propre aux protestants, comportement traditionnellement de gauche. Il ressortait clairement de la comparaison entre bureaux de vote majoritairement protestants et bureaux de vote majoritairement catholiques dans une même région. Cette spécificité était surtout le fait des milieux ruraux. Elle tend à s'estomper par la conjonction de l'écoulement du temps qui nous éloigne progressivement de la Révolution et de la récente évolution sociologique des campagnes. »

En conclusion, M. Stewart tient à souligner qu'à son avis « les idées de la Révolution s'appliquent davantage en Amérique du Nord qu'en France » et qu'il « se sent plus en symbiose, en tout cas, avec la manière dont elles ont été appliquées là-bas ».

5

La mémoire des villages
La révolution d'un peuple paysan

Véretz (Indre-et-Loire), le 10 juillet 1819.

« Toutes choses ont leurs progrès. Du temps de Montaigne, un vilain, son seigneur le voulant tuer, s'avisa de se défendre. Chacun en fut surpris, et le seigneur surtout, qui ne s'y attendait pas, et Montaigne qui le raconte. Ce manant devinait les droits de l'homme. Il fut pendu, cela devait être. Il ne faut pas devancer son siècle. [...]

« "Pour des filles cloîtrées, écrit La Bruyère, un paysan est un homme." Il témoigne là-dessus combien cette opinion lui semble étrange. Elle est commune maintenant, et bien des gens pensent sur ce point tout comme les religieuses, sans en avoir les mêmes raisons. On tient assez généralement que les paysans sont des hommes. De là à les traiter comme tels, il y a loin encore. »

Paul-Louis COURIER, *Pamphlets politiques*
(Éd. Sociales, Paris, 1961).

Jusqu'au milieu de ce siècle, l'imaginaire historique français fut porté et transmis principalement par les paysans.

Ses traces sont surtout présentes chez les paysans les plus âgés. Les plus jeunes, nos modernes agriculteurs, ne diffèrent pas seulement des générations dont ils ont pris la relève par des modes de production et de vie inédits. Une véritable révolution s'est opérée dans leurs manières de penser, qui, en quelques décennies, a rompu la connivence particulière qu'entretint, un siècle et demi durant, la paysannerie avec 1789.

Un « Moyen Age » tout proche

Lorsque vous parlez de la Révolution aux vieux paysans, ils sont intarissables sur l'histoire de... leur vie, sur leur passé. Une manière de signifier que ce passé, tout comme la Révolution, c'est de l'histoire ancienne et que la distance est peut-être moins grande entre la Révolution et leur jeunesse qu'entre celle-ci et le présent. N'assurent-ils pas, souvent, avoir assisté en personne à la disparition du « Moyen Age » ? Une manière de dire qu'ils sont en quelque sorte les contemporains de la Révolution...

« Ici, avant la dernière guerre, c'était encore le Moyen Age. » Cette image est tenace. Pour d'autres interlocuteurs, ce « Moyen Age » n'a duré que jusqu'à la guerre de 1914. Mais pour certains, il a fallu attendre la Libération et même bien après pour assister à sa disparition. Ils situent son terme en se référant tantôt au statut du fermage et du métayage de 1948, tantôt... à l'extension aux paysans de la sécurité sociale et de la retraite vieillesse. Les jugements diffèrent selon les régions, la taille des exploitations et leur mode de faire-valoir.

Pour apprécier ces considérations, il faut tenir compte de la propension des paysans à se présenter en victimes. La condition paysanne, à les entendre, aurait été de tout temps une condition de paria. Comble d'ironie, elle n'aurait commencé à s'améliorer sensiblement qu'avec l'émergence du mouvement qui allait, au cours des dernières décennies, conduire à la disparition des trois quarts d'entre eux.

Leur « Moyen Age » n'est donc pas à prendre au pied de la lettre. L'expression recouvre des réalités bien différentes pour les uns et pour les autres. Toutefois, elle ne semble pas totalement abusive pour évoquer la situation de ce métayer, dans une ferme située aux confins de la Sologne et du Berry, dont le bail qui demeura en vigueur jusqu'aux lendemains de la Libération comportait la clause suivante : « Le droit de chasse sur les biens présentement affermés [au métayer] et le droit de pêche sur le ruisseau sont formellement interdits au preneur [le métayer], le bailleur [le propriétaire] se réservant en entier ce droit pour lui-même et les personnes à qui il lui plairait de le conférer, notamment par voie de location. Les preneurs devront veiller à ce que les gens à leur service ne puissent se livrer à aucun acte de chasse et à ce que les chiens employés à la garde de la ferme ou des animaux ne divaguent pas. Ils ne devront pas avoir de fox ou de chiens méchants ou chasseurs. Tout chien méchant ou chasseur devra disparaître de la ferme. Les chiens ne devront jamais divaguer, mais être tenus ou attachés, de même les chats ne devront pas quitter la cour ou les bâtiments [!]. Il est stipulé comme condition essentielle qu'en cas de délit de chasse ou de pêche de la part des preneurs sur la propriété du bailleur, la deuxième contravention amènera de plein droit et si bon semble au bailleur, pour le 1er novembre qui suivra cette deuxième contravention, sans que les preneurs puissent avoir aucune indemnité en quoi que ce soit, la résiliation du présent bail. Au cas du même délit de la part des domestiques, les preneurs seront tenus de cesser immédiatement après la première contravention d'employer ces domestiques. Les preneurs ne pourront soulever contre le bailleur aucune réclamation fondée sur le dommage que leur occasionnerait directement ou indirectement l'exercice du droit de chasse, notamment du fait des chasseurs, des chiens, du gibier gros et petit provenant de toutes les dépendances de la propriété du bailleur. »

Les rapports entre ce texte et l'héritage du Moyen Age sont évidents. La chasse était sous l'Ancien Régime un privilège exclusivement réservé au seigneur qui avait fait l'unanimité contre lui dans les cahiers de doléances. La loi du 11 août 1789 l'abolit et reconnut le droit de chasse à tous les citoyens. Mais ceci n'est qu'un exemple de la lenteur qui a caractérisé dans maints domaines les transformations du monde rural engagées par la Révolution.

La Révolution à Chédigny, Indre-et-Loire

J'ai poussé de nombreuses portes, tantôt au gré de mes pérégrinations, tantôt en suivant des recommandations empressées. « Allez voir un tel, il vous expliquera mieux que moi. » J'ai vu des paysans, mais aussi de ces connaisseurs exceptionnels de la chronique rurale que sont certains instituteurs retraités dont toute la carrière s'est déroulée dans la même région, voire le même bourg. On a fait taire pour moi la télévision pendant un moment comme si, à écouter l'histoire de mes hôtes, mon magnétophone posé à côté des verres de vin sur la table familiale allait conjurer un oubli redouté.

J'ai cherché à savoir ce que la mémoire des villages avait gardé des événements de la période révolutionnaire qui s'étaient déroulés sur leur territoire. Sauf exception rarissime — la Vendée constituant un cas à part —, force est de constater que cette mémoire est en friche. D'une manière générale, je n'ai rencontré aucune volonté d'établir une historiographie locale de la Révolution, de l'enrichir et de la propager. Sur ce plan, on ne peut pas dire que la République ait entretenu le culte de ses origines.

On peut s'interroger sur cette carence en un temps qui abonde en prétendues reconstitutions historiques dans les provinces et qui peuple les campagnes de nostalgiques évocations du passé. Les premières font volontiers dans le médiéval approximatif. Les secondes sacrifient à la mode de l'antiquaille. Les unes et les autres baignent dans un consensus mou à base de costumes et d'objets dits folkloriques. Il n'est rien dit ou presque des hommes, de leur vie réelle.

La petite localité de Chédigny, en Indre-et-Loire, fait figure d'exception. Ses habitants — ils sont quatre cents — ont préparé un spectacle en plein air, donné une douzaine de fois au cours de l'été 1988, pour retracer le déroulement de la période révolutionnaire dans leur commune. Toutefois ce spectacle ne relève pas d'une volonté commémorative puisqu'il s'inscrit dans une suite chronologique tendant à retracer les différentes étapes du passé local. Le précédent traitait des années pré-révolutionnaires. La coïncidence de celui-ci avec le bicentenaire est donc fortuite.

Une centaine de personnes ont travaillé pendant des mois sur la Révolution dans leur village. Elles ont écrit collectivement son évocation théâtrale, l'ont montée, en ont confectionné les décors et les costumes et l'ont interprétée.

Quel que soit le jugement porté sur le résultat, l'intérêt de cette initiative va bien au-delà de son apport au développement de la sociabilité villageoise. Elle est fondée au départ sur une véritable recherche des faits marquants de l'histoire locale pour constituer la trame du spectacle.

Les habitants de Chédigny ont été servis par la chance. Au siècle dernier, un instituteur de la localité, M. Girard, leur avait préparé un beau cadeau en rédigeant ce qu'il avait intitulé une *Monographie de Chédigny. Géographique physique, politique, économique*. Les registres de comptes rendus du conseil municipal et différents autres documents lui avaient fourni la matière d'un fort chapitre sur « Chédigny pendant la Révolution ».

Cette monographie est devenue un best-seller local. Photocopiée, elle a circulé dans toute la commune pour que chacun y puise son apport à l'élaboration collective du spectacle. Les habitants de ce paisible bourg ont découvert ainsi que l'histoire avait habité les lieux qu'ils fréquentent quotidiennement. M. Girard les informe, par exemple, de son irréprochable écriture d'instituteur de la IIIe République naissante, que cette petite place qu'ils traversent plusieurs fois par jour vit, le 27 juin 1790, la bénédiction du drapeau de la garde nationale ; que le 13 août de la même année, « M. Odart [commandant de ladite garde] demande au conseil municipal l'autorisation d'assister avec ses gardes nationaux à la procession qui doit avoir lieu à Saint-Michel [une des deux paroisses de Chédigny, l'autre étant Saint-Pierre] le jour de l'Assomption à l'issue des vêpres. Le conseil donne l'autorisation, mais il ordonne audit commandant de se réunir tous les dimanches sur le champ de Mars pour y faire l'exercice avec défense de faire aucune réunion à Saint-Michel ». M. Girard indique, précision qui n'a rien perdu de son pouvoir évocateur puisque cet endroit de la commune n'a pas changé, que le « champ de Mars devait se trouver dans les jardins situés entre la rue principale du bourg et la rive gauche du ruisseau de la Morandière ». Mais les rapports avec l'un des deux curés devaient tourner à l'aigre pour des raisons qui n'avaient que peu de rapport avec la foi. Nous sommes toujours en 1790. Une commission municipale s'étant rendue dans la paroisse de Saint-Michel pour faire une estimation d'une « assez grande étendue de communaux que possédait [cette] paroisse [...] fut arrêtée dans son travail par le curé Ligeard qui menaça les membres d'une volée de coups de bâton et leur dit que *si le diable l'eût tenté, lui, curé, il les eût jetés dans la rivière.* Ce à quoi le sieur Trougnou, l'un des commissaires, lui répondit que *le diable était exprès pour faire le mal.* Le conseil décide que le rapport des commissaires contenant les menaces du curé serait adressé au district de Loches ».

Toutefois, l'incident n'empêcha pas les deux curés de Chédigny de prêter « solennellement pour la première fois serment de fidélité à la Constitution le 23 janvier 1791 dans leur église en présence de la municipalité et des paroissiens ». Le registre du conseil municipal porte cette mention : « Joseph Letellier, ministre de cette paroisse [Saint-Pierre], fait la déclaration suivante : *Je reconnais que l'universalité des citoyens est le suzerain et je promets soumission et obéissance aux lois de la République.* »

La nouvelle de l'arrestation de Louis XVI, à Varennes le 20 juin 1791, parvint à Chédigny le 26, accompagnée de « l'ordre de mettre la garde nationale sous les armes [...] et d'arrêter quiconque n'est pas décoré d'une cocarde ou ruban aux couleurs de la nation ». Toutefois, « attendu qu'il n'existe [à Chédigny] aucun aristocrate la garde ne sera montée que le jour, mais au moindre indice elle le sera toute la nuit ».

Au cours des années 1792 et 1793, les tensions de la Révolution trouvent un écho dans la petite commune tourangelle. En feuilletant cette chronique de la vie des simples gens de Chédigny, on peut se faire une idée de l'impact des événements dans le peuple. Le 22 juillet : « Lecture est faite du décret de l'Assemblée législative déclarant la patrie en danger. Ordre est donné à chacun de faire la déclaration des armes qu'il possède. » Le 7 août : « Les deux curés renouvellent dans les mêmes conditions que l'année précédente leur serment de fidélité à la Constitution. » Le 21 août : « Deux gendarmes saisissent du blé chez la veuve Saget fermière de la seigneurie » ; et : « Une commission est nommée pour accompagner M. Pescherard, expert adjoint chargé de l'évaluation des biens nationaux et dîme du prieuré de Jarry. » Le 8 octobre : « Le conseil municipal délègue M. Darmon Alexis pour rédiger les actes de l'état civil qui étaient tenus jusqu'ici par les curés et le lendemain ordre est donné au curé Ligeard d'apporter les siens à Chédigny. » L'année 1793 débute, le 7 janvier, par « la plantation d'un arbre de la Liberté sur le carrefour du Bas-Bourg [...] On avait choisi, comme pour toute la France du reste, un peuplier à cause de son nom qui ressemble à celui du peuple ». Le 9 mars : « Sept volontaires de 18 à 40 ans sont enrôlés pour la défense de la République. Les jours suivants d'autres engagements sont encore faits » ; et : « On dresse un état constatant la quantité de blé existant chez les propriétaires. » Le 20 novembre : « On célèbre la décade avec un éclat inaccoutumé. Le maire, les officiers municipaux, notables, comité de surveillance, garde nationale réunis au champ de Mars chantent l'hymne de la liberté, crient "Vive la République !" et brûlent les titres féodaux concernant le Clozet, la seigneurie de Saint-Michel, la chapelle de l'église Saint-Michel, le Breuil-Rochereux. » Le 28 janvier 1794 : « Une réquisition de fusils est faite. La commune est désignée comme devant fournir 50 boisseaux de blé par semaine pour le marché de Loches. » Le 9 janvier, on avait décidé « la suppression des messes et vêpres du dimanche, mais avec l'autorisation de les dire le jour de la décade en ayant soin de les faire suivre de chants patriotiques ». M. Girard indique encore aux habitants de Chédigny que leur église « s'appelait le temple de la Raison et [que] le conseil municipal s'y réunissait pour délibérer sur les affaires de la commune ».

L'histoire de la Révolution à Chédigny se clôt par la rubrique « Années 1795 et suivantes », qui ne comporte que quelques lignes. Le 21 janvier 1795 « fut célébrée l'anniversaire de la juste punition du *dernier roi des Français*. A la fin de cette année le culte catholique fut rétabli. Le presbytère avait été vendu à Médart-Avrillon comme bien national. Il fut racheté par la commune en 1802. En 1799, M. Odart que l'on se souvient avoir vu seigneur de Saint-Michel est nommé maire ».

Le consensus impossible

C'est à partir de cette source locale, complétée par les archives d'abbayes des environs, et avec l'aide d'un historien que « nous avons bâti notre histoire », explique M. Chandelier, imprimeur de son état et animateur de l'initiative. « Nous avons bâti une histoire qui n'existe pas mais qui reste tout à fait vraisemblable. Nous avons créé des personnages et imaginé leur vie. »

Le spectacle n'a pas sacrifié à l'illusion d'une représentation objective de la Révolution à Chédigny. Il se veut délibérément une fiction. Celle-ci est un assemblage constitué des matériaux empruntés à la monographie de M. Girard et des vues des auteurs du spectacle sur la Révolution ; assemblage qui doit éviter que le spectacle ne heurte une partie de la population. « Il est certain que nous nous exprimons dans ce spectacle, que nous y parlons de ce que nous pensons », précise M. Chandelier qui ajoute : « Parmi nous il y a des gens qui ne pensent pas du tout la même chose, qui sont de bords opposés. Cela conduit à des discussions entre nous, discussions qui peuvent être vives. » D'autres animateurs du spectacle confirment ces propos et le petit dialogue suivant s'instaure :

« C'est surtout au niveau de la religion qu'il faut faire attention en réunion.

— C'est un sujet délicat.

— On prend soin de ne pas se vexer les uns les autres. Mais on sent de temps en temps qu'il y en a qui voudraient tirer dans leur sens. On est obligé de dire qu'il ne faut pas aller trop loin... que ça ne s'est peut-être pas passé comme ça... qu'on n'est pas sûrs que l'histoire se soit déroulée comme on le croit. »

La nécessité de prendre en compte les actuels rapports de forces idéologiques locaux se traduit notamment par la mise en scène d'un curé qualifié de « rouge » et d'un curé très hostile à la Révolution. Ce qui ne fut, semble-t-il, le cas d'aucun des deux curés de Chédigny à l'époque. Plus généralement, l'ensemble du spectacle obéit à ce type de « rééquilibrage », précise M. Chandelier. « Nous montrons la prise du pouvoir au village par un paysan qui va devenir un sans-culotte, un émule de Robespierre. Il va mal finir comme lui. A la dernière scène, il va se faire agresser comme lui. C'est un clin d'œil qu'on fait à l'histoire. Il s'agit d'un spectacle. Chaque personnage est fictif. On peut parler de tout, pas n'importe comment mais sans tabou. Il faut désamorcer les choses et laisser le choix au public de penser ce qu'il veut. On lui montre les deux aspects à travers deux personnages. On est tranquilles. »

La nécessité de « désamorcer les choses » ne s'était pas posée avec la même acuité lors de l'élaboration des spectacles précédents. Il est significatif qu'abordant la période révolutionnaire du passé de leur commune, les habitants de Chédigny ne puissent plus, pour garder leur visée unanimiste, s'en tenir aux éléments connus de ce passé. Ils doivent, pour « les faire passer », leur substituer un « arrangement » dans lequel leurs représentations actuelles et contradictoires de l'histoire de la Révolution constituent la plus grande part. Une collectivité entreprend d'explorer son passé, mais, lorsque celui-ci met la période révolutionnaire à l'ordre du jour, elle recule devant les images qu'il lui renvoie. Ces images ne deviennent tolérables qu'au prix d'un habillage idéologique relevant de la méthode « un coup à droite, un coup à gauche ». L'expérience spontanée des habitants de Chédigny est fort instructive pour la compréhension des rapports de la France contemporaine avec sa Révolution.

On reste partagé devant le résultat d'une telle initiative. Elle tranche par son caractère populaire à tous les niveaux — conception, réalisation, contenu — sur les prétendues et prétentieuses évocations historiques « son et lumière » à vocation commerciale des châteaux de la Loire tout proches. L'histoire contée à Chédigny est la face cachée de celle mise en images avec infiniment plus de moyens à Amboise, Chenonceaux ou Chambord. Ici on parle de paysans, là-bas de rois, de reines et de leur Cour. Pourtant, on peut se demander si les effets produits sont très différents et s'il ne s'agit pas dans les deux cas d'une projection de vues aseptisée du passé, d'une mise à distance rassurante de celui-ci. La reconstitution consensuelle de la Révolution à Chédigny fait finalement de celle-ci un moment du passé dont les enjeux apparaissent sans rapport avec ceux du présent, un affrontement de « bons » et de « méchants » à peu près également répartis dans les camps en présence et davantage chargés d'illustrer des types de comportement politique classiques, intemporels et condamnables, que d'essayer de rendre compte de la complexité et de la nouveauté d'un processus historique. Dès lors, comment le public aurait-il

« le choix de penser ce qu'il veut » puisque le spectacle distribue à chacun de quoi conforter ce qu'il pense déjà ?

Une évocation du passé à la manière du « réalisme socialiste » avec ses « leçons plus actuelles que jamais » serait évidemment insupportable. Mais le refus de prendre l'histoire pour ce qu'elle fut afin de tenter de concilier tous les points de vue idéologiques sur la Révolution entretient une vision mythologique de celle-ci. Elle conduit davantage le spectateur à s'identifier plus ou moins à tel ou tel de ses acteurs qu'à s'interroger sur les rapports possibles entre les enjeux d'alors et les problèmes de notre temps. A cet égard, la monographie de M. Girard, précisément parce qu'elle ne relate pas d'événements *spectaculaires*, est particulièrement éloquente. Au travers de ses nombreuses petites touches, on devine les bouleversements extraordinaires que la vie des habitants de ce village a connus au cours de ces quelques années. Malgré leur faible nombre et leur isolement campagnard, non seulement ils ne sont pas restés à l'écart des grands moments de la Révolution, mais ils y ont activement participé. On peut imaginer, notamment au travers de leurs démêlés avec les curés, la profondeur des changements qu'ils entreprenaient, la nouveauté des rapports qui se nouaient entre eux, les manières inédites de penser qui sous-tendaient ce bouillonnement. Surtout, on voit de simples gens — dont aucun n'est un petit Danton ou un petit Robespierre — sortir littéralement de leur état de sujet, faire leurs premiers pas de citoyens et commencer à inventer la démocratie. Si quelque chose de ce temps peut nous parler à deux siècles de distance, c'est bien cela.

Des bribes éparses et controversées du souvenir

Mais Chédigny, répétons-le, est un cas exceptionnel d'intérêt populaire pour l'histoire locale. Généralement, les restes de la mémoire révolutionnaire des villages sont, faute d'entretien, faute de *culture*, disparates. On ne sait plus trop ce qui s'est passé et chacun y va de son histoire.

Un gros plan effectué à Lédergues, petit bourg de l'Aveyron, est à cet égard édifiant. La plupart des gens rencontrés restent muets sur l'histoire locale de la Révolution et ceux qui parlent donnent des versions contradictoires de certains faits.

Selon M. Gabriel Courrèges, meunier, descendant d'une vieille famille de la région, « ici, la Révolution ça n'a pas tellement fonctionné ». Après un long moment de réflexion, il ajoute cependant : « Il y a bien eu parfois des mouvements contre les châteaux. On dit qu'ici le seigneur de Récombis était très mauvais... Alors, soi-disant, on aurait démoli son château. »

Lorsque le fil de la mémoire paysanne spontanée commence à se dévider, c'est presque toujours le « château » qui en constitue le point de départ. Le château était alors le symbole de la principale différence au sein d'une même entité, la campagne. Il y avait bien sûr l'autre pôle, « la ville », sur laquelle nous reviendrons, mais c'était un autre monde.

« Ça se passe toujours à Paris »

L'image du château, si elle rappelle l'Ancien Régime et la Révolution, n'est cependant qu'assez rarement associée à des cas précis de révolte paysanne. Parmi tous les paysans rencontrés, peu ont parlé de mésaventures semblables à celle du seigneur de Récombis. La vision paysanne du déroulement de la Révolution serait-elle aux antipodes de la vision scolaire d'un peuple de paysans révoltés, marchant fourches levées contre les nobles et mettant le feu aux châteaux ? Défaillance d'une historiographie locale insuffisamment entretenue ? Affaire de région ? Répugnance des paysans à évoquer une violence dont ils craindraient, à deux siècles de distance, qu'on la leur imputât à crime ? Quoi qu'il en soit, si, vue de la ville, la Révolution c'est les campagnes, vue de celles-ci, bien souvent, c'est... Paris. L'ancien maire de Lédergues, M. Assié, non seulement n'est pas au courant de « l'affaire de Récombis », mais il croit pouvoir répondre du calme de sa contrée. « Ici, il ne s'est rien passé. A Paris, ça a chahuté. Ça se passe toujours à Paris. Le Parisien aimait les mouvements de foule. Ici nous sommes naturistes *(sic)*. Nous sommes obligés de nous battre tout le temps. Le paysan se bat avec la terre, avec la nature, avec la sécheresse. Tandis que les problèmes des Parisiens ne sont pas les mêmes. C'est un peuple de salariés. »

Les paysans se sont souvent plu à donner, non sans une certaine rouerie, cette image d'hommes entièrement immergés dans le corps à corps vital avec la nature, pour qui la politique est un luxe ou une futilité qui ne les concerne pas. C'était une manière de signifier qu'*eux* sont totalement absorbés par le travail, la plus haute valeur à leurs yeux. Toute une littérature a contribué à conforter cette vision « naturaliste » du paysan à l'écart du cours de l'histoire et retranché du social.

« On ne peut pas citer les noms »

Revenons à Lédergues. Pour M. Jacky Delaure, passionné d'histoire locale, MM. Courrèges et Assié sont également dans l'erreur. Selon lui, « ça a chahuté » à Lédergues. « Le château de Récombis dont parle M. Courrèges a effectivement été incendié, mais c'était bien avant la Révolution. Par contre, au cours de celle-ci, c'est le château de Lédergues, ici même, qui a été détruit. Il appartenait à un noble, M. de Cresport. C'était le grand maître du pays. Avec trois ou quatre autres grandes familles, ils avaient le pouvoir absolu, de connivence avec le clergé. Les gens ici crevaient de faim. On peut comprendre qu'ils se soient révoltés. Tout a été très vite ici. Dès 1789, ça s'est répandu comme une traînée de poudre. Les gens se sont rassemblés, sont allés à l'assaut des châteaux et les ont pillés. Le curé de Lédergues n'a pas été réfractaire. Il a conservé ses fonctions pendant toute la période révolutionnaire, alors que la plupart des curés des environs ont été déportés au fort du Hâ à Bordeaux ou ont été guillotinés. »

L'histoire, par la voix de M. Delaure, cessait d'être une vision abstraite du passé. Elle investissait des lieux familiers à la population de ce village. Elle n'était pas seulement un élément d'un débat intellectuel, mais participait de la vie de cette population. Être telle vieille famille de tel village, c'est dans une certaine mesure faire corps avec le passé de cette famille, avec l'histoire de ce village. Cela peut expliquer pourquoi l'on veut oublier certaines actions passées qui, si elles étaient cent fois justifiées, sont nécessairement vues avec les yeux du présent. Pensez, par exemple, à l'effet *actuel* du mot « pillage ». Ajoutons que beaucoup de ces familles sont devenues, grâce précisément à la Révolution, des familles « installées », possédant des biens et honorablement connues. A la campagne, l'histoire n'est pas anonyme. M. Delaure mettra cette vérité en évidence au travers d'une anecdote. « Lédergues, explique-t-il, avait été doté pendant la Révolution d'une garde nationale. Des gens y étaient entrés dans un esprit de vengeance. Dans la journée, ils participaient à l'activité de cette garde nationale lorsqu'elle était requise pour régler des conflits, mais la nuit ils "travaillaient" pour leur propre compte. Ils arrêtaient sur les routes, pillaient et procédaient à des règlements de compte. Il y a un carrefour non loin d'ici qui s'appelle le "carrefour des bandits". Or, cette appellation remonte à l'un des crimes commis par les gens en question. J'ai là les noms de ces gens, mais on ne peut pas les donner car ils ont des descendants ici à Lédergues. Ça pourrait choquer. »

A Lédergues, Aveyron, la Révolution n'est pas encore un « objet froid ».

L'an 1756, régnant Louis XV

Les paysans, en général discrets sur les événements révolutionnaires locaux, sont en revanche diserts à propos d'une autre bataille, composante essentielle de la Révolution, et dont les plus âgés furent les ultimes combattants : la bataille pour la terre.

Cette bataille, ils la décrivent rarement comme telle. Ils ne parlent que de leur vie et de celle de leurs devanciers, de leur travail et des récoltes, de leurs réussites et de leurs déconvenues. Mais cela revient au même. Car on sent, derrière ces propos, à quel point leurs conditions de vie étaient tributaires des aléas de la lutte pour la terre. En acquérir, c'était pouvoir mieux vivre, mais parfois, lorsque la misère frappait trop durement à la porte, il fallait, la mort dans l'âme, en vendre. Tout simplement pour survivre. « Dans le temps, ici, c'était la galère. Mon grand-père qui est mort en 1942 m'a raconté que, lorsqu'il était enfant, sa famille, à la suite de mauvaises récoltes, s'est trouvée sans rien à manger. Elle a dû échanger un pré contre cinq miches de pain. Ça devait se passer dans les moments de la guerre de 1870. Ce n'est pas si loin... »

Cette interminable et impitoyable bataille contredit la vision du paysan aux prises avec les seules forces de la nature. Il n'eut pas uniquement à affronter les caprices du ciel ou l'ingratitude du sol. La bataille pour la terre fit s'opposer les hommes — et de quelle manière ! Elle fit des vaincus et des vainqueurs. Ces derniers exhibent parfois leurs titres de propriété comme autant de titres de gloire.

Un vieux couple d'agriculteurs retraités dont je n'étais pas parvenu à tirer trois mots sur la Révolution me dit, en conclusion d'une conversation où l'épouse m'avait surtout parlé de sa passion pour la retransmission télévisée de la séance du mercredi à l'Assemblée nationale : « Revenez demain, on vous fera voir les papiers. »

Je me demandais ce que pouvaient bien être ces fameux « papiers » dont il semblait qu'ils avaient, dans l'esprit de mes interlocuteurs, un rapport avec l'histoire, sinon avec la Révolution.

A mon arrivée, le lendemain, mes hôtes sortirent de l'armoire une énorme pile d'actes notariés : actes de vente, partages, donations, cessions, etc. Le plus ancien, un « partage de la famille Vernhes », commençait par ces mots :

« L'an mil sept cent cinquante six et le vingt troisième jour du mois de janvier après-midi à Lédergues-en-Rouergue régnant Louis quinze par la grâce de Dieu roi de France et de Navarre.

« Devant moi notaire royal et présents les témoins bas nommés ont été en leurs personnes Joseph Vernhes laboureur fils de Louis Vernhes et de feu Christine Malfettes mariés cette dernière donatairesse de feu Joseph Malfettes son père. Ledit Joseph Vernhes donataire des entiers biens de la dite feu Christine Malfettes habitant du village de Trelusen paroisse et juridiction dudit Lédergues d'une part.

« Gabriel Vernhes travailleur habitant dudit Lédergues... »

Après la lecture de tels « papiers », le paysage de la région apparaît sous un jour différent. Sous ses aspects physiques se devine un enchevêtrement de la nature et des hommes, pleinement discernable par ceux-là seuls qui dans ce village ont des actes notariés rangés dans leur armoire, entre deux piles de draps soigneusement pliés. Ils retrouvent leur nom, celui d'un aïeul, celui d'un voisin lorsque leurs yeux se portent sur un champ, un pré, un bois. Pas un pouce de terrain, en effet, n'a été laissé à l'écart de ce grand jeu de la possession dans lequel fut impliquée depuis deux siècles, d'une manière ou d'une autre, la plus grande partie de la population française. Les ventes, locations, affermages, héritages et autres avatars juridiques dont fut l'objet, au cours du temps, la moindre parcelle ne balisent pas seulement des aventures personnelles. C'est un peu de notre histoire à tous qu'ils contiennent.

Devenir son propre maître

Dans cette évocation de la bataille pour la terre nous retrouvons le château. Ce que savent de façon certaine les paysans à propos de la Révolution, c'est qu'elle a fait reculer sa toute-puissance. La Révolution leur apparaît comme le grand accroc dans l'emprise que les châteaux étendaient sur la terre, par la combinaison de la propriété, des privilèges et des redevances, ne laissant aux paysans pour manger et vivre que de faibles et précaires espaces.

La Révolution a partie liée avec le grand rêve du paysan : avoir sa terre pour, comme il le dira, « devenir son maître ». C'est par rapport au « modèle » humain entrevu et envié, le noble, que se fonde la revendication de l'égalité. Le paysan veut, comme lui, posséder et être un maître.

Mais qu'il veuille l'être de soi, cela, évidemment, change tout. La revendication de l'égalité se confond dès lors avec l'émancipation. Peut-être faut-il voir dans ce lien, noué par la Révolution française, entre les notions de propriété, d'égalité et de libération sociale l'origine de certains traits qui marqueront plus tard de leur empreinte les doctrines et les pratiques du mouvement ouvrier et socialiste français. L'importance de la place accordée par la gauche française au problème de la propriété des moyens de production n'est-elle pas liée à la façon dont la Révolution a posé, en raison de l'importance de la paysannerie, la question de l'émancipation sociale ? La Révolution n'a-t-elle pas constitué une sorte de matrice idéologique à partir de laquelle la disparition progressive du salariat a été pensée comme l'extension à tous de la propriété, soit sous forme individuelle ou coopérative dans l'optique proudhonienne, soit sous forme étatique ou sociale dans la conception marxiste ? Si cette idée a quelque consistance, elle contribuerait à expliquer que les communistes français se veuillent à la fois les héritiers de la Révolution les plus attachés à ses principes égalitaires et ceux dont la doctrine fait de la propriété des moyens de production son noyau central.

La Révolution ne garantira pas à tous les paysans la réalisation de leur rêve. Souvent il y aura loin de la coupe aux lèvres. Beaucoup n'atteindront jamais la terre promise et gagneront d'autres horizons : ceux qu'offrait une industrialisation alors en plein essor. L'espoir de devenir leur propre maître était, pour eux, caduc. Ils le reporteront éventuellement dans la réalisation, plus lointaine celle-là mais inscrite dans une ambition universelle, d'un autre idéal. Jusqu'à un passé relativement récent, ce ne fut qu'en toute dernière extrémité qu'ils renonçaient à tenter leur chance sur leur « bout de bien » qu'ils s'efforceraient d'étendre à force de privations. Le rêve a toujours été là, tenace, semblant à portée de la main tant que l'époque offrait l'exemple de la réussite de gens « partis de rien ».

La « faim de terre » a grandement contribué à l'élimination des landes et autres friches et à la transformation de chaque mètre carré, fût-il le plus inaccessible, en terre cultivée. On lui doit l'humanisation de nos sites, le « côté jardin » de nos paysages.

La Révolution et le « déclin français »

« Vous ne pouvez pas savoir comme la vie était dure. Vous ne le croiriez jamais. Si c'était à refaire je crois que je démissionnerais *(sic)*. Maintenant, à côté, on est des rois. » Cette dame de quatre-vingt-sept ans n'arrive pas à comprendre pourquoi, à notre époque, certains se plaignent. « Expliquez bien, monsieur, comment c'était dans ce temps-là pour ceux qui n'avaient pas assez de terre pour vivre. » Que j'en ai entendu sur ce chapitre de la part de ceux qui naquirent au début du siècle !

Il y avait la misère réelle et, redoublant celle-ci, le dit de la misère porté de génération en génération depuis le fond des âges. Même lorsque l'étau des difficultés semblait se desserrer, les vieux, qu'aucune ségrégation ne retranchait alors d'une famille vivant généralement sous le même toit, transmettaient aux plus jeunes le souvenir des temps difficiles. On oublie que quelques générations suffisent pour enjamber un siècle et que la dernière grandit à l'ombre d'un épais passé.

J'ai cherché à savoir de quoi était faite cette « dureté » des jours si souvent évoquée et dont beaucoup de mes interlocuteurs semblaient craindre que l'oubli ne l'ensevelisse. On m'a parlé de l'étendue du dénuement, de l'impuissance face à la maladie, de la rareté des « distractions », etc. Mais surtout, encore et toujours du travail, de l'interminable et souvent épuisant travail.

A côté de l'image pré-révolutionnaire transmise par les manuels scolaires montrant l'exploitation du serf rivé à la terre seigneuriale devrait prendre place, dans notre mémoire collective, une autre image de la condition paysanne qui appartient à une époque plus récente mais qui évoque la même précarité de l'existence et le même engloutissement de celle-ci dans le travail : celle du petit paysan sur « sa » terre ou aspirant à la posséder.

Avec le développement de l'accession à la propriété terrienne des millions de familles entrevoyaient, pour la première fois, la possibilité de se tirer d'affaire. C'est-à-dire de résoudre le problème de leur pain quotidien qui hantait la mémoire populaire depuis toujours. Le rêve de sécurité sinon de richesse que caressait chaque propriétaire stimulait son ardeur et ses exigences à l'égard de lui-même et des siens, tant pour la dépense de travail, jamais comptabilisée, que pour l'acceptation des privations.

Il convient ici de faire état de l'opinion selon laquelle les conséquences de la Révolution auraient contribué à freiner le développement économique du pays. Voici la thèse développée par un percepteur retraité, socialiste convaincu, mais qui se présente comme un adepte de « l'industrialisme de Saint-Simon ». « En donnant une plus grande fluidité à la propriété de la terre, la Révolution a accru la masse des petits paysans individuels et le rendement de l'agriculture.

Cela a certes profité au pays, matériellement aussi bien que du point de vue d'un certain art de vivre, y compris pour la paysannerie qui fut probablement moins fruste ici que dans bien d'autres pays. Mais le développement d'une agriculture moderne de grandes surfaces et mécanisée s'en est trouvé freiné, sans parler de notre développement industriel. Dans la mesure où un trop grand nombre de petits paysans parvinrent longtemps à vivre tant bien que mal sur leur lopin de terre, ce n'est pas l'agriculture qui manquait de bras mais l'industrie et la grande agriculture. Ajoutons que le fait, pour ces paysans, de ne pas compter leur dépense de travail, de ne jamais ménager leur peine, a pesé, en raison de leur grand nombre, sur notre mentalité à tous. Nous sommes peut-être d'admirables bricoleurs, mais nous nous débrouillons infiniment plus mal avec les problèmes de productivité. Nous raisonnons encore trop en termes de "sueur" là où il faudrait introduire davantage de rationalité. Le retard français actuel doit beaucoup à ces causes-là. »

« A titre de menues faisances »

Ce point de vue, pour intéressant qu'il soit, omet de prendre en compte une des sources essentielles de ce « retardement » de notre pays attribué à la Révolution : le comportement des gros propriétaires terriens nobles ou bourgeois.

L'image du paysan français, petit propriétaire maître et possesseur, grâce à la Révolution, de sa terre n'est que très partiellement exacte. A cette image-là, il convient d'en accoler une autre : celle du paysan travaillant sur une terre qui ne lui appartient pas. La terre s'est surchargée de signes juridiques aux combinaisons infinies qui commandaient en fait la répartition des fruits du travail paysan. Rien de cet édifice à la fois matériel, juridique et humain ne restait en place. Derrière l'immobilité d'un paysage se profilaient les rapports en perpétuels changements des hommes qui se disputaient sa possession, sa mise en valeur, ses fruits.

J'ai retrouvé quelques-uns des acteurs des luttes menées au lendemain de la Seconde Guerre mondiale, par les « preneurs de baux ruraux » pour le vote, puis l'application du *statut du fermage et du métayage*. Ils m'ont longuement parlé de l'histoire de ces paysans pour qui « le Moyen Age s'est prolongé jusqu'à la Libération ». D'ailleurs, la référence à 1789 fut souvent présente dans les luttes en question.

Les « preneurs de baux ruraux » travaillent sur une terre que leur louent des propriétaires. Jusqu'au vote du statut du fermage et du métayage en 1946, ces propriétaires dictaient, en fait, leurs conditions. Les « preneurs » n'avaient bien souvent qu'à passer chez le notaire pour signer le bail. Quelquefois ils émettaient des réserves, mais le plus souvent ils acceptaient celui-ci sans rien changer, car c'était à prendre ou à laisser. Ils pouvaient craindre, à l'expiration du bail, d'être purement et simplement remerciés, même si aucune faute d'ordre professionnel ne leur était imputable. C'était le règne de « notre maître » à qui le métayer devait demander, la casquette à la main : « Monsieur, voulez-vous bien me faire travailler ? »

Nous avons feuilleté certains de ces baux qui régirent jusqu'au lendemain de la Libération les rapports entre propriétaires et métayers. C'est dans l'un de ceux-ci que figure la clause relative au droit de chasse citée plus haut. On y trouve aussi, entre autres survivances féodales, une clause ainsi rédigée : « Le preneur fournira chaque année au bailleur, sur sa demande, à titre de menues faisances : 10 poulets gras tués et plumés, 6 kilos de beurre frais, 2 oies vives et grosses, le tout livrable au château. »

Ce ne fut pas la terre qu'accorda la Révolution à ceux qui la travaillaient, mais le droit de la posséder. Ce droit, découlant du droit plus général de propriété, les paysans ne furent évidemment pas les seuls à en bénéficier. Les bourgeois ne vont pas dédaigner la terre et les revenus qu'elle procure. Bien au contraire. Mais ils vont la considérer davantage sous l'angle de la sécurité qu'elle offre à leurs placements que comme le moyen d'audacieuses entreprises. La pusillanimité économique et financière séculaire du bourgeois français va croître et embellir sur des terres désormais débarrassées des dernières entraves féodales. Ils vont souvent reprendre pour leur compte des modes d'exploitation, le fermage et surtout le métayage, qui conservent plus d'un trait commun avec ceux qui prévalaient sous l'Ancien Régime.

Le « moule terrien »

Plus qu'un peuple de paysans, nous avons été un peuple paysan.

Le travail de la terre, avec les réminiscences bibliques qui lui sont attachées, est un élément constitutif essentiel de notre manière d'être. Nous vivons encore, bien au-delà de la conscience que nous pouvons en avoir, sur cette donnée de base. Le poids — à tous les sens du terme — des problèmes de la terre en France a forcément marqué sa Révolution. La terre, sa possession et le partage des fruits de son travail sont à la source de la Révolution et colorent son déroulement et ses suites.

Le fait que ces enjeux aient constitué une composante majeure des luttes idéologiques, sociales et politiques à un moment capital de notre histoire se retrouve dans notre mentalité collective. Celle-ci évolue avec le temps, mais son fond originel continue d'agir, métamorphosé, alors même que les conditions qui lui ont donné naissance ont en grande partie disparu.

Il convient donc de se demander quels effets durables ont exercé sur nos mentalités et nos comportements collectifs le problème central de la petite propriété paysanne, les questions politiques et juridiques qui lui étaient liées et les idéalisations dont elle fut l'objet. Si ce fameux « individualisme français » dont il est si souvent question a quelque réalité, il ne doit évidemment rien à une sorte de « nature » psychologique particulière des Français. Ne serait-ce pas plutôt le prolongement, dans la superstructure de la société, d'une phase historique où la figure du petit producteur individuel et propriétaire a tenu une place centrale et joué le rôle d'une sorte de « modèle » humain ?

L'un des paradoxes de notre révolution réside dans le fait que le grand mouvement collectif par lequel elle s'est accomplie était, pour l'une au moins de ses finalités essentielles, porteur d'une revendication de caractère on ne peut plus individuel, individualiste même : le droit de propriété.

On ne diminue en rien, pour l'histoire de l'humanité, la portée de la notion de Droits de l'homme en faisant observer que tout naturellement les hommes réels de la France de 1789 rapportaient l'application des mots « Liberté » et « Égalité » à leurs conditions concrètes d'existence. Or, la population de cette époque est majoritairement composée de petits producteurs principalement paysans, de négociants, d'artisans, de membres des professions libérales. Tous, ou presque, ont en commun d'être des travailleurs individuels, réalisant leurs activités au travers de rapports individuels avec d'autres travailleurs ou exploitants individuels.

Le byzantinisme français ?

La Révolution française a légué à ses héritiers une belle contradiction dont ils n'ont pas toujours su considérer ensemble les deux termes. Mouvement généreux, humaniste, universaliste, collectif et profondément politique il est aussi, tant dans ses motivations que par ses conséquences, le contraire de cela. Dès lors, il n'est pas surprenant que dans notre imaginaire politique l'idée de révolution ou même plus modestement de changement véhicule cette contradiction. Le changement est souvent aussi fortement désiré que la stabilité des situations acquises. D'où la focalisation sur les garanties juridiques et institutionnelles qui doivent accompagner chaque pas en avant. D'où notre plus grande attention à la sphère des droits (notamment ceux « acquis », même si la vie les a largement vidés de leur contenu) qu'à celle des conditions réelles de l'activité économique. L'abondance des ingrédients « terre », « paysan », « propriété individuelle » a lesté les rapports sociaux de juridisme et a contribué à l'hypertrophie du rôle de l'État. Celui-ci, déjà extrêmement puissant et centralisé sous la monarchie, va trouver après la Révolution de nouveaux aliments pour sa croissance. Il sera conçu comme la clé de voûte de l'édifice juridique qui cimente la société française post-révolutionnaire et investi de la fonction de garant de la sécurité individuelle.

Pierre Legendre a souligné le rôle de la propriété terrienne, au plan conceptuel, dans la manière dont l'État s'est édifié dans notre pays. « [...] *La situation typique du fonctionnaire*, écrit-il, juridiquement inscrit comme un ayant-droit perpétuel et irrévocable à la manière d'un propriétaire, *est celle d'une tenure.* » Il évoque l'« *immense paysannerie constituée par le personnel bureaucratique* » et « la cruelle compétition au sein d'administrations où tout le monde a intérêt à s'accrocher à son lopin de bureaucratie, à sa tenure, en un mot à sa propriété et, si possible, à s'en faire une sorte de capital héréditaire [1] ».

S'agissant du rôle de l'État, nous retrouvons la filiation entre la Révolution et les idéologies de la gauche française déjà évoquée à propos de la propriété. Il est dans l'ordre des choses que ceux qui se veulent les héritiers de cette révolution et les porteurs des aspirations des plus démunis se soient le plus tournés vers l'État, jusqu'à idéaliser son rôle.

Cette culture politique nationale que noue et que va nous léguer la Révolution française, Gramsci en a cerné les linéaments dans l'un de ses *Cahiers de prison* sous le titre « Byzantinisme français [2] » :

« La tradition culturelle française pourrait sembler exemplaire car elle présente les concepts sous la forme d'actions politiques dans lesquelles la spéculation et la pratique se développent en un nœud historique unique qui les englobe. Mais après les événements de la grande Révolution, cette culture a rapidement dégénéré et elle est devenue une nouvelle Byzance culturelle. Les éléments de cette dégénérescence étaient d'ailleurs déjà présents et actifs, alors même que se déroulait le grand drame révolutionnaire, chez les jacobins qui l'incarnèrent le plus pleinement et avec la plus grande énergie. La culture française n'est pas "panpolitique" au sens que nous donnons aujourd'hui à ce terme, elle est juridique. La forme française n'est pas celle de l'homme ou du lutteur politique, active et synthétique, mais celle du juriste qui bâtit des systèmes d'abstractions formelles ; la politique française est surtout la mise au point de formes juridiques. Même lorsqu'il agit en tant que révolutionnaire, le Français n'a pas une mentalité dialectique et concrètement révolutionnaire : son intention est toujours "conservatrice", car il veut donner une forme stable et parfaite aux innovations qu'il réalise. Dans l'innovation il pense déjà à la conservation, à embaumer l'innovation dans un code. »

---

1. Pierre LEGENDRE, *Jouir du pouvoir*, Éd. de Minuit, Paris, 1978, p. 200.
2. Antoine GRAMSCI, *Cahiers de prison* (Cahiers 10, 11, 12 et 13), Gallimard, Paris, 1978, p. 62.

Les semi-prolétaires

La terre n'a pas été, loin s'en faut, l'objet du rêve des seuls paysans. Les détenteurs de capitaux en quête de placements sûrs n'ont pas été les seuls à la convoiter. La classe ouvrière elle-même s'y adonna dans une proportion qui varie selon les régions et les industries mais qui fut souvent considérable.

Le chiffre élevé de la population française occupée dans l'agriculture a naturellement eu pour corollaire le chiffre élevé d'ouvriers d'origine paysanne. Surtout, leur migration vers l'industrie fut à la fois moins massive et plus lente que dans les autres pays également transformés par la révolution industrielle. Ils se retrouvaient généralement dans des entreprises moins concentrées et des activités géographiquement plus dispersées. Les liens avec leur souche paysanne se maintinrent plus intimement et plus durablement ici qu'ailleurs. Cette situation est à faire figurer dans le tableau d'ensemble des facteurs qui expliquent certaines caractéristiques du mouvement ouvrier et socialiste français déjà évoquées.

En raison du fort coefficient d'espoir de libération affecté par l'histoire à la condition paysanne post-révolutionnaire — cette idée qu'elle allait permettre de « devenir son maître » —, ce fut souvent à regret que les enfants en surnombre essaimèrent vers la ville. Aussi ce départ n'était souvent qu'une sorte de parenthèse.

Ce semi-prolétaire est loin du prolétaire à l'état chimiquement pur imaginé par la théorie marxiste pour faire accoucher l'histoire de sa promesse : la société sans classes. Dans l'affaire, il n'a pas à perdre que ses chaînes. Son idéal est un idéal de milieu du gué. Il regarde à la fois vers un avenir imaginé à partir des forces de production décuplées par le travail collectif qu'il met en œuvre dans l'usine, et vers un passé marqué par l'espoir, grâce à la propriété privée, de devenir son propre maître. Les quelques morceaux de terre du semi-prolétaire sont comme les restes de cet astre mort.

De la Révolution jusqu'au milieu du XXe siècle, le nombre des ouvriers s'accroît considérablement. Les statistiques l'attestent. Mais elles ne disent pas la proportion de ceux d'entre eux qui avaient gardé un pied, et souvent plus, à la campagne. La France ouvrière ne fut jamais que partiellement ouvrière. Son idéologie et ses pratiques politiques en savent évidemment quelque chose.

Il serait erroné d'opposer une « vraie » classe ouvrière, libre de toute propriété terrienne et de tout espoir paysan et donc révolutionnaire (au sens moderne du terme), à ces semi-prolétaires ruraux, classés tout uniment conservateurs ou réactionnaires.

Ces derniers ne furent pas forcément les combattants les moins déterminés de la lutte des classes. Ils arrivaient dans les usines avec une revanche à prendre. Les survivances de leur mentalité paysanne pouvaient, au contact de la réalité et des idées rencontrées dans leur nouveau milieu, engendrer des mélanges explosifs. Beaucoup firent franchir aux murs des usines le rêve paysan de l'égalité et de l'émancipation (« devenir son maître ») lié à 1789. Chacun de ces deux mondes a apporté dans la corbeille de mariage de leur rencontre son propre héritage de la Révolution. La dot paysanne ne fut pas la moins pourvue en idéaux de 89.

Les « vrais » prolétaires

A côté de ces semi-prolétaires/semi-paysans, la campagne connaissait aussi ses « vrais » prolétaires : les ouvriers agricoles. Je veux parler de ceux qui travaillaient à plein temps chez un employeur unique.

Les vrais prolétaires ruraux étaient issus des couches les plus pauvres de la population rurale et ne possédaient en propre que leurs bras. La prédominance dans les esprits de la notion de propriété se retrouvait jusque dans les mots utilisés pour désigner le contrat de travail qu'ils passaient avec leurs employeurs. *Ils se louaient*. Ce terme est le même que celui utilisé pour une ferme ou une pièce de terre. La durée de cette « location » était elle aussi inspirée du « modèle terre ». Ils se *louaient* à l'année, par exemple d'une Toussaint à l'autre, de telle sorte que leur travail couvre le cycle naturel des saisons et son cortège obligé de travaux. Ils *se* louaient. Ce « se » nous en apprend beaucoup sur les rapports sociaux, les valeurs morales et le statut des individus de ce temps. Les ouvriers agricoles ne vendaient ni ne louaient leur travail ou leur force de travail. Ils *se* louaient réellement. Ils louaient effectivement leur personne.

Des instituteurs passeront leur vie à tenter de desserrer le carcan des déterminations sociales qui entravait le devenir d'une existence à peine sortie des incertitudes de l'aube. Leurs succès les ont conduits à surestimer les vertus de l'école de la République, et les limites de ces succès à l'idéaliser. Ils se sont pris à imaginer qu'elle pourrait, pour peu qu'elle devienne la pierre angulaire d'une société fondée sur la connaissance et le mérite, chasser le malheur de ce monde.

Une « solidarité d'État »

L'histoire de la période qui s'étend de la Révolution à nos jours n'a déposé, semble-t-il, que peu de traces dans la mémoire paysanne. Je veux parler des grands moments et des événements saillants de l'histoire et de ce que la mémoire paysanne consent à nous livrer. Pour les paysans, l'histoire, à ce qu'ils en disent, c'est à la fois leur histoire personnelle et des histoires qui ne les ont pas concernés, qui se sont déroulées « ailleurs », très loin d'eux à tous égards. On perçoit derrière cela une volonté d'entretenir la fable, mi-fiction mi-rêve, d'une sorte de monde épargné, d'un coin de nature préservé et qu'ils laisseront derrière eux, à leur départ de ce monde, dans sa pureté originelle. Cette volonté tient souvent dans ces quelques mots, lâchés en début de conversation comme une arme de dissuasion : « Vous savez, ici, il ne se passe jamais rien. On est à l'écart. » Ne leur parlez pas de l'histoire, ils n'en ont jamais été partie prenante.

La télévision, dont ils sont devenus souvent par la force de la solitude des usagers assidus, a creusé encore le fossé entre eux et l'histoire. Les nouvelles du monde qu'elle leur apporte plusieurs fois par jour ne concernent que des événements, que de l'extraordinaire, que de l'exceptionnel : catastrophes, accidents, guerres et violences en tout genre. Jamais le contraste n'a été si grand entre le « ici, il ne se passe jamais rien » et l'image de la planète que leur donne la télévision. Cette irruption brutale et massive du spectacle du monde dans leur vie n'a pu que renforcer, chez eux encore plus que chez d'autres, le sentiment d'être « à l'écart » de l'histoire.

La guerre de 1914 échappe toutefois à la difficulté que semble éprouver la mémoire des paysans à fixer leurs rapports avec l'histoire. C'est le moment qui a vraiment concerné tout le monde. Il est infiniment plus objet d'évocation que la Seconde Guerre mondiale. La liste des victimes de cette guerre est beaucoup plus courte, sur le monument aux morts du bourg, que celle de 1914 dans laquelle chaque famille ou presque peut lire le nom d'au moins l'un des siens. Outre le poids des morts proches, 1914, à la différence de 1939-1945, fait surgir la vision d'une époque où tout le monde fut héroïque et éprouva la même ferveur patriotique. 1914 reste dans le souvenir des campagnes le seul grand moment d'unanimité nationale, alors que 1939-1945 est souvent le point de départ, dans la conversation, de phrases qui vont en s'effilochant pour finalement s'enliser dans un silence gêné. Mais laissons parler un vieil Aveyronnais : « On a l'impression que la jeunesse actuelle n'a rien à défendre. En 1914, les gens étaient patriotes. Ils sont partis se faire massacrer en chantant. C'était pour défendre la patrie. Il y avait l'instruction civique à l'école, tandis que maintenant... Ça a joué un rôle énorme. L'instituteur était un notable. Ses paroles étaient, avec celles du curé, des paroles d'évangile. Il expliquait que la France était le pays de la liberté, du progrès... alors que l'Allemagne c'était... La Révolution française était, d'une certaine manière, passée par là. »

Je suis revenu maintes fois à la charge pour tenter de ramener dans mes filets des représentations de la Révolution proprement dite. Mais c'est d'autre chose qu'on voulait me parler. « Ne vous en étonnez pas, me conseilla M. Assié, ici la révolution pour les paysans ça été la retraite des vieux et la maladie... je veux dire la sécurité sociale. La Révolution ce n'est pas de l'histoire pour eux. »

Mon interlocuteur laisse percer une certaine nostalgie à propos de la disparition de la solidarité que, selon lui, ces réformes ont entraînée. « Dans le temps, il y avait ici beaucoup de pauvreté, mais aussi beaucoup de solidarité entre les gens. Il y avait toujours quelqu'un pour donner un coup de main. Puis on a fait du social. Mais le social que nous faisons est un social d'État. Il se trouve que les gens payant des impôts se considèrent comme libérés de l'aide aux autres. Ici, on agresserait quelqu'un dans la rue, on ne laisserait pas faire, car il y a encore de l'entraide. En ville, où on a imposé le système actuel, on assomme quelqu'un dans la rue, personne ne bouge. Les policiers sont payés pour ça. »

6

Mémoires militaires
L'avènement du soldat-citoyen

« Lorsqu'il ne vit plus, la colline passée, le clocher de l'église de son village, le conscrit Daniel Duffart, de Pierre-Buffière, se mit à pleurer et voulut rentrer chez lui. »

Archives départementales de la Haute-Vienne.
Cité par Jean Tulard, *La Vie quotidienne sous Napoléon* (Hachette, Paris, 1978).

Les armées modernes sont filles de la Révolution.
C'est elle qui a amorcé le système des armées nationales de conscription et donné une dimension et un sens nouveaux à la guerre.

Tuer poliment et mourir avec élégance

Le général Claude Le Borgne dépeint l'ampleur du virage pris à la fin du XVIIIe siècle, un virage, souligne-t-il, qui fut long à négocier. « De la fidélité au roi on passe à l'enthousiasme révolutionnaire puis national : du soldat de métier, un peu mercenaire, un peu dévoué, au soldat-citoyen ; des corps coûteux, mais restreints, de spécialistes à la nation armée ; de la guerre courtoise, limitée dans ses buts et ses moyens, à la guerre des peuples, grandes causes et grands moyens. La guerre se menait jusqu'alors entre professionnels, détenteurs exclusifs de la violence armée. Sans doute est-on attaché à son prince, si l'on est de qualité, à sa solde si l'on est de peu ; mais tous respectant l'honneur militaire, qui est de tuer poliment et de mourir avec élégance. Cet honneur-là suffit à faire marcher les gens, point n'est besoin de "motivations". Le soldat de métier est le moins politique, ayant, comme de Gaulle l'a écrit dans *Vers l'armée de métier*, "assez d'esprit militaire pour accepter de combattre sans se soucier des motifs". Au soldat-citoyen il faudra de vrais motifs, et immenses. Il en résultera plus d'acharnement et nombreux sont, de Guibert à Liddel Hart en passant par... Léon XIII, ceux qui jugent la conscription comme un retour à la barbarie. Les massacres de notre siècle sont là pour leur donner raison. »

Ainsi, la Révolution, déjà accusée d'avoir enfanté le goulag, aurait aussi accouché de la Première et de la Seconde Guerre mondiale en instaurant la conscription. Pareille fécondité meurtrière vaut d'être questionnée. La mise en garde du pape Léon XIII, à laquelle le général Le Borgne fait référence, date du 15 mai 1891. Elle figure dans l'encyclique *Rerum novarum.* L'attention des chrétiens y est attirée sur « la portée, jusqu'ici insuffisamment comprise, du grand fait nouveau qui étend son ombre inquiétante sur la jeunesse de vingt ans : le service universel ». Or, comme le précise le général Le Borgne, « ce n'est qu'à la fin du XIXe siècle que triomphe le modèle du soldat-citoyen. Le choc de 1870 y est pour quelque chose, d'où sortiront les lois militaires de 1872 et 1875, enfin celle de 1889, point de départ réel du "service universel". »

Presque un siècle s'est donc écoulé entre la conscription inaugurée par la Révolution et son institutionnalisation par la toute jeune IIIe République. Les motivations de l'une et l'autre de ces démarches sont séparées par un fossé bien plus impressionnant encore que celui creusé par le temps. Les massacres du XXe siècle n'étaient pas en germe dans les décrets militaires de la Convention comme le futur chêne dans le gland ; sauf à considérer que l'histoire n'est que la longue marche d'une fatalité incluse dans les premiers gestes de l'homme s'efforçant de tirer un éclat d'un silex. Ce qui serait aller infiniment plus loin que n'a jamais osé le faire le plus plat des plus plats dogmatismes marxistes. Certes, rien de ce qui fut dans l'histoire ne le fut jamais sans conséquences et, parfois, les plus insoupçonnées. L'histoire, à sa manière, n'oublie rien de ce qui la constitue, et celle qui se fait n'est que l'infini affrontement entre la somme de ses conséquences enchevêtrées et l'action des hommes au présent. Mais pour lourd que soit le passé, il ne réduit pas ces derniers à l'état de marionnettes dont il tirerait à sa guise tous les fils.

La conscription décidée par les hommes de la Révolution a bien fourni un cadre mental et une matrice conceptuelle pour l'organisation des armées modernes. Mais rendre ces mêmes hommes responsables des tueries de 1914-1918 et de 1939-1945 reviendrait à s'interdire toute réflexion sur la nature et la portée réelles de l'innovation qu'ils introduisaient dans l'ordre militaire. Car il n'y a pas de raison d'interrompre vers le passé le lien qu'on prolonge si hardiment vers l'avenir. Et, à ce compte-là, on peut estimer que le tournant militaire qui s'opère avec la Révolution était tout autant contenu dans l'armée que lui a léguée l'Ancien Régime que les guerres du XXe siècle dans ses décisions. N'oublions pas, en effet, qu'avant même la fin du règne de Louis XVI l'armée française était devenue non seulement la plus nombreuse en raison de l'importance de la population française, mais également la plus évoluée et la plus moderne de son temps. Elle avait déjà été largement débarrassée de ses vestiges féodaux. Le nombre et l'uniformité d'organisation de ses régiments de toutes armes avaient été soigneusement arrêtés et réglementés. Le gouvernement avait pris à son compte le recrutement et l'entretien des unités de base. Toutes mesures qui créaient les conditions d'un passage de l'armée de métier à l'armée de conscription. L'armée de l'Ancien Régime avait poussé suffisamment loin sa rationalisation dans tous les domaines, les mécanismes de son fonctionnement avaient été suffisamment « automatisés », une place suffisamment importante avait été faite aux masses combattantes pour que soit pensable et possible sa transformation en une armée incorporant des non-professionnels.

Le général François Apollini, comte de Guibert ne fut pas

sauvé de l'oubli seulement à cause de sa liaison avec Mlle de Lespinasse. Nommé par Brienne rapporteur au conseil d'administration de la Guerre, il lui revint de définir la doctrine de cette armée modernisée dans son *Essai de tactique générale* (1773) et dans sa *Défense du système de la guerre moderne* (1779). Le règlement d'infanterie de 1791, issu de ces ouvrages, deviendra la bible des généraux de la Révolution, de l'Empire... et au-delà. Mais, bien évidemment, lui-même avait eu des devanciers. Il faudrait parler ici de l'influence de l'armée de Frédéric-Guillaume Ier puis de Frédéric II. L'armée prussienne était devenue, dans la première moitié du XVIIIe siècle, le modèle de toutes les armées.

Valmy, une victoire morale, ou comment une image peut en cacher une autre

Il reste que la conscription décidée par la Révolution et qui fournira à ses armées une masse de près d'un million d'hommes — échelle de grandeur jusqu'alors sans précédent — fut bien une révolution dans l'organisation militaire et, par voie de conséquence, dans l'art de la guerre. Karl von Clausewitz ne s'y trompa pas, qui écrivit : « Tandis que, selon les vues traditionnelles, on plaçait tous les espoirs dans une force militaire très limitée, une autre force, dont personne n'avait eu l'idée, fit son apparition en 1793 : la guerre était soudain redevenue l'affaire du peuple, et d'un peuple de trente millions d'habitants qui se considéraient tous comme des citoyens de l'État [1]. »

Depuis deux siècles, l'image de l'intrépidité du peuple dans les guerres de la Révolution est de celles qui hantent notre mémoire collective. Le culte républicain l'entoura d'un soin jaloux. Pouvait-il y avoir meilleure preuve du caractère populaire et patriotique de la Révolution que le courage déployé par le peuple pour défendre, les armes à la main, la République et la nation ?

Cette image est, dans notre imaginaire historique, une

1. CLAUSEWITZ, *De la guerre*, Éd. de Minuit, Paris, 1955.

image pivot. C'est toujours un peu à travers elle que nous « voyons » tous les autres moments de l'histoire au cours desquels peuple rime avec nation, nation avec liberté, liberté avec lutte armée. Inversement, les images que nous avons de ces moments communiquent certains de leurs traits à notre image des guerres de la Révolution française. Il y a dans cette dernière image, en proportion plus ou moins variable selon les âges et les milieux, un peu de l'image de la Commune de Paris, de la Révolution russe, de la guerre d'Espagne, de la Résistance, voire des guerres napoléoniennes ou même de la guerre de 1914-1918.

Il en résulte une hyper-héroïsation qui masque la révolution qu'a constituée la Révolution française dans l'ordre militaire et politique.

On imagine que la suprématie de la force nouvelle évoquée par Clausewitz a tenu essentiellement au courage déployé par le peuple en armes. Courage contre courage, le sien fut supérieur à celui de l'armée de métier en raison des motivations qui l'animaient. On imagine des batailles gigantesques, des mêlées furieuses d'armées innombrables, un débordement d'exploits prodigieux... bref, tout ce que les deux siècles d'histoire qui suivent la Révolution nous ont légué en matière de guerres populaires.

Ces représentations convergent vers un seul nom qui les résume et leur fait gravir la dernière marche vers le sublime : Valmy. Or, l'importance de la bataille de Valmy tient davantage à son caractère de « non-bataille » qu'aux exploits proprement militaires des troupes françaises. La surestimation de ceux-ci conduit à la sous-estimation de ce qui se produisit de radicalement nouveau à Valmy.

Pour le duc de Brunswick, qui commandait à Valmy les armées prussiennes, les armées révolutionnaires ne pouvaient être qu'à l'image qu'il se faisait du peuple, dont elles étaient issues. Il pensait qu'elles s'enfuieraient sans combattre devant des armées de type classique. Mais l'intimidation joua en sens inverse. Le cri : « Vive la nation ! », poussé par les troupes de Kellermann, exprimait l'émergence de quelque chose de totalement inconnu des stratèges militaires. Les tenants de la monarchie se trouvèrent littéralement *désarmés* devant l'abîme qu'il ouvrait sous leurs pas. Il n'y avait aucune place pour ce cri dans leur univers mental. Leur art de la guerre pouvait s'adapter à toutes les situations, sauf à celle-ci qui rendait imprévisibles, parce que jamais pensées, les réactions de l'ennemi. Le changement était aussi déroutant pour les armées prussiennes que si elles se fussent subitement trouvées nez à nez avec des extraterrestres. Elles se retirèrent devant Kellermann sans avoir pratiquement engagé le combat.

Goethe a admirablement rendu le désarroi qui s'était emparé d'elles. « La plus grande consternation se répandit dans l'armée. Le matin même on ne pensait qu'à embrocher et à dévorer tous les Français. Moi-même, c'était une confiance absolue dans une telle armée et dans le duc de Brunswick qui m'avait entraîné à prendre part à cette dangereuse expédition. Mais maintenant, chacun marchait droit devant soi ; on ne se regardait pas, ou bien, si cela se produisait, c'était pour proférer des jurons et des malédictions. Au moment où la nuit allait tomber, nous avions par hasard formé un cercle au milieu duquel on ne put même pas, comme à l'accoutumée, allumer un feu. La plupart restaient silencieux ; quelques-uns parlaient, mais chacun se sentait privé de sens et de jugement. A la fin, on m'invita à dire ce que je pensais des événements, car à l'ordinaire j'égayais et réconfortais le groupe par de brefs propos. Cette fois-là, je dis : "D'ici et d'aujourd'hui date une époque nouvelle de l'histoire du monde, et vous pourrez dire que vous y étiez" [2]. »

La gigantesque bataille de Valmy — gigantesque par ses conséquences politiques immédiates et à venir — fit, au total, 484 victimes (300 Français et 184 Prussiens). Le XXe siècle nous a malheureusement habitués, en matière de batailles, à un autre ordre de grandeur. Mais ce qui est resté de Valmy dans l'imaginaire historique c'est sa version héroïque. Le cri : « Vive la nation ! » y devient la source et l'expression d'une supériorité qui se serait manifestée dans un inexpiable combat autour du moulin d'un village marnais.

L'imaginaire historique est ainsi fait que la dimension symbolique des moments de l'histoire qui le balisent n'est pas forcément ce qui lui est le plus perceptible. Comment traduire en images les dimensions symboliques de Valmy, l'effet dans les têtes du cri : « Vive la nation ! » ? Un choc de valeurs

2. *La Révolution française vue par les Allemands, op. cit.*, p. 164.

ne fait pas nécessairement un tableau. Mais, après tout, l'image de troupes motivées défaisant, au cours d'un combat sans merci, des armées mercenaires parce que les premières combattent pour une cause qui échappe aux secondes n'est pas si fausse. Cela s'est « réellement » passé ainsi... dans les têtes.

L'armée, instrument de la « nationalisation »

Les effets de cette révolution due à la Révolution ont largement débordé le cadre militaire proprement dit. Les armées devinrent, de par leur recrutement de masse, le véritable creuset de la formation de cet esprit nouveau : la conscience nationale.

La conscription fut le premier grand arrachement des populations à l'étroitesse de leur terroir originel. En rassemblant des gens venus de provinces diverses pour la poursuite d'un but commun, elle installait dans leur tête, dans celle de leur famille, dans celle de leur village, une représentation nouvelle : la nation. La nation naissait de l'association d'une image et d'un sentiment. L'image c'était celle d'une nouvelle totalité, à la fois sociale et géographique : la France. Le sentiment, c'était la conviction que cette France serait à la fois le lieu et l'instrument de la concrétisation des aspirations du temps. On devint inséparablement patriote et révolutionnaire.

La conscription joua un grand rôle dans cet avènement. Elle le conforta, lui procurant ampleur, durée, ennemis et, sanction suprême, sang versé en commun ; tous ingrédients qui ont permis qu'un ensemble de circonstances et de faits se transmute en un élément stable et permanent de l'imaginaire collectif.

L'apport des armées révolutionnaires dans la formation de la conscience nationale fut d'autant plus déterminant qu'elles seules pouvaient allier, à leur plus haut degré, l'incandescence de l'idéal et la force niveleuse de la subordination hiérarchique. Dire de l'armée révolutionnaire — l'institution alors la plus nombreuse, la plus nationale par ses motivations, sa finalité et son recrutement, la plus unifiée — qu'elle fut l'expression de la nation, c'est ne voir qu'un moment du processus de formation de celle-ci. La nation n'est devenue la nation que grâce à l'armée qui l'a littéralement forgée. L'armée a été l'outil principal de la *nationalisation* des populations françaises. Elle ne leur a pas seulement fourni du fait de sa fonction d'héroïsation la part de rêve collectif indispensable à la formation de toute collectivité humaine, elle a fait des hommes qui lui furent confiés à la fois le levain et le ciment de cette collectivité en train de se chercher. Pour mesurer l'importance de cette contribution « civile » de l'armée à la « nationalisation » de la France, il suffit de rappeler son rôle dans l'apprentissage et la diffusion dans l'Hexagone de la langue française. Exemple qui a, en outre, l'avantage d'illustrer parfaitement la conjonction de la fonction idéologique et de la fonction pratique de l'armée, jouant de la sublimation et de la contrainte. Ces entrelacs du progrès et de l'autoritarisme expliquent les conséquences contradictoires de l'unification nationale. Elle fut, pour une part, libératrice et, pour une autre part, mutilante.

Une volonté d'oubli naturelle... et organisée

Ce bref rappel de quelques aspects du passage de l'armée royale à l'armée française s'imposait pour aborder cette question : quel regard l'armée française porte-t-elle maintenant sur ses origines ?

Le colonel R. est catégorique. « D'une manière générale, la Révolution française n'est pas bien vue dans l'armée. On aurait plutôt tendance à l'oublier, à chercher à l'oublier. On préfère, au plan des traditions, se référer à la monarchie plutôt qu'à l'esprit de la Révolution. D'autant plus que les débuts de cette révolution sont contre l'esprit militaire, contre l'esprit hiérarchique. Cette histoire de levée en masse, au plan purement militaire, a fourni des effectifs, ce qui est intéressant. Mais on préfère radicalement oublier, en tout cas ne pas souligner, qu'on a alors procédé à l'élection des cadres. Certes, cette élection des cadres a été corrigée par la suite, mais il en était resté quelque chose. Je prends un exemple concret d'évaluation de la période révolutionnaire de l'histoire militaire. L'un des trois régiments qui s'étaient révoltés à Metz se nommait le "Régiment du Roy". Cette révolte, conduite par des officiers qui avaient pris fait et cause pour la Révolution, avait pour but de le débarrasser d'une partie de l'encadrement accusé de prévarication et soupçonné de vouloir émigrer. Il est devenu par la suite la 23e demi-brigade, puis le 23e régiment d'infanterie de ligne. Or, ce régiment existe toujours. Il cultive ses traditions et exalte les hauts faits de son histoire. On y répète à satiété que le régiment s'est battu à Fontenoy et que les Anglais ont dit de lui que les hommes qui le composaient étaient des lions. C'est d'ailleurs devenu sa devise. Mais l'histoire de la révolte de Metz est totalement passée sous silence. »

Le général Le Borgne s'inscrit dans ce propos en le nuançant. « Le militaire pense peu à la Révolution car elle a été remplacée dans son univers mental par son résultat : la République. Lorsque cela lui arrive, malgré tout, ses sentiments sont mitigés. Il regrette le temps, infiniment plus confortable, de la fidélité au roi. La nation armée a beau avoir triomphé à Valmy, elle n'était quand même pas dans la tradition militaire. C'était quand même un peu la pagaille. Heureusement, Napoléon lui a apporté la gloire. La révolution militaire de la Révolution a été occultée, et en même temps, d'une certaine manière, magnifiée par le souvenir de la Grande Armée. Mais on ne voit plus, maintenant, que l'armée de l'Empire, c'était l'armée de la Révolution, mise à l'œuvre par Napoléon. Les militaires gardent très vivace le glorieux héritage des campagnes napoléoniennes et oublient le fait que ces campagnes étaient menées par le peuple en arme issu de la Révolution et qu'elles en répandaient les idées à travers l'Europe. »

A propos de l'Empire, la mémoire militaire est, selon le colonel R., plus sélective encore. « Les cadres insistent surtout sur le génie militaire de Napoléon et passent rapidement sur le général Vendémiaire et l'exécution du duc d'Enghien. Ils préfèrent, par exemple, le paternaliste : "Soldats, je suis fier de vous", de l'empereur à Austerlitz, à la proclamation de Bonaparte à l'armée d'Italie : "Les phalanges républicaines, les soldats de la liberté étaient seuls capables de souffrir ce que vous avez souffert. Grâces vous en soient rendues, soldats !..." »

Cette occultation de la Révolution dans l'armée résulte

d'une attitude commune à toutes les institutions. Celles-ci se laissent volontiers porter par l'immuable. L'évocation de bouleversements dont elles furent l'objet dans le passé contrarie leur aspiration naturelle au *statu quo*. Elles récrivent leur histoire pour conjurer les « mauvais » souvenirs.

Qui a pris la Bastille ?

Pour le colonel R., une certaine historiographie de la Révolution n'a rien arrangé. Cette historiographie « de gauche », qui voit le peuple partout, prive l'armée du rôle qui fut le sien dans les événements révolutionnaires. A commencer par la prise de la Bastille ! « On énonce comme une vérité d'évidence que la Bastille a été prise par le peuple du faubourg Saint-Antoine. Historiquement, c'est inexact. Sur les lithographies de l'époque, un insurgé sur deux est revêtu d'un habit militaire de couleur bleue. Or, il s'agit de l'uniforme du régiment des gardes françaises. Ce régiment s'était mutiné et était passé du côté de l'émeute... enfin de ce qui était encore ce jour-là une émeute. Ce sont bien les sergents Hoche et Hulin qui ont pointé des canons sur les plates-formes d'artillerie de la Bastille et hurlé à l'adresse de sa garnison composée d'invalides : "L'armée ne tire pas sur l'armée !" Du haut des tours on leur a répondu : "On ne tire pas !" La troupe a fraternisé. Le régiment des gardes françaises a été dissous en raison de ce "déplorable" exemple. Son souvenir s'est conservé par le biais de son uniforme. Le bleu fut adopté par la garde nationale, qui l'a transmis à l'infanterie française des guerres de la Révolution et de l'Empire. Mais l'histoire de ce régiment a été totalement oubliée.

« On retrouve le même "gauchissement" de l'historiographie à propos de la prise des Tuileries. On veut oublier qu'elle a été le fait de l'armée régulière. La première attaque du château, au matin du 10 août 1792, a été le fait des sections parisiennes, armées de ce qu'elles avaient pu trouver : des piques, des bâtons, quelques fusils. La garde nationale qui défendait le château s'est cantonnée dans une prudente neutralité. Mais le régiment des gardes suisses s'est très bien battu et a dirigé sur la marée sectionnaire un feu ordonné et discipliné qu'il l'a fait refluer. C'est la montée en ligne d'un bataillon de volontaires marseillais, une troupe régulière de métier, obéissant à des ordres précis, qui a rompu le dispositif des Suisses. La marée sectionnaire l'a suivi et le château a été pris. Mais on en est resté, comme pour le 14 Juillet, à la légende de la victoire du peuple de Paris en armes. L'armée, bien entendu, n'a pas éprouvé le besoin, par la suite, de rétablir la vérité sur le rôle important qu'elle avait joué aux moments les plus décisifs de la Révolution. »

La relation de l'histoire pose toujours d'épineux problèmes d'héritage. Souvent, dans le partage, les descendants s'estiment spoliés.

La volonté d'occulter certains moments du passé historique est l'objet d'une attention vigilante de la part de la hiérarchie, comme en témoigne le choix des chants militaires évoqué par le colonel R. « La tradition est totalement absente dans la troupe. Pour un soldat qui fait son année de service militaire, servir dans un régiment qui s'appelait auparavant *Dauphin-Cavalerie* ou *Royal-Picardie* ne lui fait ni chaud ni froid. Mais la troupe chante. Il faut que la troupe chante. La volonté d'oubli de la Révolution se retrouve jusque dans le choix des chants qu'on lui apprend. Les chants révolutionnaires ou issus de la Révolution sont bannis. Ce n'est pas en raison de l'impossibilité d'adapter leur mélodie. Mais leurs paroles sont hérétiques. Je peux citer l'exemple d'un commandant qui a fait jouer le *Ça ira* par la musique de son régiment. Ce chant a éclaté dans une troupe française sans doute pour la première fois depuis près de deux siècles. Or, il en a résulté un tollé de protestations et de lettres anonymes absolument incroyable. Et cela s'est passé pendant le ministère de la gauche. Par contre, dans les mess d'officiers d'active on chante très facilement. On retrouve, par exemple, certains chants des guerres de Vendée. On serait plutôt du côté de la Vendée que des Bleus. » Le général Le Borgne confirme l'existence de ce courant de sympathie pour les chouans et les Vendéens. « Leur combat était vraiment au cœur du passage, que j'ai évoqué, de la fidélité au roi à la nation armée. Mais cette sympathie est ambiguë. La guerre de Vendée, c'était le contraire d'une guerre classique. Les paysans se battaient avec leurs princes dans des conditions épouvantables, comme toujours dans le cas des guerres civiles. »

Pour le colonel R., la volonté d'oubli manifestée par l'armée doit être rapprochée de son évolution sociologique au cours des deux siècles écoulés et dont le grand tournant se situe en 1815. « Dans une thèse de sociologie historique en Sorbonne, un chercheur a étudié l'annuaire des officiers de la fin du XIXe siècle et a confronté cette étude avec l'annuaire des officiers des années 1960. Les noms de l'armée de Condé, portés par des descendants, se retrouvent dans l'annuaire des années 1960. Par contre, on n'y retrouve pratiquement pas de noms issus de l'armée de la Révolution ou de l'armée impériale. Cela signifie que l'épuration de l'armée française en 1815 a été définitive. Il n'y avait plus dans celle-ci, à la fin du XIXe siècle et à plus forte raison en 1960, de descendants des grands noms des armées de la Révolution et de l'Empire qui pourtant, à peu de chose près, étaient issus de l'armée de la monarchie. Mais ils avaient eu le tort d'avoir pris fait et cause pour la Révolution et ensuite pour l'Empire. Par contre, l'armée de Condé a bien intégré les cadres militaires en 1815 et elle y est restée. Cela est très schématique et appellerait beaucoup de nuances, mais reflète néanmoins un trait essentiel de la réalité de l'armée française. »

La guerre : une affaire trop peu sérieuse pour convier des civils à y participer

La Révolution a eu, entre autres conséquences, celle de contraindre les militaires à prendre en compte le champ du politique. La guerre cessait d'être une affaire ne concernant qu'eux et le prince qu'ils servaient. Le lien de subordination et de fidélité qui les reliait au prince définissait clairement leur devoir, et de manière intangible. L'intrusion du citoyen dans l'armée a fait surgir l'interrogation sur les fins de l'action des militaires. Cette interrogation ne les a plus quittés. Elle ne comporte pas de réponse toute faite. Leur devoir n'est plus fixé une fois pour toutes. Sa définition passe par l'examen de la dimension politique de la situation dans laquelle ils se meuvent. Puisque, selon la célèbre formule de Clausewitz, la guerre est devenue après la Révolution « la continuation de la politique par d'autres moyens », ceux qui ont pour tâche de la mettre techniquement en œuvre font d'une certaine manière de la politique.

Le ressentiment de l'institution militaire à l'égard de la Révolution ne résulte pas seulement de la frustration née de la perte de son autonomie. Il est réactivé en permanence par la nécessité de devoir prendre en compte un élément extérieur, le champ politique, champ qui est celui des enjeux fondamentaux de la société et de l'affrontement d'idéologies et d'intérêts contradictoires. Les paroles imagées du général S. nous aideront à comprendre ce que ce nouvel impératif a représenté et la difficulté d'y faire face pour des hommes dont la mort est le métier. « La Révolution nous a mis un drôle de bébé sur les bras. La Révolution a été un traumatisme considérable pour l'armée, un changement capital dans l'éthique des militaires. Lorsque la guerre se menait uniquement entre soldats de métier, ils étaient vachement à l'aise. Les règles qui prévalaient entre eux sur la façon de se comporter dans le combat conduisaient à la constitution d'une sorte de profession au-dessus des frontières. Les soldats de métier des divers pays formaient un club et, disons les choses comme elles sont, ils étaient contents de faire la guerre. Celle-ci avait un côté sportif indéniable. » L'œil brille. La nostalgie est à fleur de peau.

Ce côté « rencontre rude mais au fond sympathique » de la guerre change du tout au tout avec la Révolution. « A partir du moment, poursuit le général S., où vous m'encombrez avec de braves citoyens, de braves bouseux que l'on va sortir de leur coin, et que vous me demandez de les envoyer au casse-pipe, vous me posez un sacré problème. Tant que c'était entre nous, entre soldats de métier, ça allait. Tuer et se faire tuer, c'était dans le contrat. Mais lorsque les citoyens sont mêlés à l'affaire, le militaire, qui est un homme très consciencieux et très moralisateur, se trouve devant une interrogation capitale : il faut que je sache pourquoi j'emmène des citoyens tuer et se faire tuer. »

En paraphrasant une formule célèbre, on pourrait dire que la guerre est une affaire trop peu sérieuse pour que des civils puissent être conviés à y participer.

Adéquation de la guerre à la politique ou de la politique à la guerre ?

Le problème posé par la Révolution, tel que le général S. en rappelle les termes, ne trouve-t-il pas sa solution quand l'armée passe de la fidélité au roi à la fidélité à la République ? Le pouvoir républicain, expression de la souveraineté nationale, fixe à l'armée ses tâches. Les militaires trouvent la légitimité de leur rôle dans la légitimité républicaine.

Certes, après bien des aléas, on peut affirmer que l'attitude de l'armée participe du large consensus de la société française sur la forme républicaine de son pouvoir d'État. Mais cette attitude de principe recouvre des interrogations, et le chapitre des rapports entre le militaire et le politique, ouvert en 1789, n'est toujours pas clos. Versons au dossier de ces interrogations celle-ci : comment penser la subordination des militaires au pouvoir politique quand l'expérience a démontré la difficulté de maîtriser l'usage de la guerre. La guerre est devenue, avec la Révolution française, le prolongement de la politique, mais un prolongement qui tend à rompre ses liens avec ce dont il est issu et à se développer selon une dynamique propre. Le général Le Borgne rappelle la genèse de cette évolution telle que l'avait pressentie Clausewitz. « Clausewitz nomme "guerres de cabinet" les guerres du XVIIIe siècle antérieures à la Révolution. Ce sont des guerres de princes, faites par des soldats de métier et pour des causes relativement modestes. Il a un profond mépris pour ces "guerres de cousins" destinées à régler leurs petits problèmes. A ses yeux, elles ne sont pas des guerres logiques. Elles ne peuvent pas dévoiler toutes leurs conséquences et se déployer dans toute leur grandeur. Le tournant est opéré par les guerres révolutionnaires puis napoléoniennes. Clausewitz a vu alors la mise en œuvre de la guerre dans ce qu'il appelle sa "forme absolue". »

Ses écrits sur le changement qualitatif de la guerre, dont il est le contemporain, méritent d'être rappelés en raison de leur extraordinaire lucidité : « La participation du peuple à la guerre [en 1793], à la place d'un cabinet ou d'une armée, faisait entrer une nation entière dans le jeu avec son poids naturel. Dès lors, les moyens disponibles, les efforts qui pouvaient les mettre en œuvre n'avaient plus de limites définies ; l'énergie avec laquelle la guerre elle-même pouvait être conduite n'avait plus de contrepoids [3]. » Le concept de « forme absolue » ou de « perfection absolue » de la guerre n'attendait plus que la confirmation napoléonienne. « On pourrait douter de la réalité de notre notion d'essence absolue de la guerre si nous n'avions pas eu de nos jours la guerre réelle dans sa perfection absolue. Après la courte introduction de la Révolution française, l'impitoyable Bonaparte l'a vite poussée jusqu'à ce point. Avec lui, la guerre était conduite sans perdre un moment jusqu'à l'écrasement de l'ennemi, les contrecoups se suivaient presque sans rémission. N'est-il pas naturel et nécessaire que ce phénomène nous ait ramené au concept originel de la guerre, avec toutes ses déductions rigoureuses [...]. Ce sont justement les campagnes de 1805, 1806, 1809 et les suivantes qui nous ont rendu plus facile une conception de la guerre moderne absolue dans toute son énergie écrasante [4]. »

Lorsque la guerre a atteint le stade de la « perfection absolue », est-il possible d'en contenir l'usage dans certaines limites ? La guerre étant la continuation de la politique, c'est à la politique que revient la tâche d'en définir les buts et les modalités. Mais, notait déjà Clausewitz, « la fin politique ne gouverne pas despotiquement, elle doit s'adapter à la nature des moyens dont elle dispose, ce qui l'amène souvent à se transformer complètement [5] ». L'histoire des XIXe et XXe siècles a montré jusqu'où conduisait cette adaptation des buts politiques à la nature des moyens mis à leur disposition. « Toute l'expérience des deux derniers siècles enseigne que dans le monde occidental développé il n'a pas été possible de limiter la guerre, souligne le général Le Borgne. Les deux guerres mondiales ont été des guerres quasi totales. La guerre révolutionnaire selon Mao est une guerre extrêmement totale. La guerre nucléaire serait une guerre complètement totale. »

L'adéquation de la guerre à des buts politiques qui pourraient être préalablement et souverainement définis est

---

3. CLAUSEWITZ, *op. cit.*
4. ID., *ibid.*
5. ID., *ibid.*

un beau concept théorique, mais dans la pratique n'est-ce pas un leurre ? Le couple politique/guerre n'est pas constitué de deux éléments spécifiques et distincts, le second étant entièrement subordonné au premier. On comprend, dès lors, qu'il ne suffise pas, pour apaiser le trouble moral du militaire en proie à la question : « Pour quels objectifs et de quel droit j'emmène des citoyens tuer et se faire tuer ? », d'invoquer la légitimation de ces objectifs par le pouvoir politique.

Décidément, pour le militaire, passer de la fidélité au roi à la fidélité à la République n'est rien moins que facile.

Une compensation : « Aller se battre chez les nègres »

Mais, comme le note non sans humour le général Le Borgne, la rencontre de l'armée et de la République ne s'est pas faite à marche forcée. « Il y a eu des pauses dans cette marche : les restaurations, le Second Empire. On peut dire que c'est seulement à la fin du XIXe siècle que l'armée française est devenue démocratique. » Le traumatisme national de 1870 aidant, « il faut faire contre mauvaise fortune bon cœur et épouser la République, laquelle, avec l'anticléricalisme et l'épuration sectaire, ne joue pas pourtant les séductrices ».

La République, cependant, n'était pas venue au rendez-vous les mains vides. L'armée trouvait une compensation de première grandeur à la gêne ressentie du fait de l'instauration du pouvoir républicain : l'épopée (d'autres diront l'aventure) coloniale.

L'armée a constitué l'instrument principal de l'expansion coloniale française. Paradoxalement, ce rôle de premier plan a contribué à faire de ce que l'on a appelé la « mission civilisatrice de la France » la justification morale de la colonisation. « Comme les militaires sont extrêmement moralisateurs, explique le général Le Borgne, qu'ils ne font pas n'importe quoi n'importe où, il fallait leur donner, pour qu'ils aillent se "battre chez les nègres" comme on disait à l'époque, une cause morale sérieuse. Pour avoir entendu, jeune sous-lieutenant en 1939, des souvenirs d'anciens coloniaux, je peux attester que la mission civilisatrice de la France était très nettement ressentie par eux. »

Ce sentiment est à rapprocher de la place que tient la religion dans la conscience des cadres militaires et qui éclaire bien des aspects de leur comportement. Elle est plus grande chez les officiers que chez les sous-officiers. Elle a régressé mais demeure néanmoins encore importante, plus importante que dans la plupart des autres corps de la nation. Elle a des causes sociologiques évidentes, auxquelles il convient d'ajouter celle-ci, que développe le général Le Borgne : « Il ne me paraît pas du tout étonnant que des gens qui font profession de tuer et de se faire tuer soient plus sensibles que d'autres aux interrogations sur les fins dernières de l'homme. Pendant la guerre du Vietnam, le cardinal américain Spelman a pu dire : "Il n'y a pas d'athées dans les trous individuels des combattants." Il est vrai que lorsqu'un type est sous les obus et les bombes, il se dit : "Nom de Dieu, qu'est-ce qu'il va m'arriver ?", et il se met à bredouiller ses vagues prières enfantines. A la guerre, on se sent proche de la mort à tout moment, on voit des cadavres, des gens qui souffrent. Ça élève l'âme. Le fait qu'il y ait encore des aumôniers officiels dans presque toutes les armées du monde me paraît tout à fait convenable. »

La notion de « mission civilisatrice » qui recouvrait la colonisation fut, pour l'armée, une justification morale tous azimuts. Elle donnait à son action une caution hautement patriotique et humaine. Elle pourvoyait aux exigences de la conscience des militaires chrétiens alors les plus nombreux. Pour les militaires républicains, le patriotisme se conjuguait souvent avec la conviction de faire triompher les idéaux de 1789 sous d'autres cieux.

Derrière Mao, le spectre de 1789

Ces idéaux furent effectivement transportés dans les pays qui formaient l'immense tache rose, représentant l'Empire français sur la carte de géographie que tous les petits Français, sous la IIIe République, contemplèrent de leur banc d'écolier. Mais ils n'étaient plus dans la giberne des « coloniaux ». Ceux qu'ils combattaient s'en étaient emparés et reprenaient, pour leur propre compte et à leur manière, le cri : « Vive la nation ! »

Le militaire, imbu de sa mission civilisatrice, ne décela pas mieux que son homologue prussien à Valmy la signification historique nouvelle de ce cri. Il fut d'ailleurs en nombreuse compagnie. La guerre révolutionnaire de libération nationale à laquelle il fut confronté était étrangère à son univers mental. Jusque-là, si toutes les ressources d'une nation avaient été mobilisées pour la guerre, leur mise en œuvre transitait, pour l'essentiel, par une armée organisée et encadrée par des professionnels affrontant une autre armée du même type dans des batailles classiques. Avec la guerre révolutionnaire, cette mobilisation est poussée à l'extrême et le combat est partout, car la distinction entre militaires et civils est effacée. C'est, selon la formule du général Le Borgne, la « guerre extrêmement totale ».

La guerre révolutionnaire, pour le militaire traditionnel, relève à la fois de l'incompréhensible et de l'horreur. Elle le place aux antipodes de son idéal de la guerre, faite entre soldats de métiers et dans les règles. La Révolution française l'avait déjà contraint à s'écarter sensiblement de cet idéal. Désormais la déchirure est complète.

A propos du comportement des troupes coloniales devant ce nouveau type de guerre, on a beaucoup parlé de racisme. Cette explication est inexacte et éloigne de l'essentiel. Tous les militaires rencontrés, y compris les officiers de gauche, sont d'accord au moins sur ce point : l'armée d'active n'est pas, dans son tréfonds, raciste.

Le général S. évoque la répression de la Résistance française par la *Wehrmacht*. Il tient cet exemple, même s'il convient de le manier avec d'infinies précautions, pour une sorte de prototype. « Il n'est pas douteux, pour toutes sortes de raisons qui puisent leurs racines dans l'histoire, qu'il y avait dans l'armée allemande traditionnelle une composante militaire extrêmement pure et séduisante pour tous les militaires du monde. Un grand professionnalisme, un haut sens de l'honneur... Bref, elle incarnait l'idéal du métier des armes dans sa pureté originelle. Rien de tout cela n'excuse, bien entendu, sa complaisance ultérieure à l'égard de Hitler, puis son engagement à ses côtés. Mais on peut comprendre, toujours en se gardant d'excuser, en fonction de cet idéal et des traces qu'il avait laissées dans les esprits, le scandale que représentait pour le militaire allemand le fait de se voir agressé par les résistants. Pour le “vrai” militaire, c'était un coup de canif considérable dans un contrat qui reposait tacitement sur les deux idées suivantes : *1)* les militaires font la guerre et pas les autres ; *2)* quand les armes ont décidé du sort de la bataille, le vaincu signe un armistice et c'est terminé. La suite est l'affaire des politiques.

« Je voudrais rapprocher cette démarche de pensée, toujours avec beaucoup de prudence, d'une situation que j'ai connue en Indochine. En Indochine il y a eu (beaucoup moins qu'en Algérie), du fait de la guerre révolutionnaire qui nous était imposée, des procédés de guerre du corps expéditionnaire français extrêmement répréhensibles. Il y a eu des interrogatoires très poussés et, disons le mot, des tortures. Comme je m'en ouvrais, pour m'en indigner, à un camarade ancien résistant, je fus surpris de l'entendre dire : “Mais c'est tout à fait normal.” Voici la suite de ce dialogue :

« *Moi :* “Comment, toi qui as été un résistant, qui as couru les risques et subi ce que l'on sait, peux-tu dire une chose pareille ?

« *Lui.* — Mais je la dis d'autant mieux. Il était normal que l'armée allemande réagisse comme elle l'a fait contre les actions de la Résistance. Les résistants le savaient et prenaient leurs risques. Eh bien ! nous, en Indochine, nous sommes dans une situation assez semblable.”

« Voilà où en arrivait la logique de l'esprit militaire chez cet homme qui était un témoin de première grandeur. »

Toute généralisation serait abusive. Cet exemple ne vaut qu'en raison de la lumière crue, cruelle, qu'il jette sur les effets, dans le long terme, de mentalités façonnées par l'histoire. L'héritage de l'esprit militaire traditionnel, sa difficulté à penser le politique constituaient des obstacles majeurs à la perception, par l'armée, des enjeux de la décolonisation. Il n'est pas douteux que la répugnance à l'égard de la Révolution française, la volonté d'en occulter le souvenir et surtout le sens jouèrent un rôle important dans cette « impréparation ». Lorsque l'armée tenta de se forger une doctrine face au nouveau type de guerre à laquelle elle était confrontée, l'histoire de la Révolution française fut soit soigneusement tenue à distance, soit mise, une fois de plus, en accusation. La guerre de libération nationale lui apparaissait comme une nouvelle version de la Révolution française reprise de celle produite par les Russes en 1917 et poussée jusqu'à ses ultimes conséquences par Mao. Tout au plus s'efforça-t-elle alors de retenir de la guerre révolutionnaire un certain nombre de techniques qu'il lui semblait possible de copier.

Le traumatisme de 1940

Dans une institution aussi dominée par la notion de devoir que l'est l'armée, un devoir d'autant plus exigeant qu'il flirte avec la mort, victoires et défaites constituent les suprêmes sanctions. L'institution les porte en elle comme un individu les succès et les échecs de sa vie. Victoires et défaites passées sont, dans l'armée, toujours là, agissantes, sans pour autant qu'on y pense.

La défaite en Indochine fut d'autant plus durement ressentie que cette guerre devait effacer le souvenir d'une autre défaite, celle de 1940.

L'effondrement militaire sans précédent de 1940 est le plus grand traumatisme jamais ressenti par l'armée française. On ne comprend rien à son histoire récente et à sa mentalité actuelle si on ne prend pas en compte les effets de ce choc qui, par une suite de réactions en chaîne, arrivent jusqu'à nous. Nous nous y arrêterons parce que, comme on le verra, la Révolution française est en cause.

Le colonel R. est catégorique. « Les cadres de l'armée française dite "de l'armistice" ont été, au moins jusqu'en 1942, vichystes dans une proportion de 90 %. Ils ont été favorables à la "Révolution nationale" de Pétain. Elle apaisait le sentiment de culpabilité qu'ils éprouvaient du fait de leur responsabilité dans la débâcle de 1940 puisque Vichy mettait celle-ci au compte du Front populaire. Ils ont détesté un peu plus ce Front populaire qu'ils haïssaient déjà beaucoup. Il est devenu, à leurs yeux, l'unique responsable de la défaite, ce qui, historiquement, est faux. Dans la mesure où il s'était explicitement référé aux idéaux de la Révolution française, celle-ci, qu'ils prisaient déjà peu, fut davantage encore tenue par eux en suspicion. »

Cependant, ces militaires n'étaient qu'à moitié dupes de

leur interprétation de l'histoire. Ils savaient, au fond d'eux-mêmes, que des erreurs avaient été commises par le haut commandement militaire. On vit mal avec un mensonge. D'autant plus mal qu'à côté de cette source de leur sentiment de culpabilité, d'autres avaient affleuré et coulaient de plus en plus abondamment : l'appel du général de Gaulle en 1940, le combat engagé par les Forces françaises libres dans l'Empire, la Résistance en métropole.

Le militaire français classique était, après 1940, proche des positions morales, déjà évoquées, de son congénère de la *Wehrmacht*. L'un et l'autre, en bons disciples de Clausewitz, pensaient devoir s'en tenir strictement au verdict de la bataille. Le militaire français classique suit Pétain qui entérine ce verdict en signant l'armistice. Il le suit d'autant plus aisément que Pétain est maréchal, qu'il incarne la gloire de la dernière victoire militaire et qu'il a été légalement, par le vote de la Chambre, investi du pouvoir politique.

La part faite aux circonstances, à la paresse d'esprit, aux lâchetés grandes et petites, aux trahisons aussi, il reste de 1940 cette conclusion brutale et massive : depuis l'avènement, avec la Révolution française et la République, du soldat-citoyen, celui-ci ne peut plus s'en tenir, pour déterminer son devoir, à un strict apolitisme. « La France a perdu une bataille, elle n'a pas perdu la guerre. » Cette phrase de De Gaulle n'est pas un diagnostic militaire. La dimension militaire qu'elle comporte découle d'une analyse politique on ne peut plus poussée, puisqu'elle prend en compte la spécificité de la Seconde Guerre mondiale qui s'engage et le rapport des forces dans le monde. De Gaulle a soumis ainsi l'éthique du militaire français classique à plusieurs secousses successives qu'il suffit d'énoncer pour mesurer leur ampleur : *1)* il n'a pas fait du sort de la bataille le sort de la guerre ; *2)* il a substitué à l'analyse des données militaires immédiates celle des données politiques ; *3)* il a fondé le devoir du militaire, en certaines circonstances, sur la désobéissance aux autorités civiles et militaires légales ; *4)* il a justifié l'action de résistance des civils contre l'armée d'occupation allemande.

Les ralliements ultérieurs des militaires à de Gaulle, puis la participation d'une armée française, aux côtés des Alliés, à la victoire sur le nazisme, n'ont pas effacé le traumatisme.

La conscience militaire française vécut avec le sentiment lancinant d'un compte à régler avec elle-même. Il lui fallait une victoire qui ne fût qu'à elle et qui, surtout, à la différence de celle de 1945, ne ravive plus l'amer souvenir de sa défaillance. Elle l'espéra en Indochine, puis en Algérie. On sait ce qu'il advint.

Ces temps paraissent lointains. A l'échelle d'une vie d'homme, ils commencent effectivement à l'être. Mais leur legs nourrit la mémoire collective de l'institution, contribue à façonner ses représentations du passé et, par conséquent, celles de son devenir. Nous le retrouvons à l'arrière-plan du modèle idéal que tout homme se forge pour pouvoir conduire son action.

La figure du héros moderne

Ce modèle idéal, la figure du héros moderne qui prévaut dans les rangs de l'armée d'active, en particulier chez ses éléments les plus jeunes, est ambigu et, à certains égards, préoccupant.

« Je suis inquiet, déclare le général Le Borgne. Pour moi, le modèle idéal du militaire, c'est le soldat qui se bat dans l'honneur. Il ne fait pas n'importe quoi. A la limite, il est presque plus content de se faire tuer que de tuer. Ce mythe du militaire chevaleresque est encore vivace chez les officiers et les élèves officiers ou sous-officiers. Mais il est de plus en plus concurrencé par un autre mythe : celui de l'efficacité "vraie" du combat. Le type du parachutiste ou du légionnaire prend le pas sur le militaire un peu chrétien, un peu chevalier des débuts de la guerre de 1914.

« Il est vrai que si ce dernier a mené de bons combats, nombre de nos fêtes militaires n'en ont pas moins trait à des défaites. On les magnifie parce que ce sont de beaux sacrifices. A Diên Biên Phû on s'est fait battre, mais on a beaucoup souffert. Donc on est digne. Les jeunes, avec raison, se passionnent plus volontiers pour le personnage du militaire efficace dans le combat. Efficace, mais honorable. Il ne faut pas d'histoires avec les civils, pas de tortures ou d'autres choses du même genre. Le combat doit se dérouler entre militaires, mais un combat extrêmement fort, efficace.

Ce n'est plus le type du militaire sacrificiel. C'est un autre modèle idéal. »

Le colonel R. rejoint cette analyse, mais va plus loin dans la recherche des sources de cette nouvelle figure du héros militaire et dans la description de ses traits. Comme le général Le Borgne, il fait découler le culte de l'efficacité « vraie » du profond sentiment de frustration engendré par la disette en matière de gloires récentes. Surtout, il y voit la conséquence d'une sorte « d'effet retard » de 1940. La victoire de 1945 était, pour l'armée, chargée de trop d'ambiguïtés pour dissoudre toute la honte née, en son sein, de la défaite et de l'Occupation. Son souvenir ne peut être exalté sans raviver la plaie. Les revanches recherchées en Indochine, puis en Algérie ont tourné court. Il ne s'agissait plus des mêmes hommes, mais, dans un corps aussi soudé que l'est l'armée, les choses se passent un peu comme dans certaines familles : les nouvelles générations héritent la gloire de leurs aînés mais s'estiment chargées du devoir d'effacer les pages sombres de leur passé. Bref, les séquelles de 1940 n'ont toujours pas été liquidées et elles conjuguent leurs effets avec celles des guerres d'Indochine et d'Algérie. Ces séquelles agissent toutes dans le même sens : la défiance à l'égard des politiques, accusés de priver le militaire de sa victoire. Soumis à l'impérieux besoin de croire à son invincibilité, une fois le dos tourné à la prise en compte de l'élément politique, le soldat de métier n'a d'autre ressource que de se vouer au culte de l'efficacité « pure ». Sur ce chemin, il rencontre naturellement l'image du combattant qui a incarné au plus haut point cette efficacité : le combattant de la *Wehrmacht*.

« La défaite de 1940, explique le colonel R., a déposé, chez les militaires de l'époque, un mélange de haine et d'admiration à l'égard de l'armée allemande victorieuse. Pour des raisons biologiques, la haine tend à disparaître. L'admiration, elle, est demeurée. Le mimétisme des vainqueurs est, de la part des armées vaincues, un phénomène bien connu. Elles s'interrogent sur les raisons de leur défaite et finissent par copier la méthodologie des vainqueurs. La fascination durable exercée par l'armée allemande tient à l'ampleur même de la défaite de 1940. Ce fut également la dernière guerre encore un peu de type classique, celle qui est censée permettre au soldat de métier de s'accomplir pleinement. Ajoutons qu'elle s'inscrivait dans le tête-à-tête guerrier franco-allemand qui tient une place énorme dans notre mythologie militaire. Certes, plus on avance dans le temps, plus l'image du militaire de la *Wehrmacht* prend elle aussi un caractère mythique et elle est adoptée d'autant plus facilement que ceux qui ont vécu la Seconde Guerre mondiale se font plus rares. Mais cela n'enlève rien au caractère préoccupant de ce type d'identification, bien au contraire. Il n'est pas tolérable, par exemple, que des chants issus ou copiés du folklore militaire du IIIe Reich aient pu être repris dans certaines unités de l'armée française. A l'occasion de rencontres militaires franco-allemandes, des officiers de la *Bundeswehr* furent littéralement sidérés d'entendre ces chants qui sont strictement interdits dans l'armée de la République fédérale. C'est là une leçon qu'il est honteux de mériter. »

7

Les descendants d'autres mémoires
Images de la Révolution chez des immigrés

« [...] Il y a pour les races supérieures un droit, parce qu'il y a un devoir pour elles. Elles ont le devoir de civiliser les races inférieures. »

Jules FERRY,
Chambre des députés, le 28 juillet 1885.

« Il y avait la France et les Français. Pour moi il s'agissait de deux mondes différents. La France c'était celle de 1789, telle que la faisait apparaître ce qu'on nous apprenait à l'école. Par contre, les Français représentaient la réalité de la France coloniale, celle d'un passé très proche que me décrivait ma mère et dont les traces étaient encore très présentes. » Saïd B., tunisien, 40 ans, ne parvient toujours pas à s'expliquer « comment ces deux mondes opposés coexistaient à ce moment-là ». A ce moment-là, c'est-à-dire à la fin des années cinquante, lorsqu'au lendemain de l'accession de la Tunisie à l'indépendance (1956), jeune lycéen, il s'éveille à la conscience politique.

Il évoque ses professeurs tunisiens, leurs cours sur Voltaire, Rousseau, la Révolution. « Ils nous faisaient aimer la France, la France des Droits de l'homme, et je ne faisais pas le rapprochement avec le pays qui nous avait opprimés. A cet âge-là, on est naturellement idéaliste. La politique, pour moi, c'était alors surtout les grands principes. Or, la Révolution française nous enseignait le droit à la résistance. Elle confortait notre lutte de libération dans laquelle mon enfance avait baigné. Des parents très proches y avaient laissé leur vie. Il se peut que la Révolution française — dont par la suite je me suis aperçu que je l'idéalisais — ait été d'autant plus présente qu'elle se trouvait mêlée à nos aspirations du moment à la liberté, qu'elle les nourrissait. A travers elle, peut-être parlions-nous moins d'un moment de l'histoire de la France que de la Tunisie contemporaine. »

L'école... et la vie

Il y avait la France et les Français. Cette dualité nous la retrouverons, sous de multiples formes, en écoutant les immigrés (ou leurs descendants) originaires des anciennes colonies françaises évoquer la Révolution. Leurs représentations de celle-ci n'ont pas la belle et simple évidence de celles émanant de ceux que nous appellerons les Français de souche. Chez ces derniers, elles procèdent d'un passé commun, relativement homogène. Par définition, s'agissant des immigrés, elles ne s'inscrivent pas dans le lien historiquement constitué entre la Révolution et la nation françaises. Elles sont, pour eux, inhérentes à un passé qui n'est pas le leur, qui n'est pas le temps de leurs ancêtres. Toutefois, ce passé est celui d'un pays dont l'histoire a croisé, souvent de manière dramatique, l'histoire de leur propre pays.

Cette rencontre de deux cours historiques a fait des émigrés les dépositaires de deux mémoires. La mémoire « française » de ceux qui ont vécu sous la colonisation eut pour source principale l'école. Leur prise de contact avec la Révolution française s'est opérée sur les bancs d'une classe, le plus souvent à l'écoute d'un instituteur français. L'école a tracé, à cet égard, une ligne de partage décisive entre scolarisés et non-scolarisés. Son rôle dans la formation des représentations de la Révolution chez ceux que la France a colonisés nous introduit au cœur de l'étonnant mélange de barbarie et de naïveté, voire de générosité, dont la colonisation s'est nourrie.

La colonisation déposséda de leur histoire les peuples qu'elle soumettait. Leurs enfants n'avaient plus désormais d'autres ancêtres que les Gaulois. N'appartenaient-ils pas à des pays qui étaient censés être autant de « petites France » ? « J'ai appris la longue suite des rois de France, François Ier, Henri IV et la poule au pot tous les dimanches », se souvient Mania A., algérienne, qui fréquenta en Algérie l'école primaire dans les années 1945-1948. « Nos manuels et nos programmes scolaires étaient exactement les mêmes qu'en France. » Après les rois, la fiction historique suivait son cours, de manière administrative pourrait-on dire, et c'était la Révolution. L'école dotait Mania A. d'un passé révolutionnaire comme elle l'avait dotée d'un passé moyenâgeux. Mais celui-là n'avait, pour elle, pas plus de réalité que celui-ci. « Je n'ai aucun souvenir particulier de l'étude de la Révolution. Elle ne m'a absolument pas marquée, ni dans le primaire ni dans le secondaire. »

La raison de cette non-rencontre est simple. Mania A. fut une élève « plutôt éveillée et participante », mais elle a appris l'histoire de la Révolution comme le reste de l'histoire de France, c'est-à-dire en ayant toujours su que cette histoire n'était pas celle de son pays, bien qu'on la lui présentât comme telle. « Haute comme trois pommes, je savais. Je savais que ce qu'on enseignait n'était pas vrai. D'ailleurs, cette histoire de France qu'on voulait faire mienne avouait qu'elle me mentait. En effet, elle faisait état d'un pays qui s'appelait l'Algérie seulement en 1830, au moment de sa conquête, mise au compte de la "mission civilisatrice de la France". Donc ce pays, le mien, avait bien existé. Mais en ne le faisant apparaître qu'en 1830, pour le faire disparaître d'ailleurs aussitôt, l'histoire de France se rendait, si cela eût été possible, un peu plus étrangère à ma conscience. »

Mania A. s'interroge sur l'origine de ce « savoir » qui tenait en échec celui de l'école. « Aussi loin que remontent mes souvenirs, j'ai su que nous étions colonisés et que nous ne l'acceptions pas. J'ignorais le mot, mais la réalité qu'il évoque était constamment présente dans mon esprit. Consciemment ou inconsciemment — les deux probablement —, on savait. Cela venait de mille choses perçues au sein de la famille. Pourtant, on pourrait penser qu'avec un père sous-officier de carrière dans l'armée française, j'aurais pu être élevée dans un esprit favorable à la France. Or, il ne cessait de parler des différences de traitement, par rapport aux sous-officiers français, dont il avait été victime. Il s'agissait de petits détails, mais s'il les évoquait souvent c'est qu'il en avait souffert, d'autant plus qu'on ne cessait de lui répéter, surtout au cours de la Seconde Guerre mondiale, qu'il se battait pour la liberté. C'est de lui d'abord que j'ai appris le sens de la justice et de la dignité. Après, les mots *Liberté-Égalité-Fraternité*, associés à l'histoire de France, n'avaient provoqué en moi aucune résonance particulière. Je les lisais sur le fronton de certaines écoles, mais pas sur celui de celle à laquelle j'avais accès, qui portait cette seule appellation : "École de jeunes filles indigènes." Pouvait-on me signifier plus clairement que la Révolution ce n'était pas pour moi ? »

En poussant plus loin le retour sur son passé, Mania A. découvre que du fait de cette mémoire en partie double héritée de la colonisation, elle a dans son enfance « mené deux vies, ou une vie sur deux niveaux différents. Il y avait l'école comme passage obligé, et ma mère m'encourageait vivement à travailler, car elle estimait qu'il était important, pour mon avenir, de savoir lire et écrire le français. Et puis, il y avait... la vie. On suivait parallèlement ces deux chemins entre lesquels il y avait très peu de passerelles. L'histoire de France, pour nous, c'était l'école, pas la vie. On suivait les deux chemins cahin-caha, avec leurs contradictions, comme on pouvait. Certains n'y arrivaient pas. Moi j'ai vécu cela sans drame : peut-être parce que, ma mère ayant mis beaucoup d'espoir en moi, je voulais réussir ».

L'école de Jules Ferry

Ossia D., elle aussi algérienne, a vécu des rapports tout différents entre l'école et la vie. Légèrement plus âgée que Mania A., elle a grandi en un temps et dans un milieu où « l'on croyait, dit-elle, comme beaucoup d'Algériens, que l'Algérie se construirait par l'assimilation sur la base de l'égalité ». Évoquant les relations de son père avec les animateurs de l'*Union démocratique du manifeste algérien* de Ferhat Abbàs — dont le journal ne s'intitulait pas par hasard *L'Égalité* —, elle fait état d'une sorte de pari sur l'avenir des « deux France » qui coexistaient dans la réalité vécue sur la terre algérienne et surtout dans l'esprit des Algériens. « Nombre de nationalistes espéraient encore que la France de la Révolution l'emporterait sur la France coloniale. »

L'école avait évidemment tenu un rôle de tout premier plan dans ce pari. Elle avait beaucoup compté pour en faire surgir l'idée et on misait beaucoup sur elle pour le gagner. « Mon père, explique Ossia D., a été formé par les principes de l'école laïque et républicaine. » Bien qu'appartenant à une famille pauvre, il a pu devenir instituteur grâce à une bourse. « Ses maîtres français, tant dans le primaire qu'à l'école normale d'Alger, croyaient en la mission de l'école telle que l'avait formulée Jules Ferry. » Les mots *Liberté-Égalité-Fraternité* ne furent pas, pour lui, des mots dépourvus de substance. Le pays d'où ils émanaient pouvait d'autant plus lui apparaître comme le garant de leur mise en œuvre qu'il estimait lui devoir sa promotion personnelle. Son amour de la Révolution française est à l'intersection de la reconnaissance et de l'espoir. Un amour qu'il va faire partager par sa fille Ossia. « Fillette arabe, je n'avais pas le droit de sortir de la maison, sauf pour aller à l'école. Pendant les vacances, je m'ennuyais beaucoup. Je n'avais pour toute distraction que la bibliothèque de mon père. Son plus beau livre était un superbe livre sur la Révolution française. C'était une longue chronique, extrêmement vivante. Ce livre m'a vraiment fascinée. Entre 8 et 10 ans, je l'ai lu et relu. Plus tard, j'ai choisi de faire des études d'histoire. Je me dis que c'est peut-être ce livre qui est à l'origine de ma vocation. »

Des principes universels... réservés aux Français

Magid D., tunisien, a accompli sa scolarité en Tunisie au temps où celle-ci vivait la fin de l'ère coloniale. Il fréquentait dans son village l'école dite franco-arabe. Un instituteur français enseignait le calcul, la géographie, le français... et l'histoire de France. « Puis un instituteur arabe s'évertuait à nous enlever de la tête ce que l'instituteur français y avait mis. Il opposait à l'histoire de France l'histoire du monde arabe. Il voulait démontrer que les Européens étaient originellement des barbares et que la civilisation leur avait été apportée par les Arabes. Il racontait, par exemple, que le calife Haroun Rachid ayant un jour offert une montre à Charlemagne, celui-ci resta interdit, incapable qu'il était de comprendre l'usage de cet instrument. En tout, il prenait systématiquement le contre-pied de l'instituteur français, parfois malencontreusement puisque jusqu'en 1952 il affirma que la terre n'était pas ronde. »

C'est auprès de cet instituteur arabe que Magid D. dit avoir fait l'apprentissage de la liberté : « Il expliquait que nous venions d'une grande civilisation, que les Français qui nous occupaient étaient des usurpateurs et qu'un jour nous serions libres. » L'instituteur français parlait, de son côté, de la Révolution française et de ses idéaux, mais, explique Magid D., « pour moi comme pour tous les jeunes Tunisiens de mon village la devise *Liberté-Égalité-Fraternité* ne pouvait s'appliquer qu'aux Français. Il ne nous serait jamais venu à l'esprit qu'elle aurait pu être valable pour nos pères, nos familles, notre tribu. Cette devise ne correspondait strictement à rien. Ce n'était peut-être pas le cas à Tunis. Il y avait une séparation très nette entre le monde rural auquel j'appartenais et les villes, surtout Tunis, où l'on pouvait être tenté de mettre la France au pied du mur de ses propres principes. Bref, il n'y a eu, pour moi, ni mariage d'amour ni mariage de raison, dans mon adolescence, avec la Révolution française, tout bonnement parce que je m'étais persuadé que les principes qu'elle avait proclamés et que résumaient les mots *Liberté-Égalité-Fraternité* ne valaient pas pour tous les hommes, mais seulement pour les Français ».

L'enfance et l'adolescence de Magid D. sont, comme celles de son compatriote Saïd B., scandées par les combats pour l'indépendance de leur pays. « Comment ne pas être passionnément nationaliste, souligne le premier, lorsque la colonisation divisait le village en deux camps très tranchés : d'un côté, ceux qui n'avaient rien et qu'on traitait en larbins et, de l'autre, ceux qui avaient le pouvoir et l'argent. Cette coupure était si franche qu'elle interdisait toute recherche d'un compromis, puisque, comme je l'ai dit, nous ne pouvions même pas concevoir que les principes des Français aient pu nous concerner. »

Paris, 19e arrondissement

Le même engagement passionné dans la lutte de libération de son pays a animé, dès les bancs de l'école, Farid A., algérien, 37 ans. « A dix ans, je rêvais d'en avoir seize pour aller rejoindre les maquis de Kabylie. » Lorsqu'il caresse ce rêve, il est élève d'une école communale du 19e arrondissement de Paris. « Je suis un ancêtre des beurs. J'appartiens à la première génération d'enfants d'immigrés d'Afrique du Nord venus en France au début de l'essor industriel qui a suivi la guerre. » Sa rencontre avec la Révolution française ? « J'ai été élevé par des instituteurs socialistes et communistes. Ce qu'ils m'ont enseigné de l'histoire de France et notamment de la Révolution ne pouvait que développer en moi le besoin de justice. »

Cette « école républicaine » au sens quasi militant ne put toutefois jouer ce rôle qu'en raison de solides motivations d'origine familiale. « Mes parents militaient au FLN. Ils étaient illettrés. Comme tous les immigrés de cette époque, ils voyaient dans leurs enfants les futurs cadres de l'Algérie indépendante. C'est pourquoi nous étions en général de très bons élèves, malgré des conditions de vie particulièrement inhumaines. Personnellement, je n'ai connu la douche qu'à l'âge de vingt et un ans. Mais nous étions hyper-motivés. L'investissement dont nous étions l'objet de la part de nos parents rejoignait les recommandations et l'attention de nos instituteurs à notre égard. Ils ne cessaient de nous répéter : "Tu es un fils d'ouvrier, un fils de pauvre, il faut que tu sois un battant." »

Puisque les Français portaient des chaussures...

Ces témoignages sont à la fois précieux, éclairants et fragiles. Ils résultent d'une reconstitution de leur passé par des hommes et des femmes qui se sont beaucoup investis dans la lutte de libération nationale de leur pays. Celle-ci ne peut pas ne pas influer sur la relecture contemporaine de leur enfance.

Comme pour nous mettre en garde contre ce qu'il appelle « une vision trop politiste, après coup, de sa perception de la France et de la Révolution à l'école », Sennen A., originaire de Madagascar, ne veut pas s'en tenir au souvenir de ses seules leçons d'histoire. Il s'efforce de replacer celles-ci dans le contexte de l'idée générale de la France que construisait l'ensemble des matières scolaires étudiées. « La France nous apparaissait vraiment comme un paradis. Nous la rêvions littéralement, tout gamins, à partir de choses extrêmement simples : sur notre livre de lecture, on voyait des gens avec des chaussures aux pieds, on nous montrait l'intérieur d'une habitation avec des chambres et un salon, les maisons étaient construites en pierre, etc.

« Nous, nous allions pieds nus et nous dormions à même le sol dans une pièce unique. Nous fabriquions une image de la France à partir de ces différences concrètes avec notre réalité quotidienne. En même temps cette image était parfaitement abstraite. Puisque les Français portaient des chaussures, ce devaient être des types formidables. Ça ne se raisonne pas. Il suffit de prolonger à l'infini une différence même peu importante pour effacer tout repère. Donc la France représentait la terre du merveilleux que les enfants aménagent dans un coin de leur tête. Il est probable que ce que nous disaient nos instituteurs de l'histoire de France participait de ce rêve. La France, c'était, dans notre imagination, tout ce que nous n'avions pas. Il devait en être de même de la liberté. Enfin ce que nous mettions sous ce mot... »

Sennen A. ne regrette absolument pas d'avoir grandi dans ce mythe. « J'ai deux cultures. Je m'estime plus riche que ceux qui n'en ont qu'une. Ce que l'une ne me permet pas de découvrir, l'autre parfois me le permet. » Bien sûr, le contact avec la réalité, à son arrivée en France, fut décevant. « Je croyais que Paris était entièrement en verre, que ses rues étaient absolument propres. La tour Eiffel, que je m'imaginais beaucoup plus haute, m'apparut comme une sorte de ferraille rouillée. En ce qui concerne les libertés, j'ai constaté par la suite des décalages aussi grands. Mais c'est un fait : je suis resté vivre à Paris. »

De son expérience personnelle, Sennen A. tire quelques réflexions d'ordre général sur l'immigration. « Quoi qu'on fasse, on ne fera pas cesser l'afflux qui est d'abord un afflux vers la ville, provoqué par la fascination qu'elle exerce sur les jeunes des régions rurales. La télévision montre désormais partout la vitrine du monde urbain. Le mouvement n'est pas fondamentalement différent de celui qui, il n'y a pas si longtemps, a drainé une masse de Bretons ou d'Auvergnats vers Paris. Réfléchissez aux raisons de cette migration et vous connaîtrez celles de ce qu'on appelle "l'immigration". D'ailleurs, ce n'est pas un hasard si les craintes éprouvées par la population française à l'égard de cette immigration sont souvent d'autant plus fortes que les gens qui les expriment sont plus récemment arrivés de leur province. »

D'abord, donc, l'attrait de la ville, mais aussi les traces déposées par la « présence française » et sûrement, outre la langue, ce qui a trait à la Révolution française au travers des idées de liberté et de droits. Une ville, oui, mais de préférence une ville française.

La France de la Révolution colonisatrice d'elle-même ?

Les rapports des descendants d'autres mémoires avec la Révolution échappent à une catégorisation stricte. Leur configuration fluctue au gré des âges, des pays, de la situation familiale, des aléas des destins personnels. Parfois ces rapports sont largement tributaires du rôle personnel joué par tel ou tel personnage, presque toujours un instituteur, qui non seulement était imbu des idéaux de la Révolution, mais surtout parvenait à trouver les mots justes, compte tenu du contexte, pour leur donner un sens.

Que la Révolution française ait pu constituer une source d'inspiration pour certains de ceux qui ont participé au mouvement d'émancipation nationale des peuples colonisés, peu le contestent. En revanche, ce qui n'est pas admis, c'est l'idée selon laquelle sans les principes proclamés par la Révolution, ces peuples n'auraient jamais pu trouver le chemin de la lutte pour leur libération. Ossia D., dont nous savons l'admiration qu'elle porta dans son enfance à la Révolution, réagit vivement à une telle prétention. « Lorsque j'entends cela, le cours de mon admiration pour la Grèce et la démocratie athénienne monte immédiatement au plus haut. »

Il est rare que ne soient pas évoqués, à ce propos, les idéaux de liberté, l'histoire des combats qu'ils ont animés et les pratiques démocratiques de chaque pays, antérieurs à sa colonisation et que celle-ci est venue étouffer. Certains mettent néanmoins en garde contre l'idéalisation de cet héritage. Ils rejettent avec la même vigueur aussi bien la thèse d'une colonisation apportant dans ses fourgons, dans le prolongement de la Révolution, l'idée de la liberté et de la démocratie, que celle, inverse, de l'absence de tout emprunt, sur ce plan, au colonisateur. Fût-ce à son corps défendant.

Ce débat est de ceux qui peuvent aisément gagner en passion ce qu'ils perdent en pertinence. Il relève du problème du « si » en histoire, problème vieux comme l'histoire elle-même. Si au lieu de se dérouler comme ils se sont déroulés les événements s'étaient déroulés autrement... L'interrogation a lieu forcément toujours après. Ce n'est en rien manifester une quelconque complaisance à l'égard de la colonisation que de considérer qu'il est difficile, sinon impossible, de prétendre reconstituer la carte des apports constitutifs des motivations à l'origine du mouvement de libération nationale qui a suivi la fin de la Seconde Guerre mondiale. C'est toute l'histoire de l'humanité qu'il faudrait retracer, comme l'explique Medhi C., algérien. « J'ai sur cette question une vue un peu personnelle, dit-il. Je l'aborde difficilement, d'abord parce que c'est très compliqué par rapport à ce que je suis. Je veux dire ceci : l'histoire de l'humanité est une histoire de colonisation. Moi, je ne veux pas m'arrêter à un moment de cette histoire. Les hommes ont passé leur temps à se coloniser. La France a colonisé le Maghreb et une grande partie de l'Afrique. Je ne dis pas que c'était bien. Quand l'Islam a été à son apogée cela a représenté aussi une forme de colonisation. Je ne dis pas que c'était bien. Encore que je ne sais plus quel personnage français a dit : "Poitiers 732, hélas !" Je ne dis pas que tout cela était bien ou mal. Cela a été. Il en a résulté d'effroyables drames. Mais peut-être, aussi, la richesse de l'humanité. Puisque nous parlons de la Révolution française, à l'échelle de la France celle-ci a représenté également une forme de colonisation. Elle a permis d'unifier sous la direction d'un pouvoir central les différentes provinces. Après tout, les Bretons ou les Occitans n'étaient peut-être pas plus désireux de devenir français que ne l'ont été les Algériens. Leur culture et leur langue ont été détruites. A la place, il y a la France. Combien de Bretons et d'Occitans le regrettent de nos jours ? Et puis, demain, il y aura l'Europe et après-demain un ensemble plus vaste encore. A mes yeux, ce qui compte surtout c'est de ne pas devenir, au travers de ces mutations, des citoyens de seconde zone. »

Un courant « révolutionnaire-chauvin »

Il est difficile à des oreilles françaises de ne pas pratiquer une écoute sélective des propos sur les rapports entre la Révolution française, la colonisation et la décolonisation. Elles peuvent, en effet, y trouver soit de quoi entretenir le classique sentiment de culpabilité de « l'homme blanc », soit de quoi conclure à un relativisme historique complet qui dilue la notion même de responsabilité, soit de quoi conforter ce que Rachid A., algérien, nomme le courant « français révolutionnaire-chauvin ».

Ce courant, tel que Rachid A. le décrit, repose sur une vision idéalisée de la Révolution française. Parce qu'ils s'imaginent avoir été les premiers à faire leur révolution et les seuls à l'avoir bien faite, les Français ont tendance à considérer que les révolutions ou les mutations démocratiques qui se sont déroulées dans les autres pays n'ont pu voir le jour que parce que les peuples de ces pays les ont imités. Ceux qui partagent cette vision de l'histoire, qui font cette fixation sur un moment sublimé de leur passé, ont tôt fait de se penser comme des membres d'un peuple à part, un peuple de pionniers et de meilleurs en matière de liberté, une sorte de suprême floraison de l'humanité qui ne peut être que du côté du « bien ».

Un nationalisme bien de chez nous, tout à la fois naïf et vaniteux, puise effectivement — et abondamment — à cette source. Ses conséquences peuvent être d'autant plus dangereuses qu'il est vécu comme une sorte d'universalisme. Comment les autres peuples pourraient-ils reprocher à un peuple qui a franchi une étape décisive dans la voie du progrès de vouloir leur faire partager les bienfaits qui en ont découlé ? Comment les autres peuples pourraient-ils prendre ombrage de ce que des Français tiennent leur pays pour un pays exceptionnel, puisqu'ils lui sont redevables de leur avoir montré le chemin de la liberté ?

Mahjoub S. raconte une anecdote qui met en lumière les conséquences que peuvent entraîner l'absolutisation de la Révolution française, anecdote d'autant plus significative qu'elle n'est pas « française ». Lors d'un voyage en URSS, au cours d'une conversation avec des enseignants soviétiques, il se présenta comme Algérien, puis précisa qu'il vivait en France. Aussitôt, ces enseignants soviétiques exaltèrent l'amitié avec la France, la culture française et surtout la Révolution française dont on sait qu'ils ont pour elle une très grande admiration. De l'Algérie, il ne fut pas question. Ni, bien entendu, de sa guerre de libération. Pour ces Soviétiques — et en cela ils sont représentatifs des Soviétiques en général — le « pays de la Révolution française » est le « pays de la liberté » et cette assimilation les conduit à occulter des aspects du rôle de la France qui ne cadrent pas avec cette image.

La frontière de la peau

Lorsque les immigrés quittent le territoire de leur enfance et de leur adolescence pour évoquer le temps présent et ses perspectives, les mots « Révolution française » font surgir la question des droits de l'homme. Retrouvons, à ce propos, quelques-uns de nos interlocuteurs. « C'est, dit Magid D., approuvé par Farid A., la seule valeur qui nous reste aujourd'hui après qu'on a fait les comptes et établi le bilan. Il n'y en a plus d'autres. Le marxisme qui apparaissait comme une solution possible pour nous a été complètement balayé en vingt ans. Depuis une dizaine d'années, les Droits de l'homme et du citoyen constituent la référence des combats que nous menons. Ici, en France, avec nos frères immigrés, mais aussi là-bas, chez nous, dans nos pays d'origine. La devise *Liberté-Égalité-Fraternité*, en raison de mon enfance, sonne toujours bizarrement à mes oreilles. Ce n'est pas une notion concrète à laquelle je peux croire ou faire croire. Au contraire, on voit très bien ce que signifient les droits de l'homme et du citoyen pour tout être humain. »

Pour Saïd B., qui « se bat pour [sa] dignité et la dignité en général », la question des droits de l'homme transcende les problèmes de la nationalité. « Je suis venu en France dès que j'ai pu, car la France était pour moi le pays de la liberté et l'image que je me faisais de la Révolution française n'a pas peu contribué à ancrer cette idée en moi. Depuis mon arrivée, en 1966, je ne me suis jamais situé en tant qu'étranger, bien que n'ayant jamais eu la nationalité française. Lorsque j'ai constaté comment vivaient mes compatriotes, c'est quasiment en tant que Français que j'ai réagi. Je me suis dit qu'il n'était pas possible que le pays qui se prévalait des Droits de l'homme puisse se comporter de cette façon. D'une certaine manière, j'avais intériorisé quelque chose de la France. »

Sally N'Dongo, président de l'Union des travailleurs sénégalais en France, tient surtout à souligner que les Droits de l'homme ne peuvent être évoqués qu'en termes d'objectif de lutte. « Les droits de l'homme, la démocratie n'existent pas si on ne se bat pas tout le temps pour les obtenir. Ce ne sont pas des cadeaux qu'on vous apporte sur un plateau d'argent. » Il se veut en garde contre les illusions sur l'étendue réelle de ces droits dans la France d'aujourd'hui, puisque leur application effective « est encore très souvent limitée par la couleur de la peau des individus ».

Cette frontière, humainement la plus insupportable qui soit, lui fournit l'occasion de relever ce qui lui apparaît comme des paradoxes dans l'attitude des Français. « Ils parlent avec fierté de droits universels, de droits que la France aurait inventés pour le monde entier, mais à leur porte, dans leur rue, il suffit que quelqu'un ait la peau noire pour qu'on lui laisse entendre que ces droits ne sont pas pour lui. Alors, comprenez que j'ai du mal à parler de Révolution française. J'ai plutôt envie de dire : "domination française". On parle beaucoup de la liberté dans l'histoire de France. Mais c'est la liberté pour les Français et elle se paie par l'absence de liberté pour les autres. Être libre puisqu'on est Français, mais les autres n'ont pas le droit d'être libres. Voilà l'histoire de France ! »

Sally N'Dongo porte en lui, comme une blessure personnelle, les dégâts causés en Afrique noire par la colonisation. Lui qui se dit, non sans une certaine coquetterie, « analphabète » pour signifier qu'il est un travailleur manuel dresse un tableau saisissant de ses conséquences dans le domaine culturel. Pourtant revient, avec la même insistance, son désir de ne rien laisser perdre de ce que la France peut lui apporter. Lui qui se « bat pour des droits de l'homme réels » et pour que « les richesses soient mieux réparties » ne trouve pas négligeable de pouvoir s'instruire auprès de ses pratiques démocratiques. « La démocratie est nécessaire partout. Il n'y a pas de développement s'il n'y a pas de démocratie. Le règne du parti unique est mauvais pour un pays développé. Il l'est à plus forte raison pour un pays qui ne l'est pas. Ce que la Révolution française nous a pris avec la colonisation peut-être pourra-t-elle nous le rendre en principes démocratiques. »

Les émigrés de Coblence et ceux de Gennevilliers

Tahar S., 19 ans, est né à Gennevilliers. Les tribulations de sa famille, originaire du Maroc, ont fait de lui un membre de la « seconde génération ». Il n'aime pas trop cette appellation. « C'est une manière de me différencier *a priori* des autres jeunes de mon âge. Elle me définit par mes origines. De là à conclure que ce que je suis en découle il n'y a qu'un pas que certains franchissent allègrement. »

Tahar S. se voudrait-il donc français à part entière ? Très vite on perçoit que ce n'est pas cela qui compte pour lui. Il a appris l'histoire de France en suivant le parcours scolaire habituel d'un enfant de Gennevilliers issu d'une famille ouvrière. « La prise de la Bastille, la guillotine, Robespierre... oui, je connais. » Il ne saurait toutefois affirmer que ce moment du passé se rapporte à un pays qu'il considère tout à fait comme le sien. « Lorsqu'on parle du passé, on pense toujours un peu à ses parents. Je sais que pour mes parents la France n'est pas leur pays. Ils n'en parlent pas beaucoup, mais je sens qu'il y a une part d'eux-mêmes qui n'est pas ici. S'il m'arrive de me sentir tiraillé entre la France et un autre pays, c'est surtout par rapport à eux. »

Sur ce point, la prudence s'impose. Lorsqu'un « beur »

parle du « pays » qu'il désigne le plus souvent par « là-bas », la perception qu'il en a est largement tributaire de l'image que ses parents s'emploient à en donner. Cette image, médiatisée par le souvenir, est très imprégnée de nostalgie. Elle peut servir à justifier une situation vécue comme un échec, ou au contraire à valoriser, lorsqu'ils estiment que c'est le cas, la réussite de leur installation en France. Leurs enfants l'évoquent en fonction des rapports qui se sont noués au sein de la famille. Certains lui témoignent un respect qui se confond avec le respect pour leurs parents. A l'inverse, c'est contre elle, et en fait contre leurs parents, que d'autres tentent d'affirmer leur personnalité. L'hétérogénéité des types de comportement à l'égard de la culture des parents n'est pas moins grande au sein de la « seconde génération » que dans toute autre.

Revenons avec Tahar S. à l'étude de la Révolution à l'école. Il se souvient — ce n'est pas si loin — que son maître avait lié la devise *Liberté-Égalité-Fraternité* à la condamnation du racisme. La démarche semble naturelle à Tahar S. « Le racisme dans l'école n'était pas un problème. Nous étions beaucoup d'enfants d'immigrés et ceux qui ne l'étaient pas venaient du même quartier et souvent de familles de condition aussi modeste. Tout le monde avait plaisanté à propos des émigrés de Coblence et par la suite certains se présentaient comme les "émigrés de Gennevilliers". »

La connotation négative du mot « révolution »

Au fil de l'écoute d'autres « beurs », des différences essentielles se dessinent entre leur imaginaire historique et celui de leurs aînés. Ils n'ont connu ni la colonisation ni la lutte pour l'indépendance. Les images de la Révolution française, lorsqu'elles provoquent en eux un écho, n'ont généralement pas de point de rencontre avec ces moments de l'histoire du pays d'origine de leurs parents.

En tout cas, ils ne les évoquent pas. Cette attitude n'est pas étrangère à leur volonté de prendre leurs distances, souvent par le silence, avec ce pays. Sauf exception, ils n'envisagent pas d'y retourner. Vis-à-vis de leurs parents, ils se barricadent dans la perspective de vivre ici. Quelles que soient les difficultés qu'ils auront à surmonter ici, elles leur semblent sans commune mesure avec celles, d'un autre ordre, qu'ils auraient à affronter là-bas. Les séjours « au pays », lors des voyages familiaux, leur ont fait percevoir l'immensité du fossé entre son mode de vie et celui dans lequel ils ont grandi. A propos de cette question, Tahar S. insiste sur le fait que le problème de la nationalité — être ou non français — ce n'est pas pour lui « une question de pays, mais un problème qui se pose par rapport aux parents ». Sans pousser trop loin la comparaison, on peut néanmoins faire un parallèle avec la culpabilité résultant de la « trahison culturelle » que constituait, pour un jeune Français issu des milieux populaires, l'accès à l'enseignement supérieur en un temps où une telle possibilité était une exception.

Moncef M. se veut un parent réaliste. Il estime que, quels que soient les drames et les déchirements qui opposeront toujours les générations, le regard des fils et des filles d'immigrés sur l'histoire de France évoluera à mesure que le temps passe. « Là-bas » deviendra de plus en plus un lieu mythique. « Déjà nos enfants n'y pensent plus guère que de façon anecdotique. J'imagine que lorsqu'il y a une invasion de criquets en Afrique, il ne leur est pas tout à fait indifférent de savoir si "le pays" sera épargné ou non. C'est à peu près tout. Alors, c'est certain, ils verront la Révolution française sous un autre jour que nous. D'une certaine manière, elle leur deviendra plus proche, car elle les concernera comme citoyens. »

S'agissant de leur image actuelle de cette révolution, Édith A., étudiante originaire du Mali, estime qu'elle peut être affectée par la dévalorisation dont l'idée de révolution est l'objet. « Beaucoup de pays du tiers monde, explique-t-elle, ont accompli une révolution ou ce qui a été présenté comme telle. Or, le moins que l'on puisse dire, c'est que leur bilan n'est pas enthousiasmant. Certaines même ont été de véritables catastrophes. Les descendants d'immigrés sont naturellement sensibles aux désillusions qu'elles ont entraînées et qu'ils perçoivent plus ou moins dans leur famille. Pour eux le mot "révolution" risque d'avoir une connotation négative qui peut contaminer leur approche de la Révolution française. Leurs parents et surtout leurs grands-parents ont pu éprouver, bien que victimes du colonialisme français et souvent à cause de lui, de l'admiration pour cette révolution parce que celle à laquelle ils aspiraient était devant eux. Il est aisé de comprendre que pour leurs enfants la situation est toute différente. »

Une « histoire de vieux »

L'expérience de la France qui est celle de la « seconde génération » ne relève plus ni de la colonisation ni même, pour l'essentiel, des traces qu'elle a laissées dans le souvenir. Les aspects négatifs de cette expérience sont liés principalement aux diverses formes d'exclusion auxquelles elle se heurte ici et maintenant et dont le racisme est l'une des sources.

Il en résulte un agacement et parfois de la révolte à l'égard d'une célébration de l'histoire de France présentée de manière cocardière et quelque peu intemporelle. « Je ne sais pas si l'histoire de France est l'histoire de mon pays au même titre qu'elle peut l'être pour ceux dont les parents sont français depuis toujours. Enfin depuis longtemps... Car des Français depuis toujours, je ne sais s'il en existe. Le Pen n'est pas plus français que moi. Il est celte. Bref, je ne sais pas si je suis français, mais je pense cependant que la France devient mon pays. Je n'ai pas choisi d'y naître. Mais je n'imagine pas vivre ailleurs. » Pour Driss S., vingt ans, la Révolution française est moins importante que la Déclaration des droits de l'homme. « L'histoire telle qu'on nous la présente, y compris à l'école, apparaît souvent comme une histoire de vieux. Chacun a l'air de défendre des points de vue qui justifient son passé personnel. Les instituteurs parlent quelquefois de la Révolution française comme si c'étaient eux qui l'avaient faite. J'ai un peu la même impression quand mon vieux me parle de l'Islam. L'histoire de France, la Révolution française, bon d'accord. Mais il faut regarder la réalité et se tourner vers l'avenir. »

Driss S. est de toutes les actions contre le racisme. Sa position quelque peu nihiliste est l'envers d'une foi militante aux effets éminemment positifs. D'ailleurs, il n'est pas totalement dupe de ses emportements « anti-vieux ». Il voudrait surtout qu'on parle un peu moins « le langage du nationalisme et un peu plus celui de l'humanisme ». Il est plutôt confiant dans l'avenir. L'imaginaire historique lui paraît une notion suspecte dans la mesure où elle semble ne prendre en compte que le passé et confiner chacun dans une appartenance à un peuple ou à une culture. En fait d'imaginaire, il se sent proche des jeunes de New York ou d'Amsterdam, de Milan ou de Francfort. « Je suppose qu'ils sont comme moi : ils ne pensent pas tous les jours à la Révolution française ni même aux Droits de l'homme, mais comme moi ils aspirent à un monde sans exclusions. A mon avis, c'est davantage la musique que l'histoire qui contribue maintenant à mobiliser les jeunes autour des valeurs de liberté et de solidarité. »

Il n'en demeure pas moins que Driss S. dit avoir été très ému lorsqu'à une manifestation contre le racisme une voix a solennellement proclamé : « Les hommes naissent et demeurent libres et égaux en droits. » Il chahute l'histoire, mais ne l'oublie pas autant qu'il le prétend. En tout cas, ce n'est pas une mauvaise conclusion qu'il nous propose lorsqu'il affirme que « la France n'est pas de toute éternité et jusqu'à la fin des temps le pays de la Révolution française. Elle l'est seulement dans la mesure où elle la fait vivre au présent. Notre existence est une chance pour la France, car elle lui donne en fait une occasion de demeurer dans les faits le pays de la Révolution française ».

8

Mémoires républicaines
Idéal de la Révolution et révolution idéale

« La mémoire et l'oubli sont également inventifs. »

Jorge Luis BORGES.

« J'aime la Révolution française. Elle fait partie de mon mental, de mon imaginaire. Mais pour quelles raisons ? Tout de go, comme cela, je répondrais que je n'en sais rien. Il faut que je fasse un effort énorme pour dire à quel moment cet amour a pris naissance dans ma tête et dans mon cœur. » La passion que Jack Ralite, ancien ministre communiste et maire d'Aubervilliers, éprouve pour la Révolution fait corps avec sa vie. Elle surgit au détour de ses grandes découvertes d'enfant, dans ce temps des premiers mais forts attachements et dont il dit : « Je m'aperçois que le plus important, c'est ce qu'on a oublié et qu'on redécouvre en parlant. »

Les pèlerinages d'une enfance républicaine

Jack Ralite « redécouvre en parlant » la trame de « ce plus important ». « Sans doute l'école a joué. Notre instituteur,

M. Feste, avait fait un chemin historique sur le mur, tout autour de la classe. C'était une suite de figurines, une sorte de bande dessinée, qui allait de Charlemagne à la guerre de 14. M. Feste devait être républicain, car pour la Révolution il y avait beaucoup de personnages. Lorsqu'on n'écoutait pas le maître et qu'on rêvassait on voyait Danton, Saint-Just... et Drouet. Je les revois encore. Ah Drouet ! J'en reparlerai.

« Une seconde chose a beaucoup compté : je suis né et j'ai grandi dans le département de la Marne où se trouvent deux endroits célèbres de l'histoire de la Révolution. Il y a Valmy, où nous allions nous promener en famille. Je revois ce moulin et la phrase célèbre de Goethe : "De ce jour, etc." Mon père ou mon grand-père ont dû me lire cette phrase lorsque j'étais tout petit, car j'ai l'impression de l'avoir toujours connue par cœur. Mon grand-père était radical-socialiste. Je le vois encore me parler de Valmy.

« Le second haut lieu de la Révolution qui nous était proche, c'est Varennes. Curieusement, je l'ai toujours situé dans la Marne bien qu'il se trouve dans la Meuse. Alors je peux dire que j'ai toujours entendu parler de Drouet qui arrêta à Varennes Louis XVI en fuite. Pour moi, il représente bien le héros populaire de la Révolution. Parce qu'arrêter le roi qui fuyait, si on y réfléchit bien, c'était un acte d'une haute portée. Le reconnaître, c'était une chose, mais aller l'arrêter c'en était une autre. On m'avait raconté que Louis XVI était en retard, car à Chaintrix, qui est aussi un petit village de la Marne, son carrosse avait heurté le pont. Alors j'étais allé voir ce pont. C'était un pont tout à fait ordinaire, mais il me semblait miraculeux puisqu'il avait permis l'arrestation du roi.

« J'ajoute enfin que le député de la Marne à la Convention, Prieur, avait donné son nom à une rue parallèle à celle où nous habitions et que lorsque nous partions en vacances nous passions, à Arcy-sur-Aube, devant la statue de Danton. »

Nous sommes aux antipodes des « enfances vendéennes » évoquées précédemment. On ne peut cependant qu'être frappé par un trait commun : la place, dans le souvenir, des pèlerinages familiaux sur des lieux à tous égards proches et chargés d'histoire. A écouter les récits, ces pèlerinages semblent bien réunir tous les ingrédients, notamment émotionnels et affectifs (« Je revois mon grand-père », « J'entends encore mon père me dire... ») qui permettent à un récit légendaire de prendre définitivement possession d'une mémoire. Jack Ralite mesure parfaitement le rôle qu'a joué dans la formation de sa pensée la rencontre entre une région « qui a produit des gens dont l'exemple conduisait à l'admiration de la Révolution » et « une famille républicaine ». « Si j'étais né dans une famille réactionnaire, peut-être aurais-je été différent. On m'a appris à aimer les hommes de la Révolution. C'est de ma part rationnel, mais aussi affectif. »

Quels rapports Jack Ralite établit-il entre cette enfance républicaine et ce qui sera l'engagement de toute sa vie ? « Il est certain que cela a joué un grand rôle. J'ai adhéré au PCF sur des bases nationales. Je suis venu à la révolution par la nation. Pendant l'Occupation j'étais très jeune, mais je pensais à Valmy et aux soldats de l'an II et je me disais qu'il fallait combattre comme eux, et chasser les nazis. Le patriotisme des hommes de la Révolution m'a énormément marqué. La nation est née avec le mot "liberté". Ce sont les révolutionnaires de 1789 qui ont inventé le mot "patriote". Quand on me demande ce que c'est qu'un patriote, je réponds toujours : "C'est un révolutionnaire." »

Une dette

Le lien personnel avec la Révolution vient de loin. Intriqué dans les racines de la personnalité, il peut être périodiquement réactivé et la Révolution se revit alors, d'une certaine manière, au présent. Elle doit cette pérennité et cette étonnante faculté de résurrection au fait que les vivants se reconnaissent une dette à son égard. De toutes les dettes que nous lègue le passé dès lors que notre naissance nous inscrit dans une « lignée », comme les continuateurs de « ceux qui nous ont précédés », la « dette Révolution française » n'est pas l'une des moins exigeantes. C'est bien souvent, en effet, une dette de famille. La Révolution a transformé, pour ses bénéficiaires comme pour ses victimes, la représentation de l'avenir et du rôle qu'il dessinait pour les descendants. Elle a parfois révolutionné le sens même de l'éducation familiale

A l'instar de Jack Ralite, beaucoup citent la famille comme le lieu de leur premier rendez-vous avec la Révolution. Chacun connaît de ces familles qui développent un effort systématique et cohérent d'éducation auprès de leurs enfants, dès leur plus jeune âge, pour leur inculquer les idées, les valeurs et les traditions dans lesquelles elles se meuvent. Maurice Benassayag, proche de François Mitterrand et président du club *Espaces 89*, se souvient. Son père « qui avait adhéré à la SFIO de Blum » et qui « après a été mendésiste, essentiellement à cause de la guerre d'Algérie », lui « répétait que seule la République permettait d'avancer au mérite. Ce qui renvoyait naturellement, en négatif, au fait que sous l'Ancien Régime et dans les régimes autoritaires on accédait à des fonctions sociales ou aux diplômes grâce... à la grâce ».

Les premiers pas de l'éducation familiale constituent évidemment un temps fort de la formation du futur adulte. Celui-ci prend ses premières marques face à l'immensité que représentent le passé et l'avenir. Ses parents sont les seuls points d'appui. Les premiers repères qu'ils lui fournissent auront souvent la solidité qu'il prête à ses parents et le marqueront durablement. Au point, parfois, qu'il confère aux résultats de ses apprentissages initiaux une origine génétique et que, devenu homme d'âge mûr, il expliquera son attachement à la Révolution d'une phrase : « Dans ma famille, on *naît* républicain. » Il n'en résulte d'ailleurs pas que, parce qu'on « naît » ceci ou cela, on le reste jusqu'à la fin de ses jours. Toutefois, les fidélités filiales à la Révolution — comme à son rejet d'ailleurs —, liées à la transmission directe du patrimoine culturel de la famille, font partie, semble-t-il, des plus obstinées. Certains les brandissent comme d'autres leurs états de service sur les champs de batailles.

« L'éducation familiale »

Le mode le plus fréquent de transmission des valeurs familiales ne revêt cependant pas cette limpidité. Les familles qui délivrent ce type d'« enseignement » sont minoritaires. Le plus souvent l'enfant appréhende par lui-même l'héritage culturel familial. Il élabore ses premières idées sur la société à l'école de ses parents, mais surtout en déduisant celles-ci de leur situation, de leurs comportements, de leurs conversations, de l'évocation de leur vie et de celle de leurs ancêtres. Les parents transmettent ainsi, fût-ce sous la forme la plus fruste, une vision globale de la société et de leurs rapports avec elle. C'est un ensemble d'idées et de pratiques qu'ils ont largement intériorisées et qu'ils vivent, en grande partie, comme allant de soi. Aussi sont-elles « enseignées » de façon généralement spontanée, « inconsciente », sans qu'il soit fait nécessairement référence à « la politique ».

Même s'il n'est jamais question de la Révolution, celle-ci peut déjà se trouver au rendez-vous. Nombre de souvenirs personnels, émanant généralement de gens d'origine modeste, font en effet remonter la première rencontre avec elle à une ambiance familiale perçue dès les premiers pas dans la vie. Difficile à cerner et à décrire, elle n'apparaît pas moins comme une empreinte qui a déterminé tout un regard sur le monde. « Je ne me souviens pas d'avoir entendu mes parents parler de leurs opinions politiques. Cependant, j'ai l'impression non seulement d'avoir été, depuis mon plus jeune âge, républicain et admirateur de la Révolution, mais encore que ce sont mes parents qui m'ont éduqué ainsi. Il faudrait pouvoir découvrir ce qui se cache derrière cette illusion. » La suite de l'entretien ne mettra au jour rien que de très banal. Ce sexagénaire qui évoque sa prime enfance confirme qu'au travers des propos et des attitudes les plus habituels de ses parents transparaissaient une histoire, des valeurs, une culture dont il avait déchiffré et reconstitué *à sa façon* les composantes. Le rapport de tout cela avec la République et la Révolution ? « Mes parents n'étaient pas du genre à se plaindre. Mon père était ouvrier et gagnait pourtant tout juste de quoi vivre. Ils ne se plaignaient pas, mais ils étaient extrêmement fiers... disons plutôt très sensibles à tout ce qui concerne la dignité. Par exemple, le dimanche il fallait ''s'habiller'', même si nous restions à la maison. C'était une sorte de respect des autres et de soi, avec parfois, on le voit, des côtés très naïfs. Mais ça m'impressionnait beaucoup. J'y voyais l'expression d'un combat. Mes parents souffraient, en s'efforçant de n'en rien laisser paraître, de leur position sociale. Toutefois, il n'ont rien fait ni pour "grimper" dans la société ni pour la transformer. J'ai compris par la suite qu'ils reportaient tout sur la dignité, comme si la dignité était la lutte qu'ils avaient, eux, choisi de mener. Or, cette lutte m'est toujours apparue comme une lutte pour l'égalité. La dignité... enfin ce que j'appelle ainsi, c'était pour eux ce qui permet, quoi qu'il arrive, de se sentir l'égal de tous les autres hommes. Alors, bien sûr, par la suite j'ai transposé cette leçon sur le plan politique. J'ai une autre vision qu'eux de l'égalité. Mais ma première leçon républicaine, je considère que ce sont eux qui me l'ont donnée, probablement sans s'en douter. »

D'autres expériences de semblables rencontres avec la Révolution sont évoquées à propos d'une même perception enfantine, toujours dans des familles populaires, de valeurs auxquelles renvoient des mots comme « justice », « solidarité », « travail », « instruction ». Ces valeurs, susceptibles de traductions politiques très diverses, ne sont pas en soi républicaines. Elles relèvent du lot de vertus individuelles que les parents considèrent habituellement de leur devoir d'enseigner. Elles n'en contribuent pas moins à tracer les contours d'une certaine conception de la société et du rôle assigné à l'enfant au sein de celle-ci. Elles comportent, inséparables, une dimension privée et une dimension civique. On perçoit à travers elles une exigence à l'égard de l'enfant rarement formulée explicitement, mais très forte : celle finalement de se comporter en homme et en citoyen. Même si elle se veut dégagée de toute référence philosophique ou politique, la société qu'elle postule par le jeu de la définition des droits et des devoirs, et dans laquelle elle projette l'enfant, est une société qui lui fait une place en tant qu'*individu*. Cette conception de la société et de sa morale est républicaine, en ce sens qu'elle constitue une rupture avec celle qui prévalait antérieurement et dans laquelle l'individu n'était pas considéré comme un citoyen français, supposé libre et égal en droits à tous les autres, mais comme un sujet du roi de France, prisonnier de sa naissance et enfermé dans sa condition.

La culture populaire, dans notre pays, a été transformée par cette rupture. Elle a réélaboré ses valeurs à partir d'elle, intégrant les virtualités qu'elle libérait mais aussi les illusions qu'elle engendrait. On peut se demander si, telle qu'elle a cheminé pour parvenir jusqu'à nous, elle n'a pas porté également le souvenir même de cette rupture. N'y a-t-il pas dans l'illusoire toute-puissance prêtée au mérite personnel et qui fait de l'enfant le dépositaire d'un interminable rêve familial de promotion sociale comme l'incessante reprise du premier éblouissement attaché au saut d'une conception de la société et de l'individu à une autre ? Le moment du passage de la monarchie à la république a été oublié, mais la découverte d'une nouvelle constellation des droits et des devoirs s'est transmise en conservant son éclat primitif. En d'autres termes, il y a une manière familiale de transmettre certaines valeurs morales qui semblent n'avoir aucun rapport avec « la République » parce que ce rapport a été intériorisé, mais qui a conservé, sous-jacente, l'idéalisation dont la République a été l'objet lors de ses premiers pas. Cette idéalisation a constitué un élément vivace de notre culture qui peut expliquer que des adultes déclarent maintenant avoir déchiffré, derrière l'insistance familiale qui a entouré leurs tout premiers apprentissages des devoirs, ce message implicite que l'un de nos interlocuteurs dit y avoir découvert : « Vivre en république, ça se mérite. »

« Il y avait la Révolution, plus de petits hors-d'œuvre autour »

L'école a joué, à l'évidence, un rôle considérable dans la formation et la transmission des valeurs constitutives de cette culture populaire, d'inspiration républicaine au sens large du terme. L'école a souvent transformé, chez l'enfant, la reconnaissance implicite vouée par les parents à la République et à la Révolution en un véritable amour. Cette transmutation apparaît de manière particulièrement nette lorsque des gens appartenant aux générations les plus âgées évoquent les leçons d'histoire de leur enfance.

Chez les plus jeunes, en revanche, les leçons sur la Révolution n'ont pas laissé de traces particulières. A les écouter, les campagnes de ces « hussards de la République » que furent les instituteurs des débuts de la IIIe République paraissent maintenant aussi lointaines que les campagnes napoléoniennes. Ils évoquent souvent un « travail ennuyeux », sur une « période très compliquée, avec un embrouillamini de faits et de dates dans lesquels il était difficile de se repérer ». Tout le contraire d'un coup de cœur : « Je n'aimais pas beaucoup la Révolution à l'école. Je n'arrivais pas à comprendre ce qui se passait entre les jacobins et... les autres. Alors qu'est-ce qu'il m'est resté ? L'assassinat de Marat par Charlotte Corday, la fuite du roi à Varennes, la nuit du 4 Août et bien sûr la prise de la Bastille. » Ce sont là généralement les seules épaves qui survivent au naufrage des connaissances acquises sur les bancs de l'école.

Pour trouver un autre ton, il faut, en règle générale, écouter les générations précédentes. Là, on rencontre des gens qui parlent avec émotion des leçons de leurs maîtres sur la Révolution : « Lorsque l'instituteur parlait de 1789, sa voix devenait plus grave. » « Vrai » souvenir ou souvenir fabriqué après coup par un enthousiasme pour la Révolution qui ne s'est jamais démenti et qui s'est constamment nourri des combats politiques auxquels celui qui parle a participé ? Il serait vain de chercher à savoir. Qu'est-ce qu'un vrai souvenir ?

Attardons-nous plutôt sur le témoignage de ce médecin de 60 ans, Georges S. « Pour moi, dit-il, la Révolution française c'était l'histoire de France. Dans cette histoire, il y avait la Révolution française et de petits hors-d'œuvre autour. C'était vraiment le centre de l'histoire. Quand j'ai commencé à apprendre l'histoire de la Révolution, j'ai mis des dates sur un cahier : le 20 juin 1789, le 21, le 22 et ainsi de suite. En face de chaque date, j'inscrivais les événements qui s'étaient déroulés ce jour-là. Je tenais un véritable journal personnel de la Révolution, comme si je vivais cette époque. Il en ressortait l'impression d'une extraordinaire effervescence. J'étais déçu les jours où il ne se passait rien et chaque fois que je lisais que le reste de la vie continuait malgré l'immensité de ce qui se produisait. Il me semblait que la pâte avait commencé à lever à partir des premiers jours de 1789 et que tout le monde, à Paris, en France et dans le monde ne devait plus parler que de cette révolution. » Georges S. dit s'être aperçu combien il idéalisait la participation populaire à la Révolution au cours de récentes vacances en

Auvergne, en mesurant la distance qui sépare encore de nos jours les paysans auvergnats de « ce qui se passe à Paris ».

L'origine de sa passion pour l'histoire révolutionnaire, passion quasi aveugle puisque le reste de l'histoire n'était pour lui que « hors-d'œuvre », nous met sur une voie intéressante pour comprendre où se situent le point d'insertion et le rôle de l'école dans son histoire personnelle. « Je crois, poursuit Georges S., que la Révolution française est très importante parce qu'elle met fin à l'Ancien Régime. Pour des gens comme moi dont les parents n'avaient ni fortune, ni privilèges, ni un "nom" — c'est-à-dire à qui, du seul fait de leur naissance, l'Ancien Régime n'accordait aucun droit ni aucune possibilité de promotion sociale —, ce fait a été capital. Car de la Révolution on est passé à l'instruction laïque, gratuite et obligatoire dont je suis véritablement l'enfant. C'est grâce à elle que j'ai pu devenir médecin. »

Au fond, pour Georges S., la Révolution... c'est l'école. Mais cette sorte de sublimation dont l'une et l'autre furent de sa part l'objet ne s'explique pas si l'on ne prend pas en compte l'existence, qui ressort de son propos, d'un profond désir de promotion sociale et d'ascension intellectuelle chez l'enfant qu'il fut ainsi que dans son entourage familial. L'école a été, pour lui, l'instrument de la réalisation de ce désir et, en lui enseignant l'histoire de la Révolution, elle l'a persuadé que c'est grâce à cette dernière qu'elle a pu jouer ce rôle. On comprend dès lors la passion de Georges S. pour cette histoire et son enthousiasme pour l'œuvre de la Révolution. Doit-on pour autant conclure à la toute-puissance de l'école dans le surgissement de cette passion et de cet enthousiasme ? Ce serait ne pas tenir compte d'un « en amont de l'école » qui conditionne, dans une certaine mesure, l'influence que celle-ci exercera sur le devenir de l'enfant. En l'occurrence, cet « en amont de l'école », c'est le désir de Georges S. de s'élever dans la hiérarchie sociale, désir que l'école, à elle seule, n'a jamais été en mesure de fabriquer de toutes pièces. Nous sommes renvoyés, pour en comprendre la source et la vigueur, à la mobilisation de tout un imaginaire qui emprunte certes à l'histoire et au social, mais dans la structuration duquel des images parentales et le désir des parents de voir leur enfant « réussir » ont joué un rôle déterminant. Se vouloir un « enfant de l'instruction laïque, gratuite et obligatoire » est une manière, parmi d'autres, de dire qu'on s'est voulu l'enfant... de ses parents.

Ne prenons donc pas pour argent comptant les propos — même ceux que semble fonder l'expérience personnelle apparemment la plus irrécusable — sur la toute-puissance de l'école à l'origine des passions dont la Révolution est l'objet. Sous-estimer son rôle dans les rapports passionnels que les Français entretiennent avec ce moment de leur histoire ne serait pas sérieux, mais il ne le serait pas davantage de voir en elle une sorte de *deus ex machina* qui, à lui seul, les expliquerait.

Une dimension mythique

« C'est inscrit, c'est en nous. » Nicole B. qui parle ainsi de la Révolution est tout le contraire d'une mystique. Bien qu'elle reprenne, à cent lieues de s'en douter, une expression de Michelet (« La Révolution est en nous, dans nos âmes [1] »), son républicanisme se limite pratiquement au dépôt d'un bulletin dans l'urne lors des élections. Si l'expression « Français moyen » avait un sens, elle l'illustrerait parfaitement. De ce moment de notre histoire, elle avoue volontiers savoir peu de chose. A la communale, puis au lycée, elle a « toujours eu horreur de l'histoire » et n'a « jamais pu se mettre les dates en tête ». Mais, « s'il y a une date de notre histoire qu'on ne peut pas oublier, c'est celle-là. La Révolution c'est à la fois quelque chose de très vieux, de complètement dépassé, et qui fait partie de mon histoire, comme de l'histoire de tous les Français ».

Déclaration significative et représentative, plus d'une fois entendue dans des termes approchants. Elle met en évidence la présence d'une dimension mythique dans les rapports noués avec la Révolution.

Qu'est-ce qui peut bien être ainsi « inscrit » dans la paisible personne de Nicole B. ? Elle dit : « la Révolution ». Mais que doit-on entendre ? Il ne peut s'agir de la Révolution « telle qu'elle s'est réellement déroulée », pour parler le

1. MICHELET, *Histoire de la Révolution*, préface de 1847.

langage, en forme de slogan publicitaire, de certains ouvrages « historiques ». Le passé est à jamais... le passé. Il est mort et personne n'a le pouvoir de le faire revivre. L'histoire relatée par les historiens peut, il est vrai, donner l'illusion du contraire. Elle est communément confondue avec le passé alors qu'elle ne produit de lui que des représentations.

C'est ce glissement de l'histoire à l'illusion d'un passé « réel » qui s'opère dans les rapports de Nicole B. avec ce qu'elle appelle la « Révolution ». Les deux ou trois choses — selon ses propres dires — qu'elle sait à son propos, la représentation qu'elle en a, ont pour elle la « réalité » d'un fragment de passé qui s'est en quelque sorte solidifié autour du sens dont elle l'a originellement investi. Il constitue une sorte de point fixe à partir duquel s'ordonnent les rapports entre son histoire personnelle et l'histoire collective (« La Révolution fait partie de mon histoire, comme de l'histoire de tous les Français »). Son lien personnel avec la Révolution, l'« inscription » de celle-ci en elle s'enracinent dans cette construction de son imaginaire. La profondeur de ce que Nicole B. « ressent » pour la Révolution et le rôle qu'elle lui accorde dans son histoire personnelle sont, à l'évidence, indépendants de ses connaissances historiques et définitivement à l'abri des remises en cause auxquelles leur évolution pourrait conduire. Elle ne s'y réfère jamais pour expliquer son attachement à la Révolution, sauf pour souligner qu'elles flirtent avec le degré zéro. Tout son propos tourne autour du *sens* dont ce qu'elle appelle la « Révolution » est, à ses yeux, porteur pour la compréhension de sa propre histoire.

Nicole B. perçoit la Révolution comme un acte de naissance (d'une naissance collective), comme point de départ d'une histoire commune. Les transformations réelles qu'elle a accomplies, puis celles auxquelles elle a conduit ont été l'objet d'une idéalisation qui lui a donné les allures d'un véritable commencement. Elle a été mythifiée. Ce phénomène a des causes multiples et complexes. Mais il s'explique d'abord par l'ampleur des transformations révolutionnaires, par leur nouveauté, par l'étendue des virtualités qu'elles recelaient et aussi par la vigueur et la permanence des combats dont elles constituèrent l'enjeu. L'idée de la liberté pour tous apparut, surtout à ceux que leur condition enfermait dans la soumission, comme une sorte de liberté absolue, et l'horizon qu'elle leur ouvrait leur sembla illimité. La manière quelque peu mystique dont la Révolution et son œuvre, la République, furent glorifiées, trouve là sa source principale.

L'affrontement autour de son héritage n'a jamais cessé et a entretenu les conditions propres à donner un caractère mythique à la Révolution. Son idéalisation ou au contraire son assimilation à une œuvre maléfique ont pris un tour de plus en plus abstrait à mesure que l'événement s'éloignait dans le temps et que, de part et d'autre, on enfermait la connaissance de son histoire dans des visions mutilantes ou sacralisées. Mais, contradictoirement, en se réinvestissant constamment dans l'histoire en train de se faire, la Révolution s'est incorporée dans le tissu de la vie de la nation et des citoyens. Cette rencontre, constamment renouvelée, du mythe et du quotidien affleure dans les réponses à la question : « C'est quoi pour vous la Révolution ? » Rien dans ces réponses qui soit uniquement rationnel, froid, « objectif ». Rien non plus qui ne renvoie, d'une manière ou d'une autre, à une expérience personnelle concrète. Elles évoquent l'influence du milieu familial, de l'école, de tel événement politique, de telle œuvre littéraire, de telle image, de la célébration du 14 Juillet, etc. Sans que l'on puisse discerner les rôles respectifs de ces diverses sources dans la genèse des représentations de la Révolution, tant leurs effets s'épaulent, s'enchevêtrent, se surajoutent, se mêlent aux dimensions mythiques prêtées à la Révolution pour finalement se fondre et donner à chaque configuration personnelle de ces représentations sa coloration particulière. Bref, elles sourdent de ce qui constitue la vie même de la société française contemporaine. Elles sont traversées par ses valeurs, son mouvement, ses contradictions, ses déchirements, mais aussi par ce qui fait son unité. La présence d'un élément mythique interdit de les enfermer dans quelques grandes catégories typologiques, de les ramener à un certain nombre d'archétypes. Comme l'écrit Raoul Girardet, « [...] le mythe, se constituant lui-même en un système de croyance cohérent et complet [...], ne se réclame plus, dans ces conditions, d'aucune légitimité que celle de sa simple affirmation, d'aucune logique que celle de son libre développement [2] ».

La Révolution, début et terre promise de l'histoire

L'idée de *commencement* constitue le socle sur lequel les dimensions mythiques de la Révolution s'édifient. « Le mythe, écrit Mircea Eliade, raconte une histoire sacrée ; il relate un événement qui a eu lieu dans le temps immémorial, le temps fabuleux des commencements. Autrement dit le mythe raconte comment une réalité est venue à l'existence... [3]. » La « réalité venue à l'existence » grâce à la Révolution, c'est « la République », « la nation », « les Temps modernes », « la civilisation moderne » ou encore « la modernité politique », bref, quelle que soit l'appellation qui lui est donnée, *notre* réalité, perçue par opposition à une réalité antérieure : celle de l'« Ancien Régime ».

La Révolution, ainsi mythifiée, peut être tenue pour le moment le plus bénéfique de notre histoire, indépendamment, même, de l'appréciation portée sur son bilan réel. On rencontre assez fréquemment, *chez un même interlocuteur*, une contradiction entre l'exaltation dont elle est l'objet — en tant que point de départ absolument sublime — et l'accumulation des réserves exprimées à propos de ce qu'elle a réellement donné. Dans un premier temps, les mots semblent, pour celui qui parle, impuissants à décrire l'importance de « l'événement Révolution ». Puis vient l'évocation de ses lendemains en des termes extrêmement durs, mais qui situent cet « après » comme s'il s'agissait d'une réalité sans aucun rapport avec le « début ». Les causes de sa rapide dégradation sont généralement ordonnées autour de trois grands thèmes : « la récupération par la bourgeoisie », « le dévoiement par la dictature napoléonienne », « les propres excès de la Révolution ».

Un maître mot revient constamment dans cette approche : l'espoir, l'espoir comme résultat principal et permanent de la Révolution. Le « réel » de la Révolution compte

2. Raoul GIRARDET, *Mythes et mythologies politiques*, Seuil, Paris, 1986, p. 12.
3. Cité par Raoul GIRARDET, *ibid.*, p. 13.

finalement moins que l'espoir qu'elle a fait jaillir et dont la flamme a été entretenue et transmise jusqu'à nous. Le moment premier de la Révolution, son âge d'or à la fois à jamais derrière nous et toujours devant nous, c'est le temps de son adéquation parfaite à la volonté éclairée d'un peuple unanime. La « récupération bourgeoise » ou tout autre « dévoiement » non seulement n'ont rien à voir avec ce « début », non seulement n'atteignent pas la pureté de celui-ci mais, au contraire, agissent, par un effet de contraste, comme des scories qui en rehaussent l'éclat.

Que la Révolution puisse être encore évoquée essentiellement en termes d'espoir témoigne de sa vitalité. En vivant dans l'imaginaire à titre d'espoir, elle est un appel indéfiniment renouvelé à réaliser toutes les virtualités réelles ou supposées qu'elle recèle. La Révolution, point de départ mythifié d'un nouveau cours de l'histoire, apparaît également comme la terre promise de celle-ci. Le passé enjambe le présent pour investir l'avenir de ses promesses. Toutes les révolutions n'ont pas cette bonne fortune. On ne l'amoindrit pas en constatant le caractère mythique qu'elle a revêtu, le temps aidant. Écoutons, pour nous en convaincre si besoin était, Daniel Roodt, écrivain sud-africain. « Pour moi, la Révolution française c'est un mythe, le mythe de la liberté ; mais pas encore la liberté. C'est aussi le commencement de l'ère de la libération, mais pas encore la libération. C'est le mythe de la liberté totale qui, même en Europe de l'Ouest, n'est pas encore arrivée. Pour cette raison, le rêve de la libération totale dure encore. Peut-être durera-t-il toujours et, après tout, n'est-ce pas ce que nous pourrions souhaiter de mieux ? »

André A., pour qualifier cette efficace durable de la Révolution, emploie l'expression de « grand legs idéologique ». Pour lui, elle a conduit à « la mise en place d'un certain type d'idéal en France qui a abouti ensuite à l'idée républicaine, l'idée de tolérance, de liberté, d'égalité entre les hommes ». Peu importe pour la validité et l'avenir de cet idéal et de cette idée que « le changement total de société » ait « laissé la place à l'Empire... à Napoléon... puis à la république bourgeoise bornée, chauvine, colonialiste et affairiste... quelque chose qui peut paraître justement en contradiction totale avec les idéaux de la Révolution, au moins très en retrait par rapport à eux ». Peu importent les mésaventures nées de la rencontre de ces idéaux avec la réalité. L'essentiel c'est que la Révolution nous les ait légués.

En parlant de « grand legs idéologique », André A. dévoile la nature d'un certain type de lien entre la Révolution comme moment de notre histoire et la manière dont ce moment agit, « vit » dans l'imaginaire. La Révolution y est projection dans l'avenir. Elle en ressort parée des couleurs de l'espoir. Dès lors, dans une approche sur le mode positif/négatif, emprunté au modèle du bilan comptable avec ses colonnes « crédit » et « débit », le positif est assuré de l'emporter à tous les coups. La réalité n'est pas de taille, en effet, à se mesurer à l'avenir, à l'espoir, à l'idéal. Elle est enserrée dans des limites que l'idéal a précisément pour fonction de transcender.

La prise de la Bastille : commencement du commencement

L'identification de la Révolution à un commencement a facilité l'organisation et la polarisation de ses représentations autour d'un acte d'une haute teneur symbolique. A commencement sublimé, acte sublimé. Cet acte, ce commencement du commencement qui en retour communique son caractère extraordinaire à toute la période qu'il inaugure, c'est la prise de la Bastille. La question : « C'est quoi pour vous la Révolution ? » entraîne, majoritairement et de manière presque automatique, cette première réponse : « C'est la prise de la Bastille. » L'identification de la Révolution à cet événement est d'ailleurs pour beaucoup si évidente qu'ils prient de les excuser d'énoncer une telle banalité.

L'évocation de la Révolution, deux cents ans après son déroulement, fait donc surgir d'abord une image : celle de la foule parisienne donnant l'assaut à la prison royale de la Porte-Saint-Antoine, le 14 juillet 1789. Image d'un événement, d'une « journée », d'une insurrection, d'un affrontement en noir et blanc pour un enjeu on ne peut plus fondamental (l'oppression ou la liberté), elle communique souvent ses traits à la représentation d'ensemble de la Révolution. Celle-ci est alors imaginairement ramenée à un épisode unique, violent, bref et décisif entre deux camps aux contours bien tranchés et opposés terme à terme. La symbolique de la prise de la Bastille déteint sur la totalité de la Révolution. Elle tend à gommer sa durée et sa complexité. La Révolution tout entière ressemble à l'image de la prise de la Bastille. Les mêmes mots évoquent l'une et l'autre : « révolte spontanée », « foule les armes à la main », « assaut des masses populaires », « manif géante », « explosion populaire », « ras-le-bol généralisé », « défoulement de tout un peuple »... On pourrait retourner la célèbre formule et dire : « Sire, ce n'est pas une révolution mais une révolte. »

La prise de la Bastille, en s'installant, du fait notamment de sa promotion au rang de fête nationale, dans l'imaginaire collectif comme image première — aux deux sens du terme : chronologique et symbolique — de la Révolution a sans doute contribué à entourer l'image globale de celle-ci d'un halo de violence armée. En devenant l'image phare de la Révolution, la prise de la Bastille a relégué loin à l'arrière-plan la Révolution en tant que *processus*, à la fois complexe et long, avec sa maturation, son cours proprement dit et ses incertitudes, la diversité de ses formes et ses répercussions ultérieures. Elle a ramené ses multiples péripéties à une sorte « d'événement mère », censé les avoir toutes engendrées (l'énorme majorité de nos concitoyens ignore, par exemple, la date de naissance de la République et beaucoup situent encore sa proclamation en 1789 !). Elle a contribué à la formation et à l'entretien dans la culture politique française, pendant une longue période, d'un courant « avènement du grand soir » ou, pour le moins, d'une vision très française, radicale et expéditive, des transformations de la société.

L'identification de la Révolution à une insurrection populaire a eu pour conséquence durable de hisser ce type d'action au rang de forme la plus haute, voire la seule, de l'action révolutionnaire ou même tout simplement progressiste. La valorisation symbolique de l'objectif de cette insurrection (la prise de la Bastille = oppression ou liberté) a, en outre, conduit à une valorisation du même ordre des enjeux des luttes politiques ultérieures (les « nouvelles Bastilles » à prendre). Cette héroïsation de la pratique politique a justifié, par la suite, les impatiences révolutionnaires et conduit au choix de prétendus raccourcis pour l'évolution de la société qui se sont révélés désastreux. Elle a contribué à faire se profiler la figure du « traître » ou du « renégat » dès qu'était évoquée la nécessité des transitions, de la prise en compte d'objectifs partiels et de l'exploration de nouvelles formes de l'activité politique. « Le drame des Français aussi bien que des ouvriers, écrivait Marx en 1870, ce sont les grands souvenirs. »

Imaginaire et pratique politique

Jack Ralite reconnaît que « se pose une grande question quand l'imprégnation de l'histoire est très profonde et qu'elle fait corps avec sa propre vie, car venue avec l'enfance. Elle peut alors investir la pensée sans qu'on sache vraiment par quel cheminement ». Aussi, s'empresse-t-il d'ajouter : « Aimer l'histoire c'est s'en inspirer en s'efforçant de la lire dans son originalité. Si en politique je n'aime pas les voyageurs sans bagages, je n'aime pas non plus les voyageurs surchargés. Au fond de moi, il y a une petite lumière qui s'appelle Robespierre, l'homme de la Révolution qui me touche le plus, mais je ne dis pas, dans une situation politique donnée : "Qu'est-ce qu'aurait fait Robespierre ?" Ceux qui se posaient cette question en 1848 étaient déjà grotesques. Robespierre a creusé un sillon gigantesque, mais se limiter à ce sillon se serait patauger dans une ornière. »

Pour Jack Ralite, il est toutefois une « leçon de Robespierre » qui a valeur de règle de conduite permanente. « J'ai lu et relu ses discours et particulièrement ceux sur l'anticolonialisme, l'éducation, la démocratie. Je suis toujours époustouflé lorsque je retrouve cette phrase : *"Faire faire au peuple ou laisser faire au peuple tout ce qu'il peut faire par lui-même et seulement le reste par ses représentants."* Il allait au-delà de la démocratie représentative qu'il avait inventée. C'est déjà une bribe autogestionnaire. Si je ne crois pas avoir été un mauvais ministre, c'est parce que j'ai essayé de mettre cette idée en pratique. Elle est un guide dans mon activité de maire. »

L'équivalent de la « petite lumière Robespierre » du communiste Ralite, pour le socialiste Benassayag, c'est la notion de « République une et indivisible ». Il précise : « La République, c'est l'unité du corps social et pas seulement de la nation. La République une et indivisible, cela signifie que les citoyens ne sont pas séparés mais unis pour le bien commun. Comment concilier cette notion avec la lutte des classes ? C'est toute l'ambiguïté de la tradition socialiste française. La synthèse, c'est Jaurès. Il y a dans la tradition démocratique française la volonté d'unir le corps social même s'il est agité de confrontations de classes, d'arriver à le réconcilier avec lui-même avant la fin des fins. »

Maurice Benassayag voit dans le drapeau tricolore la symbolique parfaite des idées qu'il énonce. « Il ne m'est pas indifférent que le drapeau français soit composé de trois bandes égales de couleurs différentes. Ces trois couleurs travaillent l'imaginaire français. Elles sont le permanent rappel que les antagonismes sociaux ne doivent pas aller trop loin, qu'une couleur ne doit pas être écrasée par les autres, que le tissu social ne doit pas être déchiré. » Il estime que « les excès de la Révolution, l'effroyable vision dans l'imaginaire collectif de la guillotine ont sans doute préservé notre histoire de la répétition ultérieure d'événements aussi sanglants. Le seul épisode dramatique, ce fut la Commune. Je suis persuadé que tous les bourgeois qui ont combattu la Commune n'étaient pas forcément d'horribles sanguinaires, mais s'ils ont fait preuve de beaucoup de férocité c'est parce que, dans leur tête, se dessinait l'image de la guillotine et qu'ils voyaient dans les communards les héritiers de la Terreur. Par la suite, le corps social s'est un peu purgé des excès du fanatisme. Même les mouvements qui s'inspiraient plus ou moins de la Révolution prenaient garde de reproduire ses excès. Quand le courant gauchiste a été très puissant, comme en Mai 68, il n'est jamais allé jusqu'à la violence armée. Ce n'est pas par hasard si le terrorisme intérieur n'a pas prospéré en France, à la différence de ce qui s'est passé en Allemagne ou en Italie. Je pense qu'il n'est pas abusif d'évoquer à ce propos les envers positifs des excès de la Révolution française ».

II

La Révolution au cœur du XXe siècle

9

La filiation bolchevique
La gauche dans le jeu de miroirs des Révolutions française et russe

> « Les bolcheviks sont les jacobins de la révolution prolétarienne. »
>
> LÉNINE.

« Nous n'avons qu'à nous remémorer notre passé national pour trouver toutes les justifications des procédés de violence et de terreur qui s'imposent à toute classe qui veut prendre le pouvoir, s'y maintenir, asseoir définitivement le régime social de l'avenir [1]. » Ces paroles ont été prononcées par Marcel Cachin, le 26 juin 1920 à Moscou, au cours d'une réunion du Comité exécutif de la IIIe Internationale, l'Internationale communiste. Marcel Cachin est alors un des leaders du parti socialiste français et il mène campagne pour que ce parti quitte la IIe Internationale et adhère à la IIIe Internationale que Lénine et les bolcheviks viennent de fonder.

L'attitude à l'égard de la révolution qui s'était produite trois ans plus tôt en Russie constituait l'enjeu principal du

1. *Le Congrès de Tours*, ouvrage collectif, Éditions Sociales, Paris, 1980, p. 101.

débat ouvert au sein de ce parti entre partisans et adversaires de cette adhésion, débat qui trouva son dénouement lors du congrès tenu à Tours les derniers jours de 1920. Cette attitude traçait la ligne de partage entre « révolutionnaires » et « réformistes ».

Les premiers pas de l'art statuaire soviétique

La distance était, à bien des égards, énorme entre les socialistes français et la Russie, épicentre de ce qui fut l'un des plus importants séismes historiques du XXe siècle. Mais les événements qui venaient de s'y dérouler l'avaient singulièrement réduite. Ils avaient revivifié en eux ce « passé national » évoqué par Marcel Cachin et dans lequel la Révolution de 1789 tenait la place à la fois de l'acte fondateur et de l'œuvre à parfaire. Très vite, les socialistes français établirent une filiation entre cette révolution et la Révolution russe. Marcel Cachin était en phase avec leur sensibilité lorsque, évoquant le « passé national », il justifiait « les procédés de violence et de terreur » imposés en Russie. Cette référence aux « leçons » de la Révolution française, lourde de bien des ambiguïtés, témoigne que déjà se mettaient en place les mécanismes mentaux de l'aveuglement à l'égard du stalinisme.

La majorité des socialistes français va d'autant plus aisément se reconnaître dans la Révolution russe que celle-ci ne cesse, à ses débuts, de se présenter comme l'héritière de la Révolution de 1789. Lorsque Lénine affirme que « les bolcheviks sont les jacobins de la révolution prolétarienne », ses paroles ne sont pas à considérer comme l'ornement oratoire d'un édifice révolutionnaire en quête de références historiques. Lénine et les dirigeants bolcheviques se sont réellement pensés comme tels. Ils avaient intériorisé une vision de l'histoire qui leur assignait la place de « continuateurs » des jacobins. Le fait qu'ils aient tenu pour « scientifique » l'assemblage intellectuel qui, à leurs yeux, définissait leur rôle comme « historiquement nécessaire » les rendait un peu plus prisonniers d'un certain mimétisme historique.

La « science léniniste » qui s'est voulue la continuatrice

de la pensée de Marx a appauvri celle-ci en la figeant en système. Ce travail de réducteur de tête a poussé jusqu'à la caricature l'idée d'une direction irréversible de l'histoire inscrite dans les soubassements économiques de la société. La Révolution française tenait dans ce balisage fossilisant du devenir de l'humanité une place de premier plan. Elle était censée représenter le schéma révolutionnaire classique du dernier en date des changements de mode de production : le passage du mode de production féodal au mode de production capitaliste. Ce schéma fut appelé à reprendre du service avec la Révolution russe puisque celle-ci, en tant que révolution prolétarienne, devait conduire au degré suivant du développement social : le passage du mode de production capitaliste au mode de production socialiste.

On sait pourtant que le travail de Marx sur la Révolution française et ses suites, loin de constituer un corpus théorique achevé, a été « une méditation interminable et ambiguë sur une énigme [et] n'a cessé d'être en même temps un débat implicite avec lui-même et avec son œuvre [2] ». Lénine fit subir à ce travail une première glaciation qui paraît presque anodine à côté des interprétations ultérieures du léninisme par Staline.

L'ancrage doctrinal de la Révolution bolchevique dans le prolongement de la Révolution française a conduit ses dirigeants à une surestimation des similitudes que peuvent présenter certains épisodes de l'une et de l'autre. Les bolcheviks ne furent pas seulement les « jacobins de la révolution prolétarienne » sur le plan conceptuel. Dans les diverses péripéties que traversa leur révolution, ils agissaient avec en tête le « modèle » de 1789. Ils allèrent parfois jusqu'à se couler dans la peau de ses personnages. Les exigences de la théorie et le poids de l'exemple historique se conjuguèrent pour fournir les justifications qu'appelait la conjoncture.

Par exemple, le 11 novembre 1917, l'interdiction du Parti cadet (conservateur), premier accroc sérieux dans le tissu extrêmement fragile de la démocratie politique issue de la révolution de février 1917, fut justifiée en ces termes par Trotski : « Nous avons arrêté les chefs cadets et donné

2. François FURET, *Marx et la Révolution française*, Flammarion, Paris, 1986, p. 119.

l'ordre dans les provinces de surveiller leurs partisans. A l'époque de la Révolution française, les jacobins guillotinaient des gens qui avaient fait moins que ceux-ci pour s'opposer à la volonté du peuple. Nous n'avons exécuté personne et nous n'avons pas l'intention de le faire. Mais la colère du peuple se déchaîne parfois et les cadets eux-mêmes l'ont provoquée[3]. » Les cadets étaient loin d'être d'innocents agneaux. Mais la référence à la Terreur, bien que sur le mode de la dénégation, sonnait comme une justification qui, dans l'esprit de Trotski, se suffisait à elle-même. Elle mettait en place, dans le paysage politique, un élément encore à l'état de potentialité mais qui allait désormais peser de tout son poids de précédent légitimé par l'histoire. On peut se demander si Trotski n'avait pas, lui qui plus tard sera un moment soupçonné d'être le Bonaparte en puissance de cette révolution, l'intuition que la dynamique des événements était déjà telle qu'elle ne manquerait pas de produire tôt ou tard cette terreur, aujourd'hui rejetée, mais qui constituait l'une des composantes du modèle historique auquel il se référait. Il ajouta, en effet, à cent lieues sans doute de soupçonner jusqu'à quel point il avait raison : « Ce n'est qu'un modeste début. »

Les mesures prises contre le Parti cadet n'étaient, effectivement, qu'un bien modeste début. Deux mois plus tard, l'Assemblée constituante qui venait d'être élue et dans laquelle les socialistes-révolutionnaires étaient majoritaires (les bolcheviks représentaient moins d'un quart de l'électorat) fut dissoute. On connaît la suite. Tout le pouvoir, selon la célèbre formule, appartenait désormais aux soviets. « Paroles vides de sens, devait dire Maxime Gorki. En vérité, il s'agit d'une république d'un petit nombre, la république de quelques commissaires du peuple[4]. »

L'une des premières décisions de cette « république des soviets » rien moins que soviétique fut, en matière d'art officiel, de passer commande des statues de Babeuf, Danton et Robespierre. Par ce choix, les dirigeants bolcheviques entendaient symboliser la filiation qu'ils avaient établie entre la Révolution française et celle qu'ils venaient d'accomplir.

---

3. TROTSKI, *Œuvres complètes*, tome III, p. 138.
4. Éditorial de *Novaïa Jizn* du 7 décembre 1917, cité par Marc FERRO, *Des soviets au communisme bureaucratique*, Paris, 1980, p. 158.

Tours, Noël 1920 : le PCF sur les fonts baptismaux

En décembre 1920, le congrès de Tours du parti socialiste, d'où sortit le Parti communiste français, leur renvoya la balle. La référence à la Révolution française tint une place importante dans l'ensemble des références historiques qui justifièrent les décisions adoptées. Les « leçons » de cette révolution furent un facteur de l'adhésion de la majorité des socialistes français à l'Internationale communiste. Cependant, les mêmes mots recouvraient des sens différents, voire opposés. La Révolution française n'a pu jouer ce rôle fédérateur en faveur de la Révolution bolchevique que dans la mesure où l'examen des rapports entre l'une et l'autre restait dans un certain flou artistique. Chaque courant de la pensée socialiste trouvait dans les événements de Russie, comme dans l'auberge espagnole, ce qu'il y apportait.

Les rapports entre les nouveaux objectifs que s'assigna la majorité des socialistes français à Tours en fondant le parti communiste et les « enseignements de 89 » ne firent pas l'objet d'un débat spécifique. Ils affleurèrent au gré d'un débat qui tournait autour de cette question centrale : comment redonner un nouveau souffle à un parti dont la doctrine et la pratique venaient de subir le discrédit de « l'union sacrée » réalisée en 1914 ? L'heure était à l'exaltation des valeurs révolutionnaires. Tout naturellement, la Révolution française se retrouva en première ligne dans le débat idéologique.

Le parti qui se scinda en deux à l'issue du débat venait, en quelques années, de se transformer profondément. Le nombre de ses adhérents avait augmenté de 100 000 en deux ans (de la fin de 1918 à 1920) et ceux qui l'avaient rejoint avant la guerre ne représentaient plus qu'un dixième de ses effectifs.

Les références à la Révolution française entendues au congrès de Tours sont à mettre en parallèle avec cette mutation. Le recours à ces références ne fut pratiquement le fait que de partisans de l'adhésion à la IIIe Internationale et ces derniers se recrutaient surtout parmi les nouveaux adhérents. Souvent ils étaient venus au socialisme aiguillonnés par l'exemple bolchevique. Le rapprochement de ces trois données — nouveaux adhérents / sympathie pour le bolchevisme / référence à la Révolution française — permet de se faire une idée de la manière dont la Révolution russe avait réactivé un héritage de 1789 plus ou moins en sommeil dans la société française et du « va-et-vient » qui s'est alors instauré entre la Révolution russe et la Révolution française. Les représentations de la nouvelle révolution vont se combiner avec certaines traces de 1789 charriées par la mémoire collective et donner naissance à une nouvelle figure de l'imaginaire révolutionnaire français.

Autre donnée importante qui éclaire ce télescopage de l'histoire : ces nouveaux adhérents, partisans les plus déterminés de la IIIe Internationale, étaient souvent d'origine paysanne. Le représentant du Var au congrès fait cette constatation, corroborée par des déclarations d'autres délégués : « Les vieilles sections du Var se sont prononcées presque à l'unanimité pour l'adoption des motions Blum ou Longuet [opposées à la motion Cachin-Frossard favorable à l'adhésion, *G.B.*] ; ce sont les jeunes sections et en particulier quelques sections rurales nouvellement créées [qui] ont adopté la motion Cachin-Frossard [5]. » Ledit Frossard signe ce constat d'une formule qui se veut forte mais qui laisse une impression de malaise six ans après la « fleur au fusil » de la mobilisation générale : « Entre tous nos militants, ce sont les militants des sections rurales qui, avec l'instinct le plus sûr, marchent le plus délibérément à la révolution, comme on marche au canon : je les en félicite [6]. »

De quoi était fait cet « instinct » ? Écoutons Bailly de la Nièvre, une « fédération essentiellement improvisée », dit-il. « Ce résultat [30 mandats pour la motion Cachin-Frossard, 8 pour celle de Blum, 6 pour celle de Longuet, *G.B.*] a pu être obtenu par une campagne menée dans les milieux ruraux, et nous sommes arrivés à convertir les camarades de ces milieux [...]. Ce qui a fait notre succès c'est que dans la Nièvre il existe depuis longtemps un vieux levain révolutionnaire [...]. Eh bien ! Ce petit levain-là s'est conservé. Les paysans, naturellement, ne rentrent pas dans

5. *Le Congrès de Tours, op. cit.*, p. 316.
6. *Ibid.*, p. 520.

tous les détails comme les camarades de droite. Ils ne distinguent pas toutes les conditions et thèses, mais ils disent ceci : les Russes ont fait ce que nous avons fait voici plus de cent ans[7]. »

La Révolution française et la Révolution russe, ici et là-bas, hier et aujourd'hui... Ces diverses pièces du puzzle de l'imaginaire révolutionnaire étaient en train de se réunir en un tout unique. Cette nouvelle configuration agglomérait de manière hasardeuse une mémoire et une projection dans l'avenir. Les idées de Bailly de la Nièvre, en effet, se mordent un peu la queue. « Les Russes ont fait ce que nous avons fait voici plus de cent ans », dit-il, mais, si on l'entend bien, c'est à croire que cela n'avait qu'un but : nous permettre, à notre tour, de les imiter. Car chez nous, en matière de révolution, tout reste à faire : « Le paysan morvandiau, poursuit Bailly, n'aime pas ces gros châtelains dont notre région est pleine, qui détiennent au moins la moitié, peut-être les deux tiers des terres. Ils n'aiment pas ces gros châtelains qui viennent tous les ans et ne connaissent même pas le nombre d'hectares qu'ils possèdent. Le paysan morvandiau ne craint pas la révolution, mais il veut l'organiser. Nous avons fait confiance aux militants de la IIIe Internationale parce que nous savons bien qu'ils ne nous entraîneront pas dans un mouvement de révolte inconsidérée. Mais nous sommes tous d'avis d'organiser la révolution, de nous préparer dans le désordre économique qui se manifeste après la guerre[8]. »

Ces propos reflètent bien l'ambivalence d'un jacobinisme plus ou moins teinté de babouvisme qui a cheminé dans certaines régions rurales, principalement du centre de la France, tout au long du XIXe siècle et que la Révolution bolchevique a réveillé. Il est fait, à la fois, du grand rêve d'égalité né en (et de) 1789-1793 et des ressentiments accumulés par les reports successifs de sa réalisation.

La branche paysanne de la descendance révolutionnaire

Le département de l'Allier constitue un bon terrain pour l'étude de la rencontre avec le communisme de cette tradition

7. *Ibid.*, p. 274.
8. *Ibid.*, p. 274.

principalement portée par la paysannerie. Dans une étude sur les élections législatives de mars 1978 dans ce département, Alain Bergerat note que « la comparaison avec la carte du vote socialiste en 1914 et du vote démocrate-socialiste en 1849 montre à l'évidence que dans l'Allier le vote communiste a pris le relais du vote socialiste du début du siècle et du vote républicain de la deuxième moitié du XIXe siècle[9] ». Le point de départ de ces mutations s'enracine dans la Révolution. « La haine que ses grands-parents portaient au seigneur, le paysan de 1848 la reporte sur le fermier général, sur le grand propriétaire, sur le notaire qui lui a prêté de l'argent à un taux exorbitant, ou sur tout autre spéculateur. La Révolution de 1789 avait affranchi ses ancêtres, pour lui la révolution de 1848 doit le délivrer de la tutelle des fermiers généraux et autres membres des "bandes noires" [...] Dans l'Allier, l'attachement à l'idée de République s'explique sans doute par le souvenir conservé par la tradition orale de la Grande Révolution et, curieusement, par la légende napoléonienne, qui se confond très souvent avec l'idéal démocratique (d'où le succès de Louis-Napoléon aux présidentielles de décembre 1848). Cela d'autant plus que ce souvenir a pu être perpétué par la persistance de luttes antiféodales durant tout le début du siècle, les paysans assimilant ainsi République et libération de l'oppression[10]. »

C'est à la vigueur de ce républicanisme rural que cette région doit d'être devenue, à la fin du XIXe siècle, l'un des bastions du socialisme français. Dans un premier temps au moins, la diffusion des idées socialistes s'est opérée de la paysannerie républicaine vers les ouvriers de la région de Montluçon-Commentry et non dans l'autre sens. Ces ouvriers, en effet, firent preuve, au cours des élections de 1849-1850, d'une « attitude modérée, voire franchement conservatrice[11] ». Pour l'auteur, il ne semble pas faire de doute que « c'est la tradition de lutte et de vote à gauche de la société rurale environnante (société dont sont issus les ouvriers de la région) qui facilite, dans les décades qui suivent

9. « La radicalisation politique des paysans de l'Allier sous la Deuxième République (1848-1849) à l'origine d'une tradition de gauche », in *Cahiers d'histoire de l'Institut Maurice-Thorez*, n° 27, 3e trimestre 1978.

10. *Ibid.*

11. *Ibid.*

la IIe République, l'implantation rapide et solide du socialisme dans la classe ouvrière [12] ».

Les historiens, les sociologues et les politologues s'accordent pour considérer que le fond des tempéraments électoraux dans les diverses régions de France s'est dessiné dès la IIe République, c'est-à-dire dès la rencontre avec le suffrage universel, et qu'il s'est confirmé de scrutin en scrutin. Ce n'est que depuis une époque relativement récente qu'a commencé à s'atténuer l'influence sur le comportement électoral des traditions politiques propres aux différentes régions françaises et qui doivent leur existence à un passé parfois très lointain.

L'histoire électorale de l'Allier de 1849 à nos jours ne rend évidemment pas compte, à elle seule, de l'histoire des rapports entre les paysans, la Révolution française, la République, le socialisme et le communisme. Mais elle l'éclaire. Il est significatif que cette région, après avoir été à l'avant-garde dans la propagation du socialisme dans notre pays, constitue l'un des derniers bastions du PCF. On peut se demander si cette trajectoire ne doit pas être interprétée par le PCF comme la parabole de son destin. N'est-elle pas, en effet, la confirmation de l'importance des liens qui rattachent son sort aux aléas de la branche paysanne de la descendance révolutionnaire ? N'est-il pas condamné à voir son influence décliner à mesure que s'éloigne dans le temps la place que cette descendance occupait dans la nation ?

La révolution ? Un article de Paris momentanément en vogue à Moscou

Revenons en 1920. Le mot d'ordre bolchevique : « La paix et la terre » a agi sur une partie de la paysannerie française à la manière d'un révélateur. Il est venu rappeler à ceux qu'habite la tradition de 1789 l'état d'inachèvement de la tâche alors entreprise et tracer la voie de sa poursuite. « La paix et la terre », c'est l'essentiel du contenu de ce socialisme

12. *Ibid.*

agraire qui constituera une des principales et des plus durables assises du parti en gestation. « La terre à ceux qui la travaillent », ce mot d'ordre a ramené sur le devant de la scène villageoise un des enjeux de 1789 : l'accession à la propriété du petit exploitant agricole. « Pour le campagnard, souligne Berger de la Sarthe au congrès de Tours, c'est le programme agraire soviétique qui l'a séduit [13]. » Le campagnard ne voyait dans ce programme que l'extension de la propriété familiale du paysan. L'heure de la collectivisation forcée, il est vrai, n'avait pas encore sonné.

Les paysans qui ont épousé ce socialisme agraire ont naturellement investi en lui un certain « nationalisme républicain » dont ils étaient dépositaires. L'idée selon laquelle on ne pouvait, après la Révolution française, que les imiter rejoignait paradoxalement celle des marxistes les plus dogmatiques. Ceux-ci considéraient alors que ce n'était pas à la Russie arriérée de donner à la France des leçons de révolution.

Charles Rappoport, dirigeant assez pittoresque du parti, répondit aux uns et aux autres non sans ironie : « Il ne faut pas oublier, camarades, que la révolution n'est pas un article de Moscou, c'est un article de Paris qui se trouve momentanément très en vogue à Moscou, et Moscou vous rend votre bien propre [14]. »

L'entrée en force dans le débat de motivations paysannes marquées par des conceptions révolutionnaires assez frustes et quelque peu chauvines relégua parfois à l'arrière-plan l'examen du contenu des 21 conditions mises par Moscou à l'adhésion. On ne voulait en retenir qu'un feu vert donné à la révolution en France.

Bailly de la Nièvre l'avait déjà dit. Bricau des Deux-Sèvres est plus net encore : « Je dis que les paysans et les militants des Deux-Sèvres n'ont pas voté en réalité sur les conditions de Moscou quoique aucune ne leur ait fait peur. Mais ils ont voté sur les tendances en quelque sorte du socialisme. Le paysan de chez nous a vu à quoi nous aboutissions avec ce régime parlementaire ; il se demande si nous pouvons arriver à un résultat définitif avec ce régime [15]. »

---

13. *Le Congrès de Tours, op. cit.*, p. 289.
14. *Ibid.*, p. 442.
15. *Ibid.*, p. 334.

Le prolétariat a autre chose à faire qu'à poursuivre une révolution dont il a fait tous les frais

Les « anciens » adhérents, ces dix pour cent de l'effectif du parti constitués de militants venus au socialisme avant 1914, beaucoup plus éduqués politiquement, ont en commun de partager des vues plus complexes, plus élaborées, plus théorisées sur les rapports entre la Révolution française et la révolution socialiste.

Le guesdisme, l'une des composantes du parti, la seule qui se réclamait du marxisme, avait grandi dans une attitude de méfiance, voire de rejet, à l'égard de la Révolution française. Cette attitude trouvait son fondement dans la situation créée par le ralliement, après 1871, de la bourgeoisie à la forme républicaine de l'État, ralliement dont elle fit un large usage pour masquer les oppositions d'intérêts entre les classes sociales et pour empêcher le prolétariat de se constituer en force politique autonome. On aura une idée des problèmes posés en se reportant à cet article de Jules Guesde paru sous le titre « La République conservatrice » dans *L'Égalité* de Marseille, le 24 novembre 1872 :

« Il se peut maintenant, comme le soutient M. Thiers [n'oublions pas que nous sommes au lendemain de la Commune, *G.B.*], que la Révolution d'il y a quatre-vingt-deux ans "ait été faite pour qu'il n'y eût plus de classes, pour qu'il n'y eût dans la nation que la nation elle-même, la nation une, vivant tout entière sous une même loi, supportant les mêmes charges, jouissant des mêmes avantages, et où chacun en un mot fût récompensé ou puni suivant ses œuvres".

« Mais ce que j'affirme, et ce que tout homme de bonne foi sera obligé d'affirmer avec moi, c'est que si tel a été le but des révolutionnaires de 1789, ils sont loin de l'avoir atteint ; c'est que, par suite des conditions dans lesquelles le tiers établissait le régime de droit commun sur les ruines des privilèges de la noblesse et du clergé, le droit commun n'a profité et ne pouvait profiter qu'au tiers ; c'est pour tout dire qu'il existe une nation dans la nation, une France dans la France, une France qui n'a que des "avantages", une nation qui "est punie indépendamment de ses œuvres" dans une nation qui est "récompensée indépendamment de ses œuvres également" [16]. »

Le ton est encore plus vif lorsqu'il est question de célébrer le centenaire de la Révolution. Voici en quels termes réagit l'organe du Parti ouvrier français, *Le Socialiste*, dirigé par Jules Guesde et Paul Lafargue :

« Votre liberté du travail décrétée par les révolutionnaires bourgeois de 89 sur les débris des organisations ouvrières, ç'a été et c'est encore, pour la classe capitaliste, la liberté d'exploiter jusqu'au sang, non seulement les travailleurs, mais leurs femmes et leurs enfants. [...]

« Le quart état ou prolétariat a autre chose à faire qu'à célébrer et à poursuivre la Révolution du tiers dont il a fait tous les frais.

« Il a à accomplir la sienne, telle que le permettent et l'exigent les conditions modernes de la production.

« A la propriété privée constituée par votre Code civil, il a à substituer la propriété sociale.

« A la production parcellaire et anarchique, il a à substituer la production centralisée, unifiée entre les mains de la collectivité.

« A la liberté du travail aboutissant pour les uns aux travaux forcés à perpétuité et pour les autres à pas de travail du tout, il a à substituer l'organisation du travail étendu à tous et réduit d'autant pour chacun.

« Époumonez-vous, maintenant, si le cœur vous en dit, à souffler dans le mirliton des "immortels principes". Mais vous mirlitonnez dans le désert. Le socialisme ou le communisme est aujourd'hui trop entré dans le cerveau ouvrier pour que votre salive ne soit pas perdue comme votre encre [17]. »

---

16. Jules GUESDE, *Textes choisis (1867-1882)*, Éditions Sociales, Paris, 1959, p. 56.
17. Cité par Claude MAZAURIC, *Jacobinisme et Révolution*, Éditions Sociales, Paris, 1984, p. 30.

1789 : « Un fait immense et d'une admirable fécondité » (Jaurès)

L'autre grand courant historique du socialisme français était incarné par Jean Jaurès. Jaurès tenait la Révolution française pour un « fait immense et d'une admirable fécondité ». Il l'avait étudiée avec passion et la rédaction de sa monumentale *Histoire socialiste de la Révolution française* lui avait pris plusieurs années. Histoire *socialiste* ? Le qualificatif avait choqué certains historiens. Jaurès l'avait délibérément adopté pour affirmer que, selon lui, le socialisme sera le fruit et le couronnement de cette révolution. « Pourquoi donc, écrit-il, des socialistes étudiant l'évolution politique et sociale depuis 1789 n'auraient-ils pas averti, par le titre même de leur œuvre, que tout ce mouvement politique s'éclairait pour eux par le terme où il leur paraît qu'il doit aboutir ? »

La différence d'appréciation entre Guesde et Jaurès sur les rapports entre la Révolution française et le socialisme se retrouvait dans la tactique politique préconisée par l'un et par l'autre. Ils s'opposèrent à propos de la conduite que le socialisme devait adopter face à l'affaire Dreyfus. Guesde estimait qu'il devait se tenir à l'écart d'une lutte qui mettait aux prises deux fractions de la bourgeoisie. Pour Jaurès, au contraire, le socialisme devait être partie prenante de tous les combats dans lesquels les libertés et les droits de l'homme sont en cause et appeler le prolétariat à y participer. A l'origine de cette divergence entre les deux hommes se situent évidemment deux analyses dissemblables et, jusqu'à un certain point, antinomiques de l'héritage de la Révolution française. On retrouvera ultérieurement une situation quelque peu similaire à propos du fascisme.

Lorsque les jauressistes entendaient dire que les Russes avaient fait en 1917 ce que les paysans français avaient fait un peu plus d'un siècle plus tôt, ils étaient évidemment comblés. Ils ne pouvaient qu'être sensibles à l'universalisation d'une révolution qu'ils admiraient. Mais il leur importait aussi beaucoup de savoir ce que ces Russes allaient faire *de plus*. Et là il faut bien dire que leur socialisme était passablement éloigné de ce socialisme agraire auquel avait abouti dans notre pays le mariage d'un certain héritage du XVIIIe siècle et une certaine représentation de la Révolution bolchevique. Ils concevaient le socialisme comme la libération de toutes les facultés humaines, un degré nouveau du développement de la liberté, de la démocratie et de la culture, bref une avancée de la civilisation. Le socialisme agraire, en raison même de ses origines historiques et sociales, était, lui, marqué par « l'égalitarisme des jouissances » du communisme de Babeuf. Il privilégiait davantage le partage immédiat des biens et des produits que l'essor des forces productives humaines et matérielles.

Les adeptes du socialisme jauressien voyaient également d'un œil méfiant une lecture « de gauche », pour ne pas dire gauchiste, des leçons de 1789 dans le domaine de la stratégie et de la tactique révolutionnaires. Ils concevaient la révolution comme l'œuvre *consciente* de la majorité du peuple. Or, ils décelaient dans la chanson qui venait de Moscou agrémentée de variations sur 1789 des airs qui, sans oublier d'évoquer la « volonté des masses », exaltaient surtout le rôle décisif de l'avant-garde sur un mode qui ne leur rappelait que trop la tactique des « minorités agissantes » prônée par Blanqui et plus ou moins reprise et adaptée par les anarchistes.

Lors des débats au congrès de Tours, Léon Blum, au nom de la minorité, releva des relents de cette tactique dans le bolchevisme et dit ses craintes : « Vous pensez, profitant d'une circonstance favorable, entraîner derrière vos avant-gardes les masses populaires non communistes, non averties de l'objet exact du mouvement, mais entretenues par votre propagande dans un état de tension passionnelle suffisamment intense. Avec cela, qu'est-ce que le blanquisme a fait ? Pas grand-chose... [18]. »

La Révolution française ou le rôle du « manque »

Ce fut Marcel Cachin, l'âme du mouvement pour l'adhésion, qui, au congrès de Tours, évoqua le plus longuement la Révolution française. En tacticien avisé, il va

18. *Le Congrès de Tours, op. cit.*, p. 425.

s'efforcer de ratisser le plus largement possible. Il réussit le tour de force de faire tenir ensemble, dans un florilège justificatif, les éléments épars et contradictoires de l'héritage révolutionnaire français. Son propos sur la Révolution française devait répondre à trois impératifs politiques :

1. Conforter le choix des gros bataillons du socialisme rural qui lui apportaient leur appui.

2. Ne pas se couper de ses amis du courant guesdiste.

3. S'inscrire dans la descendance du jauressisme en raison de la stature morale de son fondateur, particulièrement précieuse pour les traits démocratiques, internationalistes et pacifistes qu'elle conférait au visage du nouveau parti.

Écoutons l'étonnant parallèle qu'il traça entre la Révolution russe et la Révolution française.

« Guerre civile, guerre étrangère ; les Russes durent faire front, dans les conditions de détresse intérieure les plus effroyables, à ces deux périls qui menaçaient la vie même de leur État socialiste. Certes, ils se sont montrés énergiques ; ils se sont défendus de manière farouche, cela est vrai. Nos révolutionnaires de 93, eux aussi, se montrèrent, jadis, énergiques et impitoyables pour les ennemis de la République. *(Très bien !)*

« Il ne faut pas oublier qu'aux moments agités des révolutions, les passions des adversaires de partis deviennent au plus haut point aiguës. La Révolution française a connu la guillotine en permanence, et des violences intérieures beaucoup plus nombreuses que le mouvement russe présent. Il est inutile d'insister devant vous sur ce point.

« Les révolutionnaires bolcheviques se sont donc trouvés dans des conditions historiques à peu près semblables aux nôtres. Laissez-moi vous dire, une fois de plus, combien ces hommes, dont un très grand nombre ont reçu leur éducation révolutionnaire ici, sont attachés à l'esprit et à la tradition d'action de la Révolution française. *(Très bien !)*

« Ils ont élevé des statues à plusieurs des grands révolutionnaires de ce pays ; ils connaissent la Révolution française mieux que nous-mêmes ; ils nous reprochaient souvent de ne pas nous reporter à ce grand mouvement de notre histoire nationale. Lorsque nous allons reprendre nos travaux, le journal du parti devra remettre sous les yeux des militants les admirables pages de Jaurès dans son histoire de la Révolution. Nous demanderons à l'un de nos historiens le plus remarquable de l'époque de 93 [Albert Mathiez, membre du parti socialiste qui écrivit en 1920 une étude intitulée *Bolchevisme et jacobinisme* dont Cachin s'inspire dans son intervention, *G.B.*] de rappeler à ce pays quelle fut jadis sa véritable action révolutionnaire. *(Applaudissements)* [19]. »

Aucune ambiguïté, aucune approximation, voire aucun subterfuge ne manquait au rendez-vous : reproche culpabilisant à propos de la méconnaissance et de l'oubli de la Révolution française, similitude des circonstances, justification de la violence intérieure par ce qui se passe aux frontières, la « guillotine en permanence », coup de chapeau appuyé à Jaurès, etc. Rien ne manque à ce festin de l'histoire où chacun est invité à choisir selon ses goûts.

Cachin n'a rien négligé pour que les congressistes de Tours puisent dans des lectures différentes de la Révolution française d'aussi solides raisons d'opter pour la Révolution bolchevique. Ceux qui vont se prononcer pour l'adhésion à l'Internationale communiste se recruteront, bien que dans des proportions inégales, dans les diverses sensibilités de l'héritage révolutionnaire français. On ne saurait donc parler à leur propos d'une vision commune de l'histoire révolutionnaire qui les aurait conduits à franchir ce pas. On ne saurait davantage considérer le saut du socialisme au communisme comme une conséquence logique des enseignements de cette histoire.

Ainsi, la Révolution française a bien été pour les socialistes français, compte tenu de la place qu'elle tenait dans leur culture politique, l'étalon historique à l'aide duquel ils ont jugé l'œuvre des bolcheviks. La révolution d'Octobre offrait suffisamment de différences et suffisamment de ressemblances avec sa glorieuse devancière pour que la majorité d'entre eux croient, en 1920, tenir enfin soit la « bonne » révolution, soit le bon prolongement de celle de 1789.

Le faible poids des classes intermédiaires en Russie, l'intrication d'une lutte de caractère antiféodal et d'une lutte ouvrière, la participation massive des paysans rassemblés par la guerre aux événements de 1917, la place de la violence dans le combat pour le pouvoir, le rôle déterminant d'un parti

---

19. *Le Congrès de Tours, op. cit.*, p. 373.

extrêmement centralisé : autant d'éléments qui ont contribué à faire de la Révolution russe, aux yeux des socialistes français, soit une Révolution française « poussée jusqu'au bout », un nouveau rameau dû à « l'admirable fécondité » que lui a prêtée Jaurès, soit une révolution d'une autre nature, d'une qualité supérieure.

La Révolution française a agi dans la culture des socialistes à la manière d'un « manque ». Selon les courants auxquels ils se rattachaient, ils considéraient soit qu'elle n'avait pas tenu ses promesses, soit que l'essentiel de celles-ci était encore devant elle. Ce manque a créé un véritable appel d'air en faveur de la Révolution bolchevique. Ce ne fut pas un hasard si les départements où les traditions égalitaires issues de la Révolution demeuraient les plus vivaces — et où aussi, par conséquent, la nécessité d'un prolongement nouveau et décisif était le plus vivement ressentie — fournirent les plus forts pourcentages d'adhésion à la IIIᵉ Internationale.

Ambiguïtés majeures autour de 1793

En 1920, de toutes les ambiguïtés à propos de la Révolution française, il en est une qui, par les conséquences politiques qu'elle entraînera, mérite particulièrement l'attention.

Les propos de Marcel Cachin sur la « nécessité des procédés de violence et de terreur qui s'impose à toute classe qui veut prendre le pouvoir » sont extraits d'une discussion, antérieure au congrès, au cours de laquelle Lénine et Zinoviev s'employaient à convaincre les dirigeants des partis socialistes de la supériorité de la tactique bolchevique. Les délégués socialistes français qui participaient à cette discussion n'en étaient pas encore pleinement persuadés. Voici en quels termes *L'Humanité* du 12 septembre 1920 rendit compte des efforts de Lénine pour lever leurs réticences : « Lénine constate que les délégués français ont parlé franchement. Leur opinion — c'est Lénine qui parle — n'est pas la nôtre. Il y a entre nous des divergences profondes, sur la conception de la dictature prolétarienne. C'est la fraction avancée du prolétariat qui devient l'État lui-même, contre la bourgeoisie et contre la partie la moins avancée de la classe ouvrière, y compris les réformistes que nous traitons en bourgeois. Les réformistes, en Russie, ou bien ils s'inclinent, ou bien ils s'en vont, ou bien nous les empêchons de nuire [...]. Les méthodes russes n'ont rien que des Français ne puissent comprendre. La Révolution russe ressemble étrangement à la leur par sa forme, son développement, ses conditions intérieures ou extérieures et ses méthodes [20]. »

Si Cachin ne s'était pas encore totalement rendu aux raisons de Lénine, ses réticences étaient néanmoins en train de fondre comme neige au soleil, principalement sous l'effet des fameuses « leçons » de notre « passé national ». On le voit, en effet, donner acte au dirigeant de la révolution d'Octobre que « le socialisme ne naîtra pas un jour prochain du seul jeu d'élections ou de consultations populaires chroniques, espacées, organisées par le régime capitaliste et viciées par sa presse et son argent. Nous ne sommes pas assez utopiques pour accepter cette solution parlementaire de la démocratie bourgeoise. Nous ne saurions attendre, avec une opinion pareillement empoisonnée, qu'une majorité du peuple se déclare en notre faveur, et nous admettons avec vous que *seul le travailleur ait voix CONSULTATIVE pour la direction de l'État* [souligné par moi, *G.B.*]. Comme vous, d'ailleurs, nous affirmons que c'est sous la poussée d'une minorité hardie, d'une élite ouvrière solidement encadrée, instruite de ses devoirs précis pour l'heure de la révolution, que doit surgir l'instauration du socialisme. Vous avez replacé sous nos yeux les leçons constantes de l'histoire. Elle nous signifient que c'est par la force, grâce aux mesures révolutionnaires employées dans les guerres civiles du passé, que furent détruits les vieux régimes et que purent apparaître les formes sociales nouvelles [21] ».

1793 et la Terreur surplombent ce débat. Lénine et Cachin semblent tomber d'accord pour estimer nécessaire que le prolétariat reprenne à son compte « les procédés de violence et de terreur » qui firent alors la preuve de leur validité, validité confirmée en Russie au cours d'une révolution qui « ressemble étrangement » à sa devancière française.

Mais cet accord laisse entière une interrogation qui ni l'un

20. *Le Congrès de Tours, op. cit.*, p. 99.
21. *Ibid.*, p. 101.

ni l'autre n'abordent : pour le compte de qui, en 1793, furent mis en œuvre les « procédés » en question ?

Pour l'un et l'autre, il ne fait pas de doute qu'il s'agit de la bourgeoisie. La classe ouvrière se doit précisément d'imiter la classe bourgeoise qui a montré en France comment on fait une révolution. Celle-ci, et c'est bien ce que Lénine et Cachin veulent mettre en évidence, ne peut être accomplie que grâce au déploiement de la violence par une minorité éclairée et déterminée.

Mais ce schéma contredit tout à fait l'autre lecture socialiste, et tenue pour tout aussi « marxiste », de 1793, selon laquelle la période de la Terreur marque l'entrée en scène des masses populaires qui exercent alors une pression considérable sur le pouvoir de la bourgeoisie et font prévaloir, dans une certaine mesure, leurs aspirations. Lecture loin d'être marginale puisqu'elle a servi à démontrer à des générations de révolutionnaires que « ce sont les masses qui font l'histoire ». Or, elle est totalement évacuée de la discussion Lénine-Cachin. Pour justifier leur conception de la « révolution prolétarienne », ils ont besoin d'une Révolution française dans le cours de laquelle le peuple et les masses populaires n'auraient eu d'autre rôle que celui de masse de manœuvre totalement soumise à la bourgeoisie, sans aspirations, ni volonté, ni expression politiques propres. C'est à cette condition que la Révolution française peut servir de modèle à la Révolution bolchevique. L'idée selon laquelle la « minorité » ou « l'élite » bourgeoise n'aurait pas, de 1789 à 1793, tenu constamment et strictement en main le développement du processus révolutionnaire, qu'elle aurait pu être, à certains moments, poussée ou dépassée par les classes populaires est incompatible avec la vision léniniste d'une révolution socialiste qui ne peut être accomplie que par une « avant-garde », seule dépositaire de la conscience du mouvement de l'histoire et par là même fondée à faire violence à la majorité du corps social.

François Furet a souligné la présence, dans la pensée de Marx, de « deux interprétations contradictoires de 1793 : à savoir que la Terreur accomplit les tâches de la révolution bourgeoise ou bien qu'elle constitue un renversement provisoire du pouvoir de la bourgeoisie[22] ». Ces deux

22. François FURET, *op. cit.*, p. 116.

interprétations coexistaient aussi chez beaucoup de socialistes. Paradoxalement, alors que la majorité d'entre eux se ralliaient à la Révolution bolchevique parce qu'ils voyaient en elle l'illustration de la seconde de ces interprétations, ce fut la première que leurs dirigeants invoquèrent pour justifier leur ralliement à la conception léniniste de la dictature du prolétariat.

L'expression de l'ignorance paysanne, enduite d'un vernis de marxisme

Cette réduction de la Révolution française destinée à la faire tenir dans le lit de Procuste des principes léninistes préparait de cruels déboires politiques pour les socialistes en train de devenir communistes. Ce fut une véritable bombe à retardement idéologique dont le futur PCF mesura ultérieurement le pouvoir destructeur. Le bolchevisme se révéla, en effet, incapable de comprendre et, par conséquent, de prendre en compte la dimension populaire et démocratique revêtue par la bourgeoise Révolution française. Or, cette dimension a profondément et durablement marqué les institutions de notre pays, ses pratiques politiques et les mentalités de ses citoyens. Parce que d'autres couches sociales que la bourgeoisie proprement dite furent d'actives parties prenantes de ce moment de notre histoire, la bourgeoisie dut faire, bon gré mal gré et ne serait-ce qu'en paroles, une place à leurs aspirations dans l'univers politique français. Quels qu'aient été ses efforts pour effacer ultérieurement les conséquences et le souvenir de ce moment, son empreinte perdura. N'était-ce pas d'ailleurs ce qu'illustrait éloquemment le congrès de Tours lui-même ?

La volonté des dirigeants bolcheviques d'universaliser leur révolution, de l'ériger en modèle, alors que celui-ci tenait profondément aux conditions russes de sa réalisation, les conduisit à négliger la prise en compte des différences historiques entre leur pays et la France du XXe siècle. Eux qui disaient tenir l'histoire pour une science mythifiaient littéralement un moment de notre histoire nationale et en retenaient moins le contenu et le bilan que certaines méthodes. Il est fascinant de constater que Lénine ne semble pas entendre ses propres paroles lorsqu'il dit que la Révolution bolchevique, « en tout point, ressemble étrangement » à la Révolution française. Elles suggéraient, en effet, que la Russie venait plutôt de combler un retard historique que d'accomplir la plus avancée des révolutions.

Le dialogue de sourds avec les dirigeants soviétiques à propos de la démocratie sera constant. Du « centralisme démocratique » aux premières appréciations sur la nature du fascisme, du pluralisme politique aux droits de l'homme, des « démocraties populaires » à la « divergence » évoquée par Georges Marchais à propos du « caractère démocratique du socialisme », la liste des « malentendus » est longue. Il n'est pas exagéré d'affirmer qu'ils tiennent, pour une part, à la méconnaissance de la Révolution française.

« Le bolchevisme hors de Russie a échoué », constatait Boris Souvarine dès 1929, notamment pour n'avoir pas « compris le caractère de l'époque » et surtout pour avoir « commis l'erreur fatale de vouloir fabriquer des partis communistes à son image[23] ». Mais, plus encore que la précocité de son constat, c'est le diagnostic de Souvarine qui retient l'attention. Là où les socialistes français devenus communistes voyaient l'avancée révolutionnaire qu'appelait leur culture politique, il dénonçait un appauvrissement. « Le bolchevisme, écrit-il, était une simplification du marxisme à l'usage d'un pays aux classes bien tranchées où la révolution s'inscrivait en permanence à l'ordre du jour contre un régime qui se survivait à lui-même [...]. Un bolchevisme d'État s'est insensiblement formé qui, après la mort de Lénine, a pris le nom de léninisme. Ce léninisme représente à son tour une simplification outrancière du bolchevisme d'après la prise du pouvoir et une nouvelle étape d'éloignement du marxisme[24]. » A propos de ce léninisme que toute une génération de militants ouvriers, d'intellectuels et d'hommes de progrès de notre pays allaient célébrer comme la théorie et la pratique appropriées au stade prolétarien du cursus

23. Boris SOUVARINE, *A contre-courant, Écrits 1925-1939*, Denoël, Paris, 1969, p. 214.
24. ID., *ibid.*, p. 213.

révolutionnaire français, il formulait cette analyse : « Le léninisme est une expression de l'ignorance paysanne enduite d'un vernis de marxisme [dont] l'explication sociologique lointaine [...] tient vraisemblablement au caractère rural primitif du pays où elle s'est élaborée[25]. »

De tous les grands pays développés, la France a été celui où le léninisme a connu, sous sa forme la plus régressive, l'implantation la plus profonde et la plus durable. Versons au dossier des causes de ce « succès » cette dernière réflexion empruntée à Souvarine : « Les deux grandes révolutions du continent accomplies dans des pays agraires... présentent, de ce fait, de singulières ressemblances malgré de sensibles différences d'époque, de conditions intérieures et de circonstances extérieures, de développement, d'idées reçues et d'influences subies...[26]. »

« Pas d'opposition de principe entre démocratie bourgeoise et fascisme »

Le léninisme tel qu'il était en train de s'ossifier dans les années vingt se mettait hors d'état de comprendre l'évolution du monde contemporain. En se pensant comme la théorie universelle du type de révolution que le « sens de l'histoire » avait inscrit dans le prolongement des « révolutions bourgeoises », alors qu'il n'était qu'une extrapolation en cours de dégradation à partir de conditions propres au plus archaïque des pays européens, il se condamnait à bien des mécomptes à propos de l'offensive dont les démocraties allaient être l'objet. Le fascisme avait triomphé en Italie dès 1922. Le nazisme montait en Allemagne. Dans les autres pays européens des variétés de ces idéologies se faisaient de plus en plus menaçantes. Les communistes — et ce fut leur mérite historique — combattirent courageusement cette entreprise contre la liberté, mais le léninisme les enfermait dans une analyse erronée de sa nature qui les conduisit à de dramatiques erreurs stratégiques.

25. Boris Souvarine, *op. cit.*, p. 216.
26. Id., *ibid.*, p. 221.

Ils ont en effet méconnu pendant longtemps le caractère de rupture que représentait le fascisme par rapport à la démocratie parlementaire. Ils ne furent d'ailleurs pas les seuls. Léon Blum, lors d'un revers relatif et momentané du nazisme, énonça bien hâtivement cette constatation : « La social-démocratie a eu Hitler. » Mais les communistes élaborèrent une théorie qui établissait un signe d'égalité démobilisateur entre le fascisme et la démocratie bourgeoise. A leurs yeux, il n'y avait pas de différence de nature entre l'un et l'autre et l'un et l'autre devaient être également combattus. En janvier 1933, c'est-à-dire au moment même où Hitler accédait au pouvoir en Allemagne, on pouvait lire dans *L'Internationale communiste* ce commentaire à propos de la réunion de l'assemblée plénière que venait de tenir l'Internationale communiste (la plus haute instance de cette organisation entre deux congrès) : « La XIe assemblée plénière de l'Internationale communiste a mis fin à l'opposition de principe, artificiellement établie, entre la démocratie bourgeoise et la dictature fasciste et elle a, en cela, rendu un service signalé aux partis communistes dans leur lutte contre le social-fascisme[27]. »

Cette position était cohérente. A partir du moment où les communistes négligeaient les acquis démocratiques pour se réclamer d'un modèle abstrait de démocratie prolétarienne supposée, sinon dans son être du moins dans son devenir, réaliser une démocratie « mille fois supérieure à la meilleure des démocraties bourgeoises » comme le proclama Staline, déjà ils relativisaient singulièrement les mérites de celles-ci. Mais ce premier volet de la démarche en appelait un autre. Cette « démocratie bourgeoise » qu'était-ce, confrontée à son « dépassement » par le socialisme puis le communisme, sinon un camouflage de l'oppression bourgeoise ? Or, n'était-il pas du plus grand intérêt pour la révolution et donc finalement pour l'avènement d'une « démocratie de type supérieur », que les masses prissent conscience de cette mystification ? Dès lors, tout accroc affectant ce camouflage était le bienvenu. Il faisait avancer la cause. Toutes choses égales par ailleurs, le fascisme a été un moment analysé par l'Interna-

27. *Histoire mondiale des socialismes*, ouvrage collectif sous la direction de Jean Elleinstein, tome IV, Éditions des Lilas et Armand Colin, Paris, 1984, p. 14.

tionale communiste comme le fut plus tard, par un certain gauchisme, la répression, au besoin suscitée par la provocation ou le terrorisme : une manière pour le capitalisme et l'État bourgeois de révéler leur véritable nature aux masses abusées.

Le 4 janvier 1933 — Hitler est au pouvoir depuis un an —, la *Pravda*, rendant compte de la XIIIe session du Comité exécutif de l'Internationale, écrivait : « Le fascisme est un ennemi dangereux de la révolution ; mais il n'est pas que cela : il accélère également le développement révolutionnaire. La domination des nationaux-socialistes en Allemagne éveille déjà la déception et le mécontentement des masses petites-bourgeoises ; des forces énormes s'accumulent par suite de l'indignation des masses. La nouvelle vague révolutionnaire monte déjà [28]. »

Une certaine lecture de « gauche » de la Révolution française, réduisant celle-ci à sa seule dimension bourgeoise, conduisit à l'aveuglement sur la nature de la plus grave régression de la démocratie qu'ait connue le XXe siècle.

---

28. *Histoire mondiale des socialismes, op cit.*, p. 15.

10

1933-1939 : l'héritage de la Révolution en question
1789 dans l'affrontement entre démocratie et fascisme

« L'an 1789 sera rayé de l'histoire. »

GOEBBELS.

« C'est une fois de plus la France démocratique, la France de 1789, devenue la France du Front populaire, qui va guider les peuples de l'Europe dans la voie du progrès, de la liberté et de la paix. »

Maurice THOREZ.

« C'est en vain que les générations se succèdent, le sang de Louis XVI n'a pas cessé de ruisseler en vrai flux de désastres et de malheurs. Depuis cette date fatale du 21 janvier 1793, pas un de nos échecs nationaux qui n'ait scellé quelque ruine, sinon définitive, tout au moins durable, puisque le dommage en a subsisté jusqu'à nous [...]. La suite de nos rois représente la plus admirable continuité d'un accroissement historique et l'assassinat de l'un d'eux donne le signal des mouvements inverses, qui, malgré la multitude de compensations provisoires, prennent dans leur ensemble la forme d'une régression [...]. Il reste vrai, comme le disait

Ernest Renan, qu'en coupant la tête de son roi, la France a commis un suicide [1]. »

Ce texte de Charles Maurras a paru dans son journal, *L'Action française*, en 1931. Il ne mériterait aucune attention particulière, tant un certain monarchisme nous a habitués à assimiler Révolution et décadence nationale, s'il n'émanait d'un mouvement qui exerçait alors une influence notable sur la vie politique française. Son contenu n'exprimait pas seulement la nostalgie attardée de ceux que l'histoire avait laissés sur le bord de son chemin. Il constituait l'un des fondements d'une démarche politique qui participa du drame que notre pays connut quelques années plus tard.

Du nationalisme intégral au monarchisme

Curieusement, les échos d'un tel texte dans l'opinion eussent été, à la fin du siècle dernier, infiniment moindres. La foi monarchiste qui donnait, quelques décennies plus tôt, encore beaucoup de fil à retordre aux républicains semblait alors vouée à une lente mais progressive extinction. Ses manifestations commençaient à revêtir les apparences de l'irréalité propre aux traditions promises à la désuétude. On la sentait à la veille de se retirer sur les terres d'une aristocratie plus pittoresque qu'influente, sans grande prise, sauf dans quelques-uns de ses fiefs, sur la vie politique.

L'affaire Dreyfus offrit au royalisme déclinant l'occasion d'une véritable cure de jouvence. Elle souleva dans le pays, meurtri par l'annexion de l'Alsace-Lorraine et humilié par l'Angleterre à Fachoda, une vague nationaliste d'une rare violence. Un groupe de jeunes et brillants intellectuels en perçut la profondeur, mais aussi la relative impuissance qu'entraînait son inconsistance doctrinale. Il entreprit de doter ce mouvement d'opinion d'une pensée politique élaborée et de l'orienter vers des objectifs cohérents. Tel sera le but de *L'Action française*, fondée le 20 juin 1899.

L'Action française se fit l'apôtre du nationalisme *intégral*. Il ne suffisait plus que le nationalisme se manifestât de façon

1. Charles Maurras, *Nos raisons contre la république, pour la monarchie*, Éditions AF, Paris, 1972, p. 143.

plus ou moins spontanée et quelque peu brouillonne. Il devait constituer le fondement théorique d'une ambition politique. Son axiome de base ? La grandeur de la France est un absolu. Elle commande tout. Aucune autre valeur ne saurait lui disputer sa primauté.

L'édifice doctrinal ainsi conçu pouvait sembler fragile. Il le resta effectivement tant que le nationalisme intégral de *L'Action française*, indifférente à ses débuts à la forme républicaine du régime, n'eut pas rencontré, avec Charles Maurras, le monarchisme pur et dur. Ce monarchisme ramenait tous les malheurs du pays à une cause unique : la Révolution et la République. Dès lors que le nationalisme intégral fut articulé à un monarchisme qui refusait 1789, le but à atteindre apparut dans toute sa clarté. Un débouché politique précis lui était offert : en finir avec la « gueuse », surnom donné à la République par ses ennemis. De sentiment fort mais diffus, le nationalisme devint l'âme d'une doctrine politique.

Au début des années trente, la conjoncture offrit, pour le développement des idées maurrassiennes, un terrain particulièrement favorable. La crise mondiale, partie des États-Unis en 1929, commençait à atteindre notre pays. Un trouble profond le gagnait. Il était le fruit d'ingrédients divers : la colère de ceux — la majorité — qui voyaient leur niveau de vie baisser ; l'inquiétude des paysans, des artisans, des boutiquiers et des petits patrons devant les incertitudes de l'avenir ; le sentiment d'impuissance engendré par la succession rapide de gouvernements faibles ; le discrédit de la classe politique provoqué par des scandales politico-financiers retentissants. Sur ce désarroi planait l'immense déception causée par la « dilapidation » de la « victoire » de 1918. Elle avait exigé des sacrifices inouïs qui ne trouvaient de justification, aux yeux de ceux qui les avaient consentis, que dans cet espoir : non seulement la guerre de 1914-1918 doit être la « der des ders », mais la « grandeur de la France et la prospérité de tous ses fils », pour parler le langage de l'époque, doivent être définitivement assurées. Le nationalisme fit le lien entre les divers motifs de mécontentement, un nationalisme à la mesure du fossé entre les illusions qu'il avait lui-même engendrées et la sombre réalité. Il s'exprima avec une particulière virulence dans les couches moyennes également effrayées par la précarité de leur situation et les perspectives de transformations sociales proposées par la gauche. Il prit pour cible les « politiciens », les « députés », uniformément accusés de vénalité et d'impuissance et soupçonnés de cultiver artificiellement les divisions du pays. Le souvenir nostalgique de l'unanimité réalisée « face aux Boches » avait fait éclore un rêve : celui d'un peuple enfin uni, tous intérêts confondus. « Unis comme au front ! » proclamait une devise de ce temps. Les « politiciens », voilà l'obstacle qui empêchait ce rêve de devenir réalité. C'est au cri « les députés à la Seine » que se rassemblèrent les émeutiers du 6 février 1934.

Du monarchisme au fascisme

Cette conjonction du nationalisme et de l'antiparlementarisme n'est pas à mettre au seul compte de l'influence de L'Action française. Cependant, cette dernière joua le rôle d'une avant-garde idéologique extrêmement influente, et ramena le débat sur la Révolution française au premier plan de la scène politique.

L'influence de L'Action française débordait, en effet, largement le cadre de ses adhérents, des lecteurs de sa presse et de son électorat. Maurras jouissait personnellement d'un prestige intellectuel indéniable. Ses idées étaient reprises et développées par des historiens, des écrivains et des journalistes de renom dans des ouvrages et des journaux à gros tirage, tels *Le Petit Parisien, Gringoire, Candide* et *Je suis partout*. Sans parler du *Figaro*.

Maurras va taper inlassablement sur ce clou : « La démocratie est la peste ; la démocratie est la mort [2]. » Pour retrouver sa vitalité et sa grandeur, la France doit renouer avec les termes du pacte qui liait directement le monarque et le peuple. La volonté de celui-ci, dans la démocratie, est, en effet, confisquée. Au contraire, « la monarchie héréditaire nationalise le pouvoir, parce qu'elle l'arrache : aux compétitions des partis, aux manœuvres de l'or, aux prises de l'étranger [3] ». Ces idées n'avaient toutefois que peu de

2. Charles MAURRAS, *op. cit.*, p. 3.
3. ID., *ibid.*, p. 87.

chance de conduire à la restauration de la monarchie. L'influence qu'elles exercèrent ne se mesure pas par rapport à cet objectif. Affinées jour après jour par une plume brillante, reprises par les épigones et disposant pour leur diffusion de moyens dont on a vu l'ampleur, elles ont agi à la manière d'un levain au sein de l'opinion et nourri les attaques dont le régime républicain était la cible. Elles apportaient aux plus primaires de ces attaques la caution intellectuelle de l'écrivain et aux plus radicales un arsenal de justifications « nationales » et « populaires ». Le « Juif » fit plus que jamais office de bouc émissaire en personnifiant à la fois l'« or » et l'« étranger ».

Les frontières idéologiques entre L'Action française et de larges secteurs d'une droite à la recherche d'une solution à la crise se révélèrent de moins en moins étanches. La théorie maurrassienne du caractère intrinsèquement pervers de la démocratie rencontra un nombre grandissant d'oreilles attentives, y compris dans une partie de la droite républicaine qui commençait à trouver dangereuse pour la pérennité du pouvoir des classes dirigeantes cette république à laquelle ses ancêtres s'étaient jadis ralliés. Elle apporta de l'eau au moulin de tous ceux qui, à droite, rêvaient pour la France, soit d'une évolution inspirée du fascisme alors triomphant en Italie ou du national-socialisme allemand, soit de l'établissement d'un régime autoritaire. L'héritage de 1789 se retrouva au centre de l'affrontement entre la droite et la gauche. Les deux camps en présence multiplièrent les références à la Révolution française. « C'est un coup d'État jacobin ! » s'écria, à la Chambre des députés, Taittinger, chef des « Jeunesses patriotes », à la suite de la révocation par le gouvernement du préfet de police de Paris, Jean Chiappe, qui, lié aux partis de droite, avait manifesté plus que de la complaisance à l'égard des émeutiers de 1934.

« Entre la peste et le choléra on ne choisit pas » (Maurice Thorez)

A gauche, ce fut le Parti communiste français qui puisa le plus abondamment dans les « enseignements de 1789 ».

Il fit de ceux-ci le fondement de sa stratégie et, à leur lumière, procéda à une relecture de sa doctrine.

Pourtant, lors de l'émeute du 6 février 1934 rien ne semblait le prédisposer à une telle évolution. Il s'en tenait encore strictement aux analyses de l'Internationale sur les rapports entre la démocratie et le fascisme. Il s'employait à mettre en évidence le « caractère formel » de la « démocratie bourgeoise ». Démocratie « pour les riches », elle ne mérite pas d'être défendue. Le fascisme n'est que l'une de ses formes. Il ne change rien à sa nature. Même si l'on concède qu'il risque d'aggraver l'oppression qui pèse sur les travailleurs et le peuple, la solution ne peut résider que dans l'instauration d'un État prolétarien. Lui seul est en mesure de réaliser l'authentique démocratie. Aussi les communistes, logiques avec eux-mêmes, orientent-ils l'essentiel de leurs coups contre les dirigeants socialistes. Ceux-ci sont des « social-traîtres » ou des « social-fascistes » puisque, disposant d'une grande influence sur la classe ouvrière, non seulement ils ne font pas de la révolution socialiste leur objetif immédiat, mais ils prônent une défense républicaine qui les conduit, au nom du moindre mal, à des alliances douteuses avec des partis bourgeois.

L'expression « meilleur soutien social de la bourgeoisie » définissait parfaitement, dans une telle problématique, le rôle de cette social-démocratie. N'était-elle pas la principale source des illusions nourries par les travailleurs sur les possibilités d'améliorer leur sort dans le cadre de la démocratie parlementaire ? Le PCF proposa certes aux socialistes la réalisation d'un « front unique » à la base, mais pour son propre objectif : la « république des soviets ».

Le 6 février 1934, le jour même de l'émeute contre le Palais-Bourbon, André Marty écrivait dans *L'Humanité* : « On ne peut pas lutter contre le fascisme sans lutter aussi contre la social-démocratie. » Dans le même temps, Maurice Thorez déclarait dans un discours qu'il ne put prononcer au cours du débat sur l'investiture du gouvernement Daladier à la Chambre des députés, mais que *L'Humanité* publia le 7 février : « La classe ouvrière à notre appel luttera à la fois contre les fascistes et contre votre démocratie corrompue. Il n'y a pas de différence de nature entre la démocratie bourgeoise et le fascisme. Entre la peste et le choléra on ne choisit pas. »

Le PCF continua sur cette lancée jusqu'en mai 1934. Puis, le développement de la volonté unitaire à la base et la mobilisation des forces réactionnaires aidant, il opéra une correction de trajectoire capitale. Ce tournant se situa lors de sa conférence nationale des 23-26 juin 1934 au cours de laquelle Maurice Thorez déclara : « Ce sont les fascistes qui luttent contre la démocratie bourgeoise, pour sa destruction [...]. Les communistes ne se désintéressent jamais de la forme que revêt le régime politique de la bourgeoisie [...]. Ils ont défendu, défendent et défendront toutes les libertés démocratiques conquises par les masses elles-mêmes et en tout premier lieu les droits de la classe ouvrière[4]. » Ces paroles impliquaient l'abandon du mot d'ordre : « Les soviets partout. » Un pacte d'unité d'action fut signé le 27 juillet 1934 entre le parti socialiste et le parti communiste.

Cette nouvelle stratégie de la direction du PCF se fondait sur la prise en compte des réalités nationales, notamment sur les acquis démocratiques qu'elle comporte (« Les libertés démocratiques conquises par les masses ») et la vitalité, au sein de la classe ouvrière, de l'esprit républicain hérité de 1789. Elle allait très vite trouver un fondement théorique et une justification historique... dans la Révolution française.

Certes, à la veille du 14 juillet 1934, Paul Vaillant-Couturier pouvait encore écrire dans *L'Humanité* : « Laissons le 14 juillet aux bourgeois, leur fête est aussi morte, aussi stérilisée que le Palais-Royal d'où partaient les premiers : "A la Bastille !" Notre fête à nous, c'est, avec le 18 mars 1871 [date de la proclamation de la Commune de Paris], l'avènement de la Révolution soviétique. » Mais ce n'était là, au niveau de la direction, que le tout dernier et malencontreux sursaut de la ligne précédente.

Un marxisme à la française

Désormais s'affirmait une démarche qui, culminant avec le Front populaire, définissait l'action des communistes comme le prolongement direct de 1789. Le PCF ne revendiqua plus seulement une certaine continuité entre ses

4. Cité dans *Histoire mondiale des socialismes, op. cit.*, p. 70.

objectifs et ceux de la Révolution française, il inscrivit le socialisme dans le droit fil d'une œuvre entreprise et d'une pensée élaborée au XVIIIe siècle. Le nécessaire « bond qualitatif » de la « révolution bourgeoise » à la « révolution socialiste » que la dialectique marxiste livrait clé en main s'était perdu au cours de cette migration théorique.

On pourrait à titre de preuve de ce retournement multiplier les textes officiels du parti. Tenons-nous-en au principal : le rapport de son secrétaire général, Maurice Thorez, au VIIIe Congrès du parti (Villeurbanne, 22-25 janvier 1936). Il est particulièrement éclairant, car ce congrès se situe à un moment où la nouvelle ligne du Parti se traduit par d'importants progrès de son influence, mais où il doit malgré tout faire de gros efforts pour lever les réticences qu'elle rencontre. En effet, le communisme « ancienne manière » avait conduit une partie de la classe ouvrière à voir en lui le moyen d'affirmer une identité révolutionnaire originale. Celle-ci se révéla d'autant plus tenace qu'elle s'était nourrie de sectarisme et d'intransigeance doctrinale. La « bolchevisation du Parti » au cours des années vingt lui avait donné l'aspect de totale nouveauté, par rapport au legs révolutionnaire de notre histoire nationale, d'une fracture nette à l'égard de ce passé. Or, au congrès de Villeurbanne, Maurice Thorez renverse les repères de cette identification en substituant à la notion de rupture celle de continuité. « Nous sommes, nous les communistes, les héritiers de la pensée révolutionnaire des encyclopédistes du XVIIIe siècle, de ceux qui préparèrent par leurs écrits la Grande Révolution. Dans ses aspects essentiels, le matérialisme de Diderot, d'Helvétius, d'Holbach n'a pas été dépassé. Approfondi, développé, enrichi par le génie de Marx, Engels, Lénine, Staline, il est devenu le matérialisme dialectique, le marxisme-léninisme, la théorie et la pratique du prolétariat révolutionnaire.

« Nous sommes les héritiers de l'audace et de l'énergie révolutionnaires des jacobins qui ont donné à la France et au monde les meilleurs exemples de révolution démocratique. Lénine disait souvent : "Les bolcheviks sont les jacobins de la révolution prolétarienne" [5]. »

---

5. Maurice THOREZ, *Une politique de grandeur française*, Éditions Sociales, Paris, 1945, p. 74.

Plus le PCF développait sa nouvelle stratégie d'union, inaugurée au milieu de 1934, plus la place de la Révolution française grandissait dans son discours. Elle devint à la fois sa référence historique principale et la pièce maîtresse de sa théorie. En effet, bien qu'il s'agisse de « génies », Marx, Engels, Lénine, Staline n'ont fait « qu'approfondir, développer et enrichir » un matérialisme français qui « dans ses aspects essentiels n'a pas été dépassé » ! A la trappe, l'apport de la philosophie allemande au marxisme... S'agissant du problème central de la théorie marxiste — celui de la propriété des moyens de production —, Maurice Thorez plaida également pour que soit reconnue aussi l'antériorité de la lucidité doctrinale des hommes de 1789. Dans son rapport au congrès suivant (le IXe Congrès qui se tint à Arles les 25-29 décembre 1937), n'hésitant pas à ériger en argument théorique les limites du développement économique du XVIIIe siècle, il déclare : « Nous devons même replacer la question fondamentale de la révolution démocratique bourgeoise, la question de la propriété, dans le cadre de l'époque, alors qu'elle signifiait pour beaucoup le droit à la "propriété individuelle". Les paysans de France s'emparaient des terres des féodaux. Les artisans du faubourg Saint-Antoine rasaient la Bastille, après l'avoir prise d'assaut, pour s'assurer la possession de leur modeste atelier. En tout cas, brisant le vieux moule féodal, libérant les forces productives, la Révolution plaçait au premier plan la protection de la petite propriété, que le grand capital a, depuis, ruinée et expropriée peu à peu[6]. »

Ce texte est extrait du passage du rapport dans lequel le secrétaire général du PCF, après avoir évoqué la proximité du cent-cinquantenaire de « la Grande Révolution », déclarait « se permettre d'apporter au nom [de son] parti une première contribution communiste à la préparation politique de cette glorieuse commémoration[7] ». On est effectivement frappé à la lecture de cette « contribution » par l'étendue de la dette que le marxisme-léninisme tel que Staline est en train de le « développer » a contractée à l'égard de la Révolution française. Celle-ci apparaît véritablement comme la pierre

6. Maurice THOREZ, *op. cit.*, p. 149.
7. ID., *ibid.*, p. 146.

d'angle de la théorie des « stades nécessaires du développement de la société » et de la « loi de correspondance nécessaire entre sa base économique et sa superstructure idéologico-politique » chère à ce marxisme-là. « La Révolution française, détruisant le féodalisme, donnant à la bourgeoisie la place dominante dans la société, a été une étape historique du progrès social et du progrès de la conscience. Libérant la bourgeoisie, elle a créé les conditions pour la libération de la classe ouvrière. Le développement de la puissance de la bourgeoisie, c'est aussi le développement du prolétariat [8]. »

L'enchaînement des causes et des effets vers un but préexistant apparaît si implacable dans cette vision de l'histoire fondée sur l'impulsion initiale de 1789 qu'elle laisse l'impression, pour reprendre une expression d'Aragon, que « l'avenir a déjà eu lieu ». Il ne peut manquer d'arriver ce qui logiquement doit arriver. Les faits qu'accumule incessamment le présent n'ont d'autre endroit où loger que celui que leur a assigné le sens de l'histoire. Ils peuvent retarder ou accélérer l'accouchement de celle-ci, mais pas l'empêcher.

1789, source d'une nouvelle identité communiste

Cette conception très nationale, chauvine même, du marxisme, ce matérialisme historique à la française, ne sont finalement pas éloignés de l'idée de progrès telle qu'elle fut diffusée par l'école de la IIIe République. En effet, que retenait l'élève, à la sortie de l'école primaire, son certificat d'études en poche ? Sinon que le « big-bang » de 1789, fracture entre un « avant » et un « après », entre la nuit de l'Ancien Régime et une République couleur d'aurore, avait ouvert les vannes du progrès et inscrit sa vie de petit Français dans une histoire montante, appelée étape après étape à enrichir la civilisation de bienfaits nouveaux ?

La facilité avec laquelle peuvent s'emboîter la Révolution française, le marxisme-léninisme et l'un des traits de la tradition scolaire de la IIIe République découle d'une

8. Maurice THOREZ, *op. cit.*, p. 148.

caractéristique de 1789 mise en évidence par Tocqueville. « Les Français, écrit-il, ont fait en 1789 le plus grand effort auquel se soit jamais livré aucun peuple afin de couper pour ainsi dire en deux leur destinée, et de séparer par un abîme ce qu'ils avaient été jusque-là de ce qu'ils voulaient être désormais[9]. » Cet « effort » a été tel et ses traces sont restées à ce point vivaces qu'ils ont pu fournir les fondements d'une théorie. Cette volonté de « coupure » aux dimensions d'un « abîme » entre un « avant » et un « après », sans équivalent dans les autres pays ayant accompli leur révolution démocratique, a fait de la Révolution française le modèle de toute révolution et a nourri les utopies modernes. On la retrouve à l'origine de certaines notions de la théorie marxiste (ou supposée telle) comme celle du « développement de l'inférieur au supérieur » des modes de production, de la « loi » du « progrès par bonds » ou du « rôle d'avant-garde du parti ». Maurice Thorez a raison : si « géniaux » qu'ils aient été, Marx, Engels, Lénine et Staline — tels qu'il les voit en tout cas — n'ont fait, d'une certaine manière, que peindre aux couleurs de l'universalité une invention bien française.

Lorsque ces textes thoréziens virent le jour — l'euphorie du Front populaire n'était pas encore retombée —, la direction du PCF justifiait sa stratégie politique et expliquait ses succès par son aptitude à adapter la théorie marxiste-léniniste aux réalités spécifiques de la France. En fait, la démarche était essentiellement franco-française. A mesure que cette adaptation s'opérait, cette théorie elle-même apparut de plus en plus nettement comme une sorte de prolongement actualisé de la Révolution française. Nous l'avons noté à propos du matérialisme philosophique et du problème de la propriété. Mais cela devint vrai aussi de la finalité même de l'action du PCF : le socialisme. Toujours dans sa « contribution au cent-cinquantenaire », Maurice Thorez situa « la démocratie soviétique » dans le droit fil de 1789. « Nous pouvons dire de la démocratie soviétique — qui est la démocratie la plus large parce qu'elle repose sur de nouveaux fondements économiques et sociaux, sur la suppression de l'exploitation de l'homme par l'homme —

9. TOCQUEVILLE, *L'Ancien Régime et la Révolution*, avant-propos, Gallimard, coll. « Idées », p. 43.

qu'elle est le produit et le prolongement de la démocratie, qu'elle est la démocratie poussée jusqu'au bout, jusqu'à sa dernière étape, celle qui précède immédiatement la société communiste parfaite [10]. »

Rappelons que trois ans plus tôt, Maurice Thorez ne distinguait pas de « différence de nature » entre cette « démocratie », il est vrai alors qualifiée de « bourgeoise », et le... fascisme.

En replaçant la « démocratie soviétique » dans la descendante directe de 1789, les communistes français bouclaient la boucle. Ils retrouvaient finalement dans le bolchevisme ce qu'ils lui avaient donné en 1920.

Une identité communiste française s'était formée, lors de l'adhésion à la IIIe Internationale et dans la décennie qui suivit, sur la base de la valorisation du « saut dialectique » d'une révolution à l'autre. Une autre identité va s'y substituer à partir de la valorisation de la continuité entre ces deux révolutions. Plus que jamais, les bolcheviks ne furent rien d'autre que l'appellation contemporaine des jacobins et le marxisme-léninisme un produit de notre terroir. Sur cette lancée, le PCF se réappropria les joyaux symboliques de 1789 devenus les symboles de la République : le drapeau tricolore, *La Marseillaise*, le 14 Juillet.

Cette migration d'un type d'identité à un autre ne se fit pas sans difficultés. Il y eut entre la ligne développée par la direction et la base du Parti un lot non négligeable de retards, de distorsions, d'incompréhensions et d'attitudes de rejet. Dans leur étude sur *Le PCF et la Révolution française dans les Bouches-du-Rhône de 1934 à 1939*, J. Doménichino et M. Iafelice notent qu'à Marseille, lors de la grève des marins, fin juin 1936, il faut l'ordre de François Billoux pour que les marins arborent le drapeau tricolore sur les bateaux occupés [11].

Cependant, les résistances à la nouvelle ligne furent littéralement submergées par l'adhésion que celle-ci rencontrait dans de larges couches de la population restées jusqu'ici à l'écart du PCF. La nouvelle lecture, par sa direction, des enseignements de la Révolution française correspondait

10. Maurice THOREZ, *op. cit.*, p. 155.
11. *La Provence historique*, fascicule 148, Marseille, 1987, p. 262.

infiniment plus à la sensibilité populaire que la précédente. Quelque chose de très profond s'est joué au cours de cette brève période. L'héritage de 1789, réactivé par sa direction et par les attaques dont il était l'objet de la part de la droite et des pays fascistes, s'est, jusqu'à un certain point, emparé du PCF. Autrement dit, plutôt que de ne voir le mouvement que dans un sens et parler seulement de l'aptitude du PCF à capter un héritage, ne faudrait-il pas parler aussi de l'aptitude qu'a manifestée, à ce moment-là, une certaine tradition tout à la fois populaire et républicaine, patriotique et jacobine, à investir ce parti et à l'utiliser pour son propre compte ?

Le PCF s'est toujours voulu, selon sa propre terminologie, un « outil au service de la classe ouvrière, du peuple et de la nation ». Peut-être l'a-t-il été dans cette période plus qu'il ne l'a lui-même soupçonné.

« La populace jacobine au teint foncé »

Tout, en cette période, concourait à donner une sorte de prime à ceux qui se situaient sur l'échiquier politique comme les « meilleurs fils » de la Révolution française. C'est à sa dynamique retrouvée qu'on attribuait les conquêtes du Front populaire. Mais l'héritage de 1789 était également valorisé par les attaques dont il était l'objet de la part des dirigeants et des idéologues du fascisme mussolinien et hitlérien. Celles-ci renforçaient considérablement les raisons de le faire vivre et fructifier.

Dès 1926, Mussolini déclarait : « Nous représentons l'antithèse de tout l'univers des immortels principes de 1789[12]. » Il dépeignait le mouvement fasciste comme une réaction contre « le mouvement des illuminés du XVIIIe siècle et de l'*Encyclopédie*[13] ». Dans son livre *Le Fascisme. Doctrine et institutions*, il affirme que celui-ci « est contre toutes les utopies et les innovations jacobines » et qu'il « se

12. Cité par Maurice THOREZ, *op. cit.*, p. 144.
13. ID., *ibid.*, p. 144.

bat contre tout le complexe des idéologies démocratiques, soit dans leurs prémisses théoriques, soit dans leurs applications pratiques [14] ».

Dans la mise en cause de la Révolution française, comme dans la plupart des autres domaines, l'Allemagne nazie surpassa le fascisme italien. Goebbels, grand maître de sa propagande, fut, dans *Revolution der Deutschen*, on ne peut plus catégorique : « L'an 1789 sera rayé de l'histoire [15]. » Dans *Le Mythe du XXᵉ siècle*, paru en 1930, Alfred Rosenberg, philosophe officiel du IIIᵉ Reich, étaya cette pétition de principe sur des considérations que l'on retrouvera abondamment développées dans l'exposé des théories raciales du nazisme. « [...] Le 14 Juillet, écrit-il, devint le symbole d'une impuissance du caractère. La Révolution française... fut aux environs de 93 purement sanguinaire, foncièrement stérile, faute d'être portée par un grand caractère. Aussi n'a-t-on vu aucun génie s'enthousiasmer pour les girondins et les jacobins, mais seulement des petits-bourgeois enragés, des démagogues vaniteux et ces hyènes des champs de bataille politiques qui dépouillent de leur avoir les hommes abattus. C'est ainsi que la populace jacobine au teint foncé *[sic]* traînait à l'échafaud quiconque avait la taille élancée et les cheveux blonds *[resic]*... La France classique ne fait plus preuve que d'un esprit sans noblesse, d'une dégradation du caractère que le peuple affamé saisit instinctivement, sur quoi il s'associa aux sous-hommes rapaces pour éliminer les dernières têtes. Depuis ce temps, l'homme alpin à métissage méditerranéen apparaît au premier plan [16]. »

Dans ce registre le pire est toujours certain. Il s'épanouit dans une production largement diffusée. Un certain Ewald K.B. Mangold écrit dans un ouvrage tenu pour très important à l'époque, *La France et l'idée de race* : « La Révolution française comme telle est la rébellion de la masse méditerranéo-alpine contre la domination d'une couche nobiliaire et bourgeoise de "führer" dont la race portait une empreinte nordique prédominante [17]. » Citons encore un

---

14. Benito MUSSOLINI, *Le Fascisme. Doctrine et institutions*, Paris, 1933.
15. Cité par Maurice THOREZ, *op. cit.*, p. 145.
16. Cité par Georges COGNIOT, *La Pensée*, n° 2, 1939.
17. ID., *ibid.*

ouvrage de Gerhard Utikal dans lequel la référence à la Révolution française tient lieu de « justification » *a priori* de l'holocauste. Intitulé *Le Meurtre rituel juif*, il s'ouvre sur le fac-similé d'une lettre du Service officiel du Reich pour le développement de la littérature allemande qui le recommande chaleureusement « en tant que premier exposé, vraiment populaire, du meurtre rituel juif [18] ». On peut y lire notamment ceci : « Si l'on parle de meurtres juifs en série, il ne faut pas oublier de mentionner la Révolution française commencée en 1789 par la prise de la Bastille. Elle fut au premier chef l'œuvre de la franc-maçonnerie. Des experts compétents ont eu raison de qualifier la franc-maçonnerie de judaïsme artificiel. Elle a préparé méthodiquement l'émancipation des juifs et veillé à sa réalisation dans tous les pays. Il est certain que les loges sont un produit de l'esprit juif. Les mœurs et les usages de ces institutions sont, en grande partie, empruntés au rite juif et l'installation des locaux en question est une imitation du temple de Jérusalem.

« Les chefs de la Révolution française étaient des francs-maçons ; entre beaucoup d'autres, ne citons que Danton, Robespierre et Marat. Ce dernier était même d'origine juive et toutes ses actions étaient déterminées par ce fait. C'est ainsi que la Révolution française, sinon directement, du moins indirectement, par le truchement des francs-maçons, fut une affaire juive. Si jadis les juifs n'ont pas joué le rôle prépondérant qu'ils devaient assumer plus tard dans toutes les révolutions européennes, ils en ont tiré le plus grand bénéfice. En effet, c'est la Révolution française qui inaugura l'émancipation des juifs et qui fit les premiers pas pour leur assurer l'égalité des droits en Europe. Les massacres des années 1789-1795, par conséquent, ne se firent qu'au profit du judaïsme.

« En dernière analyse, il faut constater que des milliers d'aryens ont été sacrifiés pour donner aux juifs la possibilité d'obtenir la liberté et l'égalité des droits dans tous les États de l'Europe [19]. »

Ces écrits sinistres et imbéciles devinrent, pour une certaine droite, une source d'inspiration et un stimulant. Le nazisme

---

18. *Ibid.*
19. *Ibid.*

montrait dans les faits comment il convenait de liquider les suites du « complot des francs-maçons et des juifs » à quoi cette droite avait assimilé la Révolution et qu'elle voyait renaître chaque fois que le pouvoir s'éloignait d'elle.

Les deux scènes

La Révolution française se retrouva au cœur de l'actualité la plus brûlante par la volonté conjointe des deux camps en présence. Elle était intimement mêlée non seulement aux problèmes intérieurs français, mais son héritage devint l'enjeu de l'affrontement entre la démocratie et le fascisme qui s'engagait à l'échelle internationale. Elle fut plus que jamais, en France et de par le monde, exaltée par les uns et honnie par les autres. Elle déploya en toile de fond des événements politiques quotidiens les espoirs et les craintes qu'elle avait toujours suscités. Jamais ces espoirs et ces craintes ne parurent si près de se réaliser. Pris dans la spirale fantasmatique des surenchères réciproques, les espoirs affichés par les uns contribuaient à faire monter les craintes des autres, lesquelles en retour... et ainsi de suite.

Le Front populaire, l'approche du cent-cinquantenaire aidant, multiplia les emprunts à l'arsenal symbolique de 1789. La célébration du 14 Juillet en 1935 fut l'occasion choisie par les partis de gauche (communiste, socialiste et radical) pour donner toute sa solennité à la prestation d'un serment par lequel ils s'engageaient à rester unis pour la défense des libertés démocratiques et qui fut l'une des étapes importantes de leur victoire électorale un an plus tard. Tout auréolée de cette victoire, encore si proche et vierge de toute désillusion, la commémoration du 14 Juillet en 1936 réalisa une sorte de fusion des temps : celui de l'histoire et celui du présent. Au soir de cette journée on jouait, sur la scène du théâtre de l'Alhambra, une pièce de Romain Rolland, *Le Quatorze Juillet*. Le compte rendu de cette représentation dans l'hebdomadaire de la gauche, *Vendredi*, montre à quel point l'action politique peut être investie par l'histoire et témoigne de la manière dont certains de ses moments forts sont repris dans les moments forts en train de se dérouler. « Le soir du 14 juillet, la foule qui se pressait à l'Alhambra revenait de la Bastille. Elle était une poignée sortie de ce million d'hommes qui, tout le jour, avaient commémoré, coude à coude, cœur à cœur, non seulement 1789, mais 1935, et préparé de nouvelles victoires. Ayant rendu son sens au 14 Juillet, elle venait le soir en entendre le chant du berceau et retrouver ses origines. Elle ne venait pas, comme on va "à la comédie", en quête d'un divertissement, mais pour s'exalter à la recherche d'une émotion grave et belle, pour se voir elle-même vivre, c'est-à-dire pour voir, transfigurés, mais non altérés par l'art, les sentiments essentiels qu'elle éprouve intensément mais qu'elle ne sait pas exprimer... *Cette foule venait pour prendre la Bastille, reconnaître ses premiers chefs et conquérir la liberté* [souligné par moi, *G.B.*]. Ce fut prodigieux. De la salle à la scène, un courant passait, si intense et si continu *que la fiction se trouva abolie, comme les siècles*. Ce n'étaient pas des acteurs qui jouaient un rôle, mais Marat, Desmoulins, Hoche... qui parlaient au peuple de 89, au peuple de la salle. Tout contribuait à créer ce climat commun et chaleureux : le jour, le sujet et l'esprit. La Bastille fut *vraiment* [souligné par l'auteur de l'article] prise, ce soir de 1936. »

Romain Rolland avait délibérément recherché cette abolition de la « fiction » et des « siècles ». Dans ses notes pour la mise en scène de son *Quatorze Juillet*, il écrit, à propos du dernier tableau de cette pièce : « L'objet de ce tableau est de réaliser l'union du public et de l'œuvre, de jeter un pont entre la salle et la scène, de faire d'une action dramatique réellement une action[20]. » Ce pari politico-artistique fut gagné. Comme l'atteste l'article de *Vendredi*, la fiction théâtrale effaça, le temps de sa représentation, non seulement les limites spatiales à l'intérieur du théâtre de l'Alhambra, mais plus encore les limites temporelles. Deux moments séparés par un siècle et demi fusionnaient. Le spectateur « participait » à une « action » qui se déroulait à la fois dans le passé et dans le présent.

On invoquera la « magie du théâtre » et le caractère exceptionnel du moment. Faisons toute la part qui revient à ces deux éléments. Il reste que dans la réalité les choses se

---

20. Sonia FREM, *Le Théâtre de Romain Rolland : dramaturgie du « Théâtre de la Révolution »*, thèse de 3e cycle, Lyon-II, 1981.

passaient un peu comme dans la salle de l'Alhambra. Les ingrédients qui s'étaient agrégés pour donner une intensité particulière à la représentation de la pièce de Romain Rolland étaient présents, de manière diffuse, dans l'air du temps. S'ils n'abolissaient pas les limites temporelles entre l'histoire et le présent, ils les rendaient parfois extrêmement floues. Aussi cette époque laisse-t-elle l'impression que les acteurs des luttes engagées — luttes bien réelles et dont l'enjeu, on en eut la confirmation un peu plus tard, était capital — jouaient, en même temps, une autre pièce, qui se déroulait un siècle et demi plus tôt.

Peu d'époques, semble-t-il, ont comme celle-ci révélé la présence, à l'arrière plan de la scène sur laquelle l'histoire est en train de se faire, d'une autre scène où chacun de ceux qui font cette histoire tient le rôle que lui assigne sa mémoire et ses fantasmes.

La France du Front populaire en tête au hit-parade des révolutions

La volonté du PCF de se réapproprier l'héritage de la Révolution le conduisit parfois jusqu'au mimétisme historique.

Dans son rapport au congrès d'Arles (25-29 décembre 1937), Maurice Thorez expliquait que, si le Front populaire tenait bon face au fascisme intérieur et extérieur, la France redeviendrait ce qu'elle avait été au temps de sa révolution, la nation phare de l'Europe. « C'est une fois de plus, devait-il déclarer, la France démocratique, la France de 1789, devenue la France du Front populaire, qui va guider les peuples de l'Europe dans la voie du progrès, de la liberté et de la paix [21]. »

On remarquera les engendrements successifs, à partir de la souche constituée par 1789 : la France de 1789 *devient* la France du Front populaire, laquelle *devient* (ou redevient) l'avant-garde internationale du progrès. C'était, à l'époque, une démarche inouïe. En effet, toute la stratégie de

21. Maurice THOREZ, *op. cit.*, p. 157.

l'Internationale communiste reposait sur le rôle d'avant-garde de la révolution mondiale attribué à l'Union soviétique. Ce dogme, Maurice Thorez le bouscula au nom de l'héritage de la Révolution française. Comme pour bien se faire entendre, il en appela péremptoirement à Lénine. Dans le rapport cité ci-dessus, il déclara que « Lénine a écrit, dans *L'État et la révolution*, que la France pourrait un jour "se révéler à nouveau comme le pays classique de la lutte des classes, poussée jusqu'au bout. Le Front populaire, dans une certaine mesure, confirme cette prévision" [22] ».

Il est indéniable que la référence à 1789 a contribué, en la circonstance, à asseoir une démarche stratégique des communistes français qui se révéla empreinte d'une grande lucidité politique. Cette référence leur a permis de saisir, plus tôt et beaucoup mieux que beaucoup d'autres, la dimension essentielle du drame que le monde allait connaître. A preuve ces paroles de Maurice Thorez au Congrès d'Arles. Nous sommes, rappelons-le, en 1937. « Le fascisme se déclare lui-même l'antithèse de la démocratie. Donc, c'est contre les idées de 1789, contre les principes de la Déclaration des droits de l'homme et du citoyen que sont partis en guerre les dictateurs de Rome et de Berlin.

« Eh bien ! Il nous plaît à nous, communistes, fils du peuple de France, héritiers de la pensée des matérialistes du XVIIIe siècle, continuateurs de l'action révolutionnaire des jacobins, il nous plaît que la question soit ainsi posée : "DÉMOCRATIE OU FASCISME".

« C'est bien ainsi que, dans la réalité concrète d'aujourd'hui, la question est posée aux prolétaires communistes et socialistes, comme à leurs amis et alliés des autres partis républicains [23]. »

La référence de 1789, telle que les communistes la théorisèrent, comporta, toutefois, un autre versant, négatif celui-ci. Certains des prolongements imaginaires que cette référence donnait aux affrontements politiques du présent ne pouvaient que gêner la réalisation de l'union prônée pour la défense de la démocratie. En effet, cette démocratie, les communistes la déclaraient eux-mêmes, les « enseignements

22. Maurice THOREZ, *op. cit.*, p. 156.
23. *Ibid.*, p. 146.

de 1789 » aidant, grosse du but final qu'ils poursuivaient. Cet effet d'optique fut partagé par nombre de ceux qui voulaient la démocratie mais rejetaient le socialisme des communistes. Il en conduisit beaucoup à voir, comme Maurice Thorez, la Révolution française (ou plutôt une certaine interprétation de celle-ci) à l'origine du Front populaire, puis le socialisme (c'est-à-dire le socialisme soviétique) au bout du Front populaire. Cette projection, en amont et en aval du présent, d'une version dure d'un passé et d'un avenir révolutionnaires fut l'une des causes — elle n'excuse en rien leur aveuglement — qui amenèrent tant de Français à donner dans le piège hitlérien. Ils virent dans Hitler soit un instrument pour en finir avec ce « péril révolutionnaire », soit un péril moindre, et allèrent grossir les rangs de ceux qui, eux, voulaient vraiment abolir le régime républicain. Maurras, une fois de plus, est un bon révélateur des aberrations qu'engendra ce comportement. Dans un article, paru dans *L'Action française* du 11 janvier 1937, on peut lire sous sa signature : « Des lecteurs de *L'Action française*, il n'en est pas un qui ignore ou qui puisse ignorer que l'ennemi numéro un de leur pays est l'Allemagne [...] Après Hitler, ou, qui sait ? avant lui, sur un tout autre plan, il y a un autre ennemi. C'est la République démocratique, le régime électif et parlementaire légalement superposé comme un masque grotesque et répugnant sur l'être réel du pays français. »

La toile de fond que la Révolution française déploya à l'arrière-plan des événements de cette époque comporta une autre conséquence dommageable pour le combat démocratique. Elle contribua, en effet, à faire se perdre dans le désert la voix de ceux qui, à l'occasion des premiers procès de Moscou, demandaient qu'on regardât d'un peu plus près la réalité soviétique. La lucidité à l'égard du stalinisme en prit alors pour trente ans. Le besoin de la gauche de croire que la Révolution russe était la Révolution française réussie, besoin réactivé par la remise en cause de son héritage par le fascisme, fut tel que ce qui se passait réellement en Union soviétique échappa à sa vigilance critique. Pire, ce besoin a nourri la recherche de justifications dans notre histoire, en réponse aux interrogations qui malgré tout parvenaient à se faire jour. Oh ! les ravages que causa alors cette courte phrase de Saint-Just : « Pas de liberté pour les ennemis de la liberté. »

Échos marseillais du cent-cinquantenaire

La dislocation du Front populaire, la rupture de l'unité socialiste-communiste, les accords de Munich — premier grand renversement des alliances qui prélude au suivant, le Pacte germano-soviétique de 1939 — puis la défaite de la République espagnole constituèrent autant d'événements qui vont déplacer peu à peu le centre de gravité de la politique française. Les promesses de 1789 semblaient une nouvelle fois remises à plus tard. La France vivait désormais dans la crainte d'une guerre dont tout laissait présager l'imminence.

C'est dans ce contexte que se prépara le cent-cinquantenaire de la Révolution. Bien qu'ils ne lui prêtent plus le sens dont ils l'avaient revêtu dans l'euphorie du Front populaire, les communistes s'emploient à lui donner beaucoup de faste. Ils avaient toujours conçu cette commémoration dans un but de pédagogie politique destinée à contribuer au développement de leur stratégie. Les conditions ayant changé, ils vont modifier en conséquence le choix des thèmes qu'il conviendra de mettre en avant. Dans l'étude déjà mentionnée sur le PCF dans les Bouches-du-Rhône, les auteurs notent que « les directives données aux secrétaires de rayons responsables dans leur secteur de la préparation des manifestations insistent sur la nécessité de ne pas célébrer la Révolution pour la Révolution, mais de mettre à profit cette célébration pour développer la politique du Parti [...]. De ce fait, les thèmes retenus par les communistes sont très divers et n'abordent que des aspects particuliers de l'événement qui est rarement et presque jamais perçu dans son intégralité [24] ».

A mesure que se précisent les menaces de guerre, l'accent va être mis sur le thème des « émigrés de Coblence qui sont assimilés aux agents du fascisme international. L'armée du peuple est également exaltée au travers des biographies de

24. *La Provence historique, op. cit.*, p. 257.

Viala et d'Estienne de Cadonnet, le tambour d'Arcole[25] ». Le 14 juillet 1939, *Rouge Midi* « consacre un numéro spécial aux guerres révolutionnaires. Dans ce même journal, Bernard Pauriol, son rédacteur en chef, qui sera un martyr de la Résistance, publie un article intitulé "De l'armée nationale à l'invincible armée rouge, une armée de type nouveau". Il établit des analogies entre la situation de la France de 93 et celle de l'Union soviétique en 1939 et justifie Staline et les purges au nom de Robespierre. "On comprend mieux, écrit-il, devant l'œuvre des jacobins, combien le châtiment des traîtres des procès de Moscou, des hommes de Toukhatchevski, a renforcé l'armée rouge". Il ajoute . "En ce qui concerne les calomnies répandues par la haine du fascisme sur l'Armée rouge, nous ne saurions oublier les jugements méprisants des courtisans de Coblence, des fameux généraux du duc de Brunswick, sur l'armée des va-nu-pieds qui devait les battre pendant vingt ans"[26] ».

A trop vouloir relier le présent au passé, à expliquer le premier par le second, on fait se côtoyer le meilleur et le pire.

14 juillet 1939, camp de Gurs (Basses-Pyrénées)

De tous les témoignages recueillis à propos de ce moment au cours duquel les mots « France » et « Révolution française » se sont confondus pour symboliser, au-delà de nos frontières, la liberté, celui de Luis Fernandez, ancien général de l'armée républicaine espagnole, est le plus significatif et le plus émouvant. Le général Luis Fernandez évoque une célébration du 14 Juillet dont le moins qu'on puisse dire est qu'elle est peu banale.

Nous sommes en 1939. La République espagnole est vaincue. Une partie de son armée a trouvé refuge sur le territoire de la France. Une France qui ne l'a pas vraiment aidée, alors que Franco a été soutenu par Hitler et Mussolini, et qui ne lui offre plus maintenant que le secours de ses camps de concentration. Dans l'un de ceux-ci, celui de Gurs (Basses-Pyrénées devenues plus tard Pyrénées-Atlantiques),

25. *Ibid.*
26. *Ibid., loc. cit.*

le 14 juillet 1939, les rescapés alors emprisonnés de l'Armée républicaine et des Brigades internationales décident de célébrer le 150e anniversaire de la Révolution française. Ajoutons que rien dans la situation internationale n'était de nature à fournir aux emprisonnés de Gurs un optimisme que leur interdisait leur état carcéral.

Écoutons le général Luis Fernandez. « Nous avons décidé de commémorer le 14 juillet 1789 parce que c'est l'anniversaire d'une date qui a donné au monde les Droits de l'homme, pour que partout prenne force ce mot d'ordre : *Liberté, Égalité, Fraternité.*

« Ce sont les communistes, organisés à l'intérieur du camp, qui ont lancé l'idée. Un jour les dirigeants de l'organisation ont dit : "Bientôt, c'est le cent-cinquantième anniversaire de la Révolution française et on a décidé de le commémorer nous aussi."

« Tout de go ça a fait un choc, même chez les communistes. C'était quand même des Français qui nous gardaient. Nous étions passés dans des camps de concentration très durs où il y avait une misère terrible, une nourriture catastrophique, des morts tous les jours. Il y avait eu surtout la "non-intervention". La "non-intervention", c'était la France et tout le monde capitaliste. C'était l'Angleterre aussi, mais c'est Blum qui l'a proclamée...

« C'est vrai par contre qu'il y avait eu la participation des Français aux Brigades internationales. Mais, malgré tout, certains n'étaient pas tout à fait convaincus de la nécessité de cette commémoration. Nous avons discuté et nous sommes facilement tombés d'accord.

« Mais après il a fallu expliquer à tous les autres et là il y a eu une discussion. D'autant plus que s'il n'y avait pas d'autre parti organisé dans le camp, il y avait des Espagnols socialistes, anarchistes, républicains sans parti. Quand nous avons commencé à parler de la commémoration, ils ont tout de suite compris que ça venait des communistes et leur premier réflexe a été d'être contre. Ils ont tout de suite sorti la "non-intervention" et la situation dans laquelle on était. Et on remontait à Napoléon. Il a laissé des souvenirs qui ne s'oublient pas facilement.

« Nous, nous avons expliqué que la Révolution française c'est la liberté, la République. Quand on a proclamé la

République en Espagne en 1931, on a manifesté — je me rappelle, moi, j'étais encore un gosse — et qu'est-ce qu'on chantait ? *La Marseillaise.* On chantait aussi l'hymne de Riego qui était l'hymne de la Première République espagnole. Mais on chantait *La Marseillaise* et aussi *Le Chant du départ*, parce que c'était une musique aussi liée à la Révolution française. On chantait bien sûr *L'Internationale*, mais surtout *La Marseillaise.* Donc la République espagnole est venue à l'ombre de la République française et on a tout de suite parlé de *Liberté-Égalité-Fraternité.*

« Nous avons réussi à mobiliser presque tout le camp pour participer à la commémoration. La plus grande partie du programme a été préparée par les internationaux. Parce qu'ils étaient mieux organisés et plus unis. Il y avait à côté du camp un terrain en broussailles qu'il fallait nettoyer et aplanir pour faire un terrain de football et le terrain où la fête allait se dérouler. Les Tchécoslovaques avaient donné l'idée de faire une manifestation d'athlétisme de masse, comme les spartiakades. Eux n'étaient pas assez nombreux, ils ont fait appel à tous.

« Chaque pays prépara aussi une exposition de statues, de dessins, d'objets, exposition qui devait lier la Révolution française et des aspects de l'histoire révolutionnaire de chaque pays. Il s'agissait de montrer que dans chaque pays il y a eu un mouvement révolutionnaire qui était plus ou moins inspiré par la Révolution française. Dans les internationaux, et chez les Espagnols aussi, il y avait de tout, des paysans, des ouvriers... et des artistes. Il y avait un ténor de la Scala de Milan, un chef d'orchestre allemand, des peintres, des sculpteurs, etc. On a fait des choses merveilleuses qu'on a exposées ce jour-là. Chaque nationalité devait apporter sa contribution à la fête. C'était le pavillon de son pays.

« Pendant des semaines, nous avons mobilisé le camp pour préparer tout cela. Même ceux qui étaient contre, comme les anarchistes. Ils ne travaillaient pas et venaient critiquer ceux qui travaillaient. Ils étaient eux aussi mobilisés... de manière négative. Alors, le 14 juillet est arrivé. Il a fait un jour magnifique tandis qu'à Paris il faisait un temps de chien. Nous nous sommes levés de bonne heure. Tout le monde s'était habillé du mieux qu'il avait pu. Tout le monde est allé à la fête. Sauf quelques-uns qui sont sortis ce jour-là en haillons des baraques, plus sales que d'habitude. Ils étaient très peu nombreux. Et même ceux-là ont suivi, après.

« Les chefs militaires français du camp sont venus. Je pense qu'ils avaient peur. Ces milliers de gens mobilisés... D'après ce que je sais, ils n'ont pas fait de difficultés. Mais ils étaient quand même inquiets. Il faut supposer que pendant la préparation ils ont dû surveiller pour voir s'il n'y avait pas quelque chose derrière. L'esprit était extraordinaire. On avait fait un portique avec de la verdure et quand ils sont passés dessous pour rentrer dans le camp on les a applaudis. C'est une chose qu'il faut comprendre. Ce sont nos gardiens qui arrivent et on les applaudit. Bien entendu, ce n'était pas eux qu'on applaudissait, mais la France.

« Il fallait montrer que nous n'étions pas des bandits. Les militaires qui nous gardaient furent très émus quand nous avons chanté *La Marseillaise* tous ensemble, chacun dans sa langue natale. C'était une chose énorme.

« Ce jour-là on avait un peu amélioré l'ordinaire du camp. On a eu droit à un bifteck-frites, un plat de roi. L'exposition a duré quelques jours dans les baraques. Nous avions organisé une "baraque de la culture" en nous serrant un peu. Nous voulions montrer que nous n'étions pas des sauvages et que c'était dommage que nous soyons emprisonnés.

« Comme récompense, huit jour après, la direction du camp nous a autorisés à regarder passer le Tour de France au-delà des barbelés. »

Un mois et demi après le passage du Tour de France à Gurs, la Seconde Guerre mondiale débutait.

11

La « révolution nationale » de Vichy contre la Révolution française 1789 dans la Résistance

> 1792-1943 : La patrie en danger
> Pour sauver la France
> Comme nos grands aïeux
> Les volontaires de la levée en masse
> Parisiens aux armes !
>
> Tract des Francs-Tireurs et Partisans français.

La Seconde Guerre mondiale commença de manière on ne peut plus catastrophique pour le « pays de 89 ». Il s'effondra en quelques semaines au printemps de 1940. Une large portion de son territoire passa sous la domination de cette Allemagne nazie dont on sait les sentiments qu'elle nourrissait à l'égard de la Révolution française. Dans l'autre partie, celle demeurée « libre », Pétain installa son pouvoir à Vichy et mit en œuvre une « Révolution nationale » dont les objectifs tendaient à liquider des pans entiers de l'héritage de 1789.

Le « socialisme des imbéciles »

Les propos de Goebbels sur la volonté des nazis de « rayer 1789 de l'histoire » n'étaient pas des paroles en l'air. Ceux-ci crurent l'objectif en passe d'être atteint avec la défaite militaire qu'ils venaient d'infliger à la France. Quelques mois après l'armistice, le *Reichsleiter* Alfred Rosenberg, « mandataire du Führer pour la haute surveillance de l'ensemble du travail de formation et d'éducation idéologique dans le Parti national-socialiste d'Allemagne [1] », vint en personne à Paris pour un tranchant et définitif « règlement de comptes avec les idées de 1789 ». C'est sous ce titre que parut, dans la *Deutsche Zeitung in Frankreich*, la conférence qu'il prononça le 28 novembre 1940 dans l'hémicycle de la Chambre des députés. Il eût été difficile de choisir un lieu plus symbolique ! *Le Matin de Paris* publia le lendemain de larges extraits de cette conférence, sous un titre un peu moins provocateur mais infiniment plus démagogique, « M. Rosenberg exalte la révolution nationale-socialiste, véritable révolution mondiale du XXᵉ siècle ». Peut-être *Le Matin* avait-il voulu ménager ceux des fascistes français — il y en eut — qui se réclamaient de 1789.

L'exposé de Rosenberg ne constituait pas une simple reprise du *Mythe du XXᵉ siècle* évoqué précédemment. A Paris, en cette fin de l'an 1940, Rosenberg tenta de se faire plus habile. Il « gauchit » considérablement son discours pour aboutir à la conclusion que la « vraie » révolution c'était celle qu'accomplissaient les nazis. Cette démarche nous donne un traité parfait du « socialisme des imbéciles », selon l'expression employée par le dirigeant socialiste allemand August Bebel, pour dénoncer un antisémitisme prétendument de gauche.

Dans son discours parisien, Rosenberg ne s'en prit pas à 1789 mais « aux idées de 1789 ». Il y a là plus qu'une nuance. « L'orateur, écrit *Le Matin*, souligne le fait que la Révolution française était un soulèvement justifié. » Mais (c'est « l'orateur » qui parle) : « Les mots d'ordre qui ont accompagné ce grand bouleversement n'ont pas servi, nous

---

1. *Politzer contre le nazisme, écrits clandestins, février 1941*, Messidor-Éditions Sociales, Paris, 1984.

en sommes convaincus, les grandes et véritables forces de la vie ; ils ont amené les hommes à des conceptions fantaisistes, étrangères à la vie réelle, ils ont détaché l'individu du vieux sol natal, ils ont surestimé les constructions intellectuelles, ils ont amené le peuple, par cette évolution étrangère à la vie, à abandonner son sang en admettant un peuple parasite de Palestine. »

Le « sol natal », la « vie réelle », le « sang », les « constructions intellectuelles », décidément le racisme est tel qu'en lui-même...

Mais n'allons pas trop vite en besogne. Il importe, pour mesurer toute la portée de la « construction intellectuelle » de Rosenberg, d'en relater pas à pas la progression.

Première conséquence des « idées de 1789 » : « La destruction des règlements anciens et la liberté complète de l'individu en matière économique ont rendu possible cette époque capitaliste qui approche de sa fin en une catastrophe terrible pour les peuples. C'est elle qui a proclamé l'usage de l'or comme base de toute la vie sociale, économique et politique. » Deuxième conséquence : l'émancipation des Juifs exigée, et obtenue de la Constituante, par « un doctrinaire, non sans l'influence des fournisseurs juifs de l'armée royale ».

Le résultat de la conjonction de ces deux conséquences ? « [...] Au XIXe siècle, l'épanouissement des Juifs qui ont saisi le pouvoir financier, économique et politique. Tout cela n'était que la conséquence de la doctrine néfaste qui a confondu les différentes convictions au sein d'un peuple uni avec la tolérance envers un adversaire de tous les instincts populaires de l'Europe. » Versons ces idées au débat sur le code de la nationalité.

La Première Guerre mondiale, en vertu de la lecture bien particulière de l'histoire qui est celle de Rosenberg, découle directement des idées de 1789. Paris, explique-t-il, « devenu le bastion de la juiverie et de la maçonnerie », joua un rôle déterminant dans le « complot de la haute finance et des bourses des démocraties dans le monde contre le peuple allemand en 1914 ». Mais « l'or et ses serviteurs qui avaient commencé en 1914 une guerre mondiale contre les forces vitales qui existaient encore, afin de les réduire également en esclavage, n'avaient remporté qu'une victoire factice. Les véritables forces du sang se sont révoltées contre cet odieux abaissement des forces vitales. Aujourd'hui, enfin, le sang est victorieux, c'est-à-dire la force raciste et créatrice de l'Europe centrale. Il est victorieux sur toutes les forces qui exploitaient les peuples et qui rêvaient de pouvoir s'étendre sur tout le continent ».

Ce fut donc en libérateur que se présenta Rosenberg. « L'époque de 1789 touche à sa fin. Elle a été vaincue sur les champs de bataille des Flandres, du Nord de la France et de Lorraine, cette époque qui, bien que pourrie, voulait encore déterminer le destin de l'Europe [...], les Français [...] avoueront un jour, s'ils sont honnêtes, que [...] l'Allemagne a libéré le peuple français de ses parasites dont il ne pouvait plus se défaire par ses propres moyens. »

1789 entre en Résistance

Le discours de Rosenberg doit être replacé dans son contexte. L'Allemagne n'a pas encore attaqué l'URSS. Sa propagande s'efforce d'écouler sur le marché français une image accorte. Le soldat allemand est « correct ». Sur d'immenses affiches, il tend une main secourable à des populations désemparées par la défaite, invitées à lui « faire confiance ». Hitler sait qu'il devra, pour la poursuite de son entreprise de domination mondiale, mettre la France en coupe réglée. Aucun effort n'est épargné pour que la victime résiste le moins possible. La rentabilité des investissements dans la séduction idéologique est incomparable.

Or, il ne peut oublier que cette victime est celle-là même qui, quatre ans plus tôt, a majoritairement voté pour le Front populaire. La résurgence des idées de 1789, concomitante de cet événement, est donc loin d'être éteinte. Il y a toujours un fumet de 1789 dans l'air que les Allemands respirent à Paris.

C'est en s'affirmant plus révolutionnaires que les descendants de la Révolution française que les nazis vont tenter d'exorciser ses démons. Ils vont, à peu près, leur tenir ce langage : Vous avez voulu, au nom de 1789, en finir avec le règne du capital ? Non seulement c'est maintenant chose faite chez nous, mais nous sommes venus ici, chez vous, pour accomplir cette grande œuvre de salubrité publique.

L'entente temporaire de l'Allemagne hitlérienne avec la Russie de Staline accorde un ultime répit à son imposture anticapitaliste. Certains vont donner dans le panneau. L'échoppe du fascisme à la française est suffisamment bien approvisionnée pour qu'un certain type de révolutionnaires, imbus de l'héritage de 1789 mais souvent perclus de déceptions, croient y trouver chaussure à leur pied. Elle ne fit cependant que peu d'affaires avec les communistes. La plupart de ceux qui se laissèrent tenter avaient entrepris leur mue dans les années d'avant-guerre.

Ainsi, avant même le tournant que représenta pour la stratégie de la direction du PCF l'entrée en guerre de l'Allemagne contre l'Union soviétique et malgré les énormes confusions du moment, nombre de militants furent intellectuellement, et pour certains pratiquement, en position de combat contre l'occupant et ses alliés français. Cette première résistance communiste avait surgi sur la lancée de la politique du Parti telle qu'elle culmina avec le Front populaire, puis le rejet des accords de Munich. Elle était sous-tendue par l'agrégation, opérée par Maurice Thorez, d'une certaine lecture de 1789, de l'analyse du fascisme et de la finalité du socialisme. Elle coexistait avec l'attitude pour le moins ambiguë de la direction du Parti qui découlait de l'appréciation de l'Internationale communiste sur la nature du conflit en cours. L'Internationale ne définissait pas ce conflit comme l'affrontement mondial entre le fascisme et la démocratie tel que l'avait entrevu Maurice Thorez dans les années 1936-1937, mais comme le résultat d'une opposition d'intérêts égoïstes entre deux impérialismes rivaux et également condamnables. Elle retombait dans la sous-estimation du rôle des acquis démocratiques issus des révolutions bourgeoises, sous-estimation qui déjà l'avait conduite à d'énormes erreurs stratégiques lors de l'instauration des régimes fascistes.

Les deux réponses que fit Georges Politzer au discours de Rosenberg resteront comme des textes capitaux de cette première résistance communiste. Il est hautement significatif que la Révolution française se retrouve au centre de son argumentation, tout comme elle avait été au centre de l'argumentation du PCF au temps du Front populaire. Georges Politzer avait alors 38 ans. C'était un brillant philosophe marxiste, membre du PCF au sein duquel il déployait une grande activité. Il répliqua à Rosenberg, sous le pseudonyme de Rameau, dans un article intitulé « L'obscurantisme au XXe siècle » que publia le numéro de février 1941 de *La Pensée libre*, organe évidemment clandestin, et développa plus longuement le contenu de cet article dans une brochure, elle aussi diffusée clandestinement, qui parut sous le titre *Révolution et contre-révolution au XXe siècle, réponse à « Or et sang » de M. Rosenberg*[2].

Ces deux textes réfutaient les thèses de Rosenberg de manière extrêmement serrée et brillante. Politzer leur opposait le rationalisme de la tradition philosophique française de Descartes aux Lumières. Il exaltait la portée historique de la Révolution de 1789, sa confiance dans la victoire des peuples et sa foi dans l'Union soviétique et le triomphe du communisme. Ces textes constituèrent, à l'époque, la seule réfutation de l'exposé des théories raciales du nazisme dont venait de retentir l'enceinte du Palais-Bourbon.

Georges Politzer a été fusillé par les Allemands en mai 1942. Alfred Rosenberg a été pendu en 1946 à la suite de sa condamnation pour crimes de guerre par le tribunal de Nuremberg.

Scènes pagnolesques de la chasse aux symboles

Vichy, de son côté, avait entrepris dès juin 1940 son propre « règlement de comptes avec 1789 ». L'« État français » se substitua à la République et la devise « Travail, Famille, Patrie » remplaça le triptyque républicain *Liberté, Égalité, Fraternité*. De proche en proche, l'essentiel de l'héritage de la Révolution fut remis en cause par ceux qui l'avaient toujours combattu et à qui la défaite donnait l'occasion d'une revanche inespérée.

2. Ces deux textes figurent, avec un avant-propos de Claude Mazauric et une présentation de Roger Bourderon, dans *Politzer contre le nazisme..., op. cit.*

Si les hommes de *L'Action française* contribuèrent beaucoup à façonner les orientations institutionnelles et idéologiques de cet « État français » lors de ses premiers pas, ceux qui en détenaient les leviers de commande ne firent pas de la restauration de la monarchie leur objectif. Tout au plus, le prétendant au trône se vit-il offrir par Laval le poste de... ministre du Ravitaillement.

« État Français » : l'appellation est on ne peut plus neutre. Elle tranche avec la tradition française de définir le type de l'État en place : royaume, république, empire. En la circonstance, la précision était difficile. L'« État français » recouvrait un jeu complexe de forces sociales et politiques composites et se nourrissait de pas mal d'ambiguïtés. La « Révolution nationale », grâce à laquelle le pétainisme ambitionnait de transformer le pays en profondeur, n'était, comme l'a écrit René Rémond, que « l'autre nom de la contre-révolution [3] », mais celle-ci dut s'avancer avec prudence et en rusant constamment. Le pétainisme chercha naturellement à exploiter toutes les possibilités régressives qu'offrait la conjoncture mais dut veiller au rythme et aux formes de la répudiation de l'héritage de 1789 pour ne pas provoquer un phénomène de rejet. Comme l'écrit Robert O. Paxton à propos de la situation qui s'est créée au lendemain de 1940, « la France a été suffisamment ébranlée pour rejeter la République, mais non pas assez pour vouloir la remplacer par un régime n'ayant aucune racine dans son histoire. Vichy est donc plus traditionnel que fasciste ; il n'en revient pas pour autant à l'Ancien Régime. La "Révolution nationale" est plus proche du libéralisme éclairé du XIXe siècle que de la Restauration [4] ».

Le régime de Vichy n'a pas, comme l'a prétendu une certaine bonne conscience française, pour unique source la violence faite à un peuple. Il a pu longtemps se prévaloir du consentement de ce dernier. S'il lui fut néanmoins possible de prendre pour cible les valeurs républicaines, ce fut en raison de la faiblesse de leur cours à un moment exceptionnel de notre histoire. Alors que la victoire de 1918 avait rejailli sur la République, celle-ci se vit imputer la défaite qui venait

---

3. René Rémond, *Les Droites en France*, Aubier, Paris, 1982, p. 235.
4. Robert O. Paxton, *La France de Vichy, 1940-1944*, Seuil, Paris, 1972, p. 223.

de se produire. Mais une chose était d'en finir avec le régime républicain, une autre d'en finir avec toute influence des valeurs républicaines dans l'opinion. Nombre d'indices attestaient qu'elles couvaient sous la cendre. Les hommes de Vichy le savaient qui souvent, sur le terrain, firent preuve de démagogie et de souplesse.

L'étude de Jean-Marie Guillon intitulée *Révolution française et luttes politiques dans le Var des années 40*[5] met en évidence, au travers d'une anecdote, la complexité de la situation dans la France de Vichy. L'auteur montre comment le pouvoir pétainiste mena l'offensive, surtout à partir de 1941, pour effacer jusque dans les plus petits villages les symboles de la République (celle-ci est alors dénommée... l'« ancien régime ») : noms de rues et de places, bustes de Marianne, devises inscrites aux frontons des édifices publics, etc.

Il décrit aussi les difficultés auxquelles se heurta cette entreprise, non seulement dans les localités du « Var rouge », mais également dans des communes de droite et dans celles où la municipalité venait d'être nommée par les autorités vichyssoises. Les symboles de la République « résistèrent » beaucoup plus que ne l'escomptait le pouvoir de Vichy. Plus d'une fois il dut temporiser, fermer les yeux ou se contenter de résultats partiels. Lorsque la situation se durcit, à partir de 1943, et que ce qui restait de ces symboles devint insupportable aux yeux de ses éléments les plus durs, leur élimination provoqua des réactions populaires qui montrent la profondeur de l'attachement dont ils étaient l'objet. Ces réactions soulignent également l'étendue des illusions « républicaines » que Vichy, par sa rouerie, était parvenu à entretenir. Les incidents de 1943 dans le Var, en raison de leur caractère modeste, dérisoire même si l'on songe que le combat pour la liberté met alors le monde à feu et à sang, illustrent l'importance de la place que tiennent les enjeux symboliques dans les affrontements politiques.

A partir de l'automne 1940, chaque commune ou presque eut sa « place Maréchal-Pétain », laquelle souvent remplaça la « place de la République ». Mais Jean-Marie Guillon note

5. Jean-Marie GUILLON, « Du refoulement à la réinvention, la Révolution dans le Var des années 40 », in *La Provence historique, op. cit.*

des cas de « cohabitation » : « A Cadasse, il y a allégeance au maréchal mais pas au régime. La place principale du village reste la place de la République. Le maréchal n'a droit qu'à une place annexe. » Les rues glorifiant la Révolution sont débaptisées. Robespierre naturellement passe à la trappe, mais aussi Danton, la Convention et... Jean-Jacques Rousseau. Hoche est le seul héros révolutionnaire promu : il donne son nom à une rue de La Seyne.

Malgré la chasse qui lui était faite, la symbolique républicaine demeurait encore suffisamment présente pour que la milice jugeât nécessaire d'entreprendre, en 1943, une nouvelle offensive contre ce qui en subsistait. Elle part en campagne pour briser les bustes de Marianne qui trônent encore insolemment dans beaucoup de mairies. Légalement, ils auraient dû être remplacés par le portrait du maréchal. « Premier village attaqué, Roquebrune-sur-Argens, le 29 janvier 1943. Le chef de la milice, médecin issu de L'Action française, pénètre dans la mairie avec ses hommes et s'empare des deux bustes de la République et de la photo d'Albert Lebrun qu'ils remplacent par la photo du maréchal. Le tout est emporté au bord de la rivière Argens et jeté soit dans cette rivière, soit dans les latrines. La réaction de la municipalité est immédiate. Dès le lendemain, la majorité, le maire en tête, démissionne. Or, cette municipalité a été nommée par l'État français en juin 1940, en remplacement d'un conseil municipal socialiste [...]. Cette même municipalité, pourtant vichyssoise, s'est refusée à mettre au fronton de la mairie "Travail, Famille, Patrie" comme le réclamait le chef milicien qui était aussi conseiller municipal depuis longtemps [...]. A Villecroze le rejet est encore plus immédiat. Là c'est un autre médecin, chef milicien, qui entreprend un raid de représailles car le balayeur municipal a gratté les affichettes miliciennes collées sur le buste de la République qui orne la fontaine et a inscrit : "Vive la République." Les miliciens arrivent avec marteaux et burins et se mettent à desceller le buste. C'est le jour de Pâques et les hommes jouent aux boules. Ces hommes se rassemblent et les prennent à partie. C'est une tragi-comédie que vous pouvez imaginer. Des coups, des boules fusent. Le chef milicien dégaine son arme. Un conseiller municipal se découvre la poitrine en criant : "Si tu n'es pas un lâche, tire sur un vieux combattant de 14-18.'' Et Émile Léonard, un journalier de 57 ans, qui jouait aux cartes et a entendu les cris : ''On vole la Marianne'', s'approche de la camionnette (qui d'ailleurs est de marque italienne, ce qui ajoute à la provocation) et au moment où elle démarre il s'empare du buste, l'emmène chez lui avant bien entendu de le restituer à la commune. »

Le 14 juillet à l'origine de la première action armée

La Résistance s'employa à exploiter les possibilités de mobilisation contre l'occupant que recelait l'attachement aux symboles révolutionnaires et républicains.

La première action armée de la résistance intérieure contre un militaire allemand s'inscrivit dans le prolongement de la célébration du 14 juillet 1941. Ce jour-là, les jeunes communistes avaient décidé de manifester à la station de métro Strasbourg-Saint-Denis. Mais la foule ne fut pas au rendez-vous et deux d'entre eux, Tyszelman et Gautherot, furent arrêtés. Ils seront fusillés le 19 août. En réponse à cette exécution, deux jours plus tard, le futur colonel Fabien tua de deux balles de revolver un officier de marine allemand, l'aspirant Moser, sur le quai du métro Barbès.

L'année suivante, le 14 juillet 1942, *L'Humanité* clandestine fit référence en ces termes à la prise de la Bastille : « Le 14 juillet 1789 le Peuple de Paris abattit la Bastille. La Révolution française allait détruire le vieil ordre féodal, repousser l'invasion étrangère et proclamer les DROITS DE L'HOMME ET DU CITOYEN. En ce 14 juillet 1942, la France est couverte de Bastilles. Des centaines de milliers de patriotes sont emprisonnés. Chaque jour, les boches fusillent des otages. COMME NOS PÈRES DE LA GRANDE RÉVOLUTION FRANÇAISE, NOUS DEVONS ABATTRE LES BASTILLES ET CHASSER L'ENNEMI DU SOL DE LA PATRIE. Que cette volonté nous anime et guide nos actions. FRANÇAIS ! Le 14 juillet 1942 doit être une journée de manifestations contre les oppresseurs de la France et leurs valets, une journée d'union de tous les patriotes. POUR LA LUTTE ET LA VICTOIRE, LE 14 JUILLET 1942, arborez les couleurs nationales ; défilez devant les statues de la République et devant les mairies en chantant ''La Marseillaise" et "Le Chant du départ". VIVE LA FRANCE ! VIVE LA RÉPUBLIQUE ! »

Mais la Résistance accorda au moins autant d'attention à une autre date : le 20 septembre, anniversaire de la bataille de Valmy. La valeur symbolique de sa célébration ne le céda en rien à celle du 14 juillet. Citons à titre d'exemple le numéro d'octobre 1943 du *Front national* (« organe de liaison du Comité directeur du Front national pour la libération de la France ») qui publia ce « communiqué supplémentaire des Francs-Tireurs et Partisans français, n° 43 » : « Pour commémorer le 151ᵉ anniversaire de la victoire de Valmy en rattachant leur lutte nationale aux grands exemples de la Révolution française, les Francs-Tireurs et Partisans français ont, les 20 et 21 septembre, accompli une série d'opérations importantes contre le réseau de voies ferrées et le matériel ferroviaire dont l'ennemi accuse une pénurie croissante [...]. Le 19 septembre à Fourmies (Nord) déraillement d'un train de minerai, gros dégâts [...]. Le 20 septembre destruction de la grue de relevage, etc. » Pour le 150ᵉ anniversaire, un an plus tôt, l'appel suivant avait circulé dans la capitale : « Le 20 septembre 1792, les soldats de la Révolution française battirent les hordes de Brunswick à Valmy. Le 20 septembre 1942, à 18 heures 30, place de la République, tous les Français manifesteront contre les hordes de Hitler. » Valmy fut également le nom de baptême choisi par de nombreux groupes de résistants. Le numéro du 10 mai 1943 du journal *Le Franc-Tireur parisien*, « édité par le Comité militaire du Grand Paris », signalait cette « action de l'unité Valmy : en plein quartier de l'École militaire un engin explose au passage d'un détachement boche qui se trouve immédiatement amputé de quelques membres ».

Sous le signe de Valmy

Cette valorisation de l'anniversaire de Valmy obéissait à des considérations tactiques évidentes. Pour la résistance intérieure animée par les communistes, Valmy représentait, plus encore que la prise de la Bastille, ce qui était le plus à même de servir ses objectifs de l'heure. Le 14 juillet 1789 mettait aux prises des Français et son enjeu était politique.

La bataille de Valmy, elle, se livrait contre l'ennemi extérieur et, à ce titre, incarnait le patriotisme. Commodité supplémentaire, il se trouvait que cet ennemi était toujours le même : le « Prussien », devenu entre-temps le « Boche ». Quant aux Français, ils étaient censés, encore et toujours, se répartir en deux camps : d'un côté, une « poignée de traîtres à la patrie » (les « collabos » avaient pris le relais des « émigrés de Coblence ») ; de l'autre, une immense majorité dressée unanimement contre l'envahisseur. La leçon de l'histoire demeurait, intacte. Il n'y avait rien à y changer pour qu'elle dictât toujours aussi lumineusement son devoir patriotique à chaque citoyen. Au prix, il est vrai, d'une impasse de taille sur les ambiguïtés de l'attitude populaire à l'égard du régime de Vichy...

Pour le PCF, Valmy constituait un archétype historique idéal. Le caractère révolutionnaire de Valmy justifiait qu'il s'en emparât et sa dimension éminemment patriotique donnait à penser qu'au XXe comme au XVIIIe siècle les révolutionnaires étaient les plus ardents patriotes. Valmy, c'était l'image choc qui devait contribuer, avec quelques autres, à raviver et à rassembler les fragments épars et contradictoires de la mémoire patriotique, comme en témoigne cet appel du PCF intitulé « Hors de France les occupants », publié dans *L'Humanité* du 15 mai 1942. On peut y lire, sous le sous-titre « Dans la tradition de Jeanne d'Arc et des soldats de Valmy » : « C'est seulement par la force que nous viendrons à bout des barbares et nous devons tous ensemble, Français et Françaises, leur porter des coups de plus en plus durs et intensifier la guerre sainte de libération. En luttant contre Hitler et Laval [notons le silence sur Pétain] et pour les chasser, l'un du pouvoir, l'autre du sol de notre pays, les patriotes français, qu'ils soient catholiques, protestants ou athées, communistes ou républicains, paysans ou ouvriers, intellectuels ou boutiquiers, jeunes ou vieux, renouent la tradition glorieuse de la France de Jeanne d'Arc, de la France de Valmy, de la France des Francs-Tireurs et patriotes de 1870-1871, ils renouent la tradition glorieuse des soldats victorieux de 1914-1918, et ils prolongent le combat des soldats de 1939-1940 qui, malgré la trahison, défendirent l'honneur français. »

En mai 1968, le mot d'ordre « CRS-SS » visait à retirer

symboliquement la Résistance à de Gaulle pour la mettre du côté des étudiants contestataires. Avec Valmy et la suite de « hauts faits » que, par une sorte de contagion patriotique, l'évocation de cette bataille visait à faire resurgir dans la mémoire collective, on voulait retirer à Pétain Jeanne d'Arc, objet de l'une des fêtes officielles du régime de Vichy, et 1914-1918, propriété jugée abusive du « vainqueur de Verdun ». En histoire, les successions sont l'enjeu de batailles toujours recommencées entre héritiers présomptifs.

Le besoin de légitimité

A quelques semaines de la Libération, Jacques Duclos, secrétaire du PCF, prit soin, dans un article que publia *L'Humanité* clandestine et qui entrait dans le cadre de la préparation directe de l'insurrection, de faire référence une fois de plus et longuement à la Révolution. Il établit un parallèle entre 1944 et 1793 qui le conduisit à reproduire le célèbre décret de la Convention sur la levée en masse : « C'est le moment, écrit-il, pour tous les Français de rappeler le décret voté le 25 août 1793 par la Convention nationale sur la proposition de son Comité de salut public, décret qui débutait ainsi :

« "Dès ce moment jusqu'à celui où les ennemis auront été chassés du territoire de la République, tous les Français sont en réquisition permanente pour le service des armées. Les jeunes gens iront au combat, les hommes mariés forgeront des armes et transporteront des subsistances, leurs femmes feront des tentes, des habits et serviront dans les hôpitaux, les enfants mettront les vieux linges en charpie, les vieillards se feront transporter sur les places publiques pour exciter le courage des guerriers, la haine des rois et l'unité de la République."

« Aujourd'hui, comme en 1793, tous les Français doivent se considérer comme mobilisés, tous doivent participer au combat libérateur en se donnant tout entiers à la cause de la délivrance de la patrie. »

On peut penser qu'un journal clandestin ne disposant que d'une surface réduite aurait été plus efficace en diffusant des consignes d'action mieux adaptées à la guerre moderne et à la situation de la France en 1944. Mais comment juger maintenant de la façon dont fut reçu, à l'époque, cet article dont la référence emphatique à 1793 paraît anachronique ? Le plus important n'était-il pas la légitimité qu'il conférait à un appel au soulèvement populaire que la situation, à elle seule, justifiait pourtant cent fois ? Ce texte rappelle qu'aucune subversion de l'ordre établi, fût-il le plus détestable et le plus dépourvu de légitimité, ne saurait éviter de se poser le problème de son rapport à la loi et faire l'économie de sa justification. A cet égard, le décret de la Convention était pain bénit. Il bénéficiait d'une double caution symbolique : celle de l'instance qui l'avait promulgué et qui exprimait alors la souveraineté du peuple et, surtout, celle de l'histoire. Constatons une fois de plus cette sorte d'extrême prudence dont l'histoire entoure chacun de ses pas. Ses acteurs donnent souvent l'impression que la grandeur d'un moment est moins fonction de sa qualité intrinsèque que de son identification à un glorieux antécédent.

De Versailles 1790 à Saint-Cloud 1944

Si le 14 Juillet et surtout Valmy furent les références les plus fréquentes et les plus lourdes de sens empruntées par la Résistance à la Révolution, cette dernière fut présente sous de multiples autres formes. Hoche et Viala, Carnot et Kellermann furent des noms emblématiques fréquemment adoptés par les groupes de résistants. Barra, pour sa part, fut plus spécialement l'apanage de ceux constitués par des jeunes. Quant à Marceau, ce fut l'un des pseudonymes les plus courus des officiers FTPF et FFI.

Les tracts et journaux clandestins furent parsemés de paroles patriotiques empruntées aux grands hommes de la Révolution. C'est ainsi que l'on trouve, par exemple, dans le numéro 25 de février 1944 de *Défense de la France*, « organe du Mouvement de libération nationale », cette phrase de Saint-Just : « Les circonstances ne sont difficiles que pour ceux qui reculent devant le tombeau. » Parfois, les références passèrent par l'adaptation d'anecdotes tirées de l'histoire de la Révolution. Dans *Le Populaire*, « organe du Parti socialiste », daté du 15 mars 1944, on pouvait lire, sous le titre « De Versailles 90 à Saint-Cloud 44 » : « En 1790, Marie-Antoinette dit, en parlant du peuple affamé : "S'ils n'ont pas de pain, qu'ils mangent de la brioche." Au conseil municipal de Saint-Cloud, le Dr Débat, multimillionnaire, industriel en drogues pharmaceutiques, éminence grise de la mairie, dit en parlant du peuple affamé : "S'ils n'ont rien à manger, qu'ils aillent au restaurant." Le peuple affamé a guillotiné Marie-Antoinette. Que fera-t-il du Dr Débat ? »

12

De la révolution aux Droits de l'homme
Le déplacement des enjeux

« La liberté, l'égalité et le respect des autres, refus des exclusions, qu'on nomme aussi fraternité, n'ont pas fini d'entretenir l'espérance des hommes. »

François MITTERRAND au soir de sa réélection, 8 mai 1988.

Presque un demi-siècle se sera écoulé entre la fin de la Seconde Guerre mondiale et le bicentenaire. Il aura profondément transformé les références à la Révolution des différents partis qui composent l'échiquier politique français.

Nous avons vu jusqu'où fut poussée l'identification aux acteurs de la Révolution, dans la foulée d'Octobre 1917, lors du Front populaire. La confusion des temps était également à l'œuvre dans le camp adverse, de sorte que les termes du combat politique semblaient directement issus d'un contentieux ouvert à la fin du XVIIIe siècle, chacun se fixant pour but de le clore définitivement à son profit. Ce fut bien, si l'on prend au pied de la lettre une formule qui fit florès, « le combat des mêmes contre les mêmes ».

La Libération : une exceptionnelle confluence

En 1944 le PCF « actualise » les références à la Révolution dont il a fait si abondamment usage pendant le Front populaire puis l'Occupation. Au cours de cette dernière, il mit la Révolution à contribution pour conforter le rôle de fédérateur du combat patriotique qu'il entendait jouer. Elle devait projeter sur ce combat l'image d'un peuple unanimement dressé contre l'envahisseur étranger, un peuple indemne de toute déchirure interne puisque, de 1939 à 1944 comme de 1789 à 1793, seule une « poignée de traîtres » s'était retranchée de la communauté nationale. Au cours de la Libération et immédiatement après, il va s'efforcer de maintenir les traits de cette prétendue unanimité du temps de la « patrie en danger », tout en déplaçant son objet. A l'envahisseur étranger est adjoint un ennemi intérieur qui ne se limite plus à la « poignée de traîtres » en question. Le combat patriotique qui demeure — la guerre n'est pas terminée — se prolonge désormais d'un combat politique. La Révolution n'est plus sollicitée seulement pour fournir une caution historique de type « Valmy », mais pour délivrer une leçon qui a trait cette fois à l'organisation future de la société française.

Cette démarche trouva un écho considérable dans cette période d'intense bouillonnement populaire. Comme en 1936, l'explication de son succès ne se ramène pas à des astuces de propagande. Bien des traits de la situation étaient de nature à provoquer des réminiscences historiques qui ne pouvaient que remettre au premier plan l'héritage que la Révolution française avait déposé dans la mémoire collective. Tout facilitait alors la capitalisation par le PCF des efforts qu'il avait antérieurement déployés pour se réapproprier cet héritage. Il reçut, en outre, un renfort exceptionnel : la lecture « léniniste » de la Révolution française à laquelle il avait procédé en 1936 semblait trouver une confirmation éclatante en raison du rôle de premier plan que l'Union soviétique jouait dans la défaite de l'Allemagne hitlérienne. L'URSS, expliquait-il, avait vaincu Hitler parce que Lénine, puis Staline avaient « poussé jusqu'au bout » sa révolution. L'image des soldats de l'an II et celle des combattants de l'Armée rouge n'en firent plus qu'une et vers elle montait la ferveur admirative et reconnaissante de nombreux Français. Par ailleurs les larges secteurs de la droite française qui s'étaient compromis dans la collaboration avec les nazis avaient été principalement ceux qui, n'ayant cessé de combattre la Révolution, avaient profité de la défaite et de l'Occupation pour entreprendre la liquidation de ses acquis.

Bref, motivations patriotiques, motivations démocratiques et motivations révolutionnaires s'épaulèrent et se nouèrent en une confluence exceptionnelle qui appela littéralement la présence de la Révolution française dans cette période. C'est sur cette confluence et sa rencontre avec la tradition jacobine que s'est fondée l'influence électorale du PCF dans la France d'après-guerre.

De l'étude que J.-M. Guillon a consacrée à « La Révolution française dans le Var des années 40 », retenons ces quelques notations particulièrement éloquentes. « La période de la Libération connaît comme partout la liesse et la violence de foules exaltées. [...] Les comités de Libération se veulent comités de Salut public, agents d'une épuration inflexible. [...] Cadres montagnards des partis communiste et socialiste, souvent issus de la petite bourgeoisie intellectuelle, et peuple sans-culotte refoulent les velléités girondines et la région sera de ce fait condamnée. Le comité local de Libération de La Seyne, l'un des plus actifs, recommande dès que l'on évoque des élections de choisir "des jacobins". Réquisitions momentanées, contributions patriotiques, tribunaux d'exception à jury patriote, floraison de maigres feuilles aux accents martiaux et vengeurs, profusion de cortèges civiques et de commémorations, jeunes FFI aussi disparates que leurs prédécesseurs de l'an II, tout concourt à la réinvention de la Révolution. Les Milices patriotiques se veulent versions populaires de la garde nationale alors que la mise en avant des attentats, vrais ou supposés, de la "5e colonne" renouvelle le thème du complot aristocratique[1]. »

Le PCF entrevoit la possibilité de devenir l'âme d'un rassemblement majoritaire qui, par le truchement des comités de Libération devenus les organes d'un pouvoir populaire, instaurerait enfin cette « démocratie authentique » prônée

1. Jean-Marie GUILLON, *op. cit.*, p. 272.

par les jacobins. Il va rechercher et multiplier les initiatives à haute portée symbolique destinées à faire apparaître la politique qu'il propose comme le prolongement en quelque sorte *naturel* de notre histoire. Il saisit la moindre occasion. Par exemple, le 2 juillet 1945, il fête à Versailles le 177e anniversaire de Lazare Hoche. Dans son discours, André Marty, l'un des secrétaires du parti, mêle le passé et le présent de telle sorte qu'après avoir opposé « l'armée du peuple » à « l'armée des généraux », il peut s'en prendre vivement à de Gaulle (qu'il voit poindre sous Bonaparte) tout en donnant l'impression de ne pas cesser de parler de la Révolution. « Une République, déclare-t-il, est bien près de sa ruine quand elle vit sous l'égide d'une renommée militaire ; il faut qu'elle soit servie et non protégée[2]. » Dans cet hommage qui lui est consacré, Hoche n'est finalement présent qu'à titre de démonstration pédagogique. Il fut un grand soldat « parce que le peuple, l'Assemblée constituante avaient brisé le privilège qui empêchait les hommes du tiers état de devenir officiers... Le peuple et l'Assemblée constituante devront à leur tour briser les nouveaux privilèges de castes qu'on veut instaurer au mépris des besoins et de la volonté du pays[3] ».

Dans cette période comme au temps du Front populaire, le « modèle 1789-1793 » hante littéralement l'esprit des dirigeants communistes. Pour le 14 juillet 1945, ils lancent des « États généraux de la renaissance française ». Le choix de la date et l'appellation donnée à cette manifestation indiquent les espoirs dont elle est investie. Le PCF estime possible une réédition actualisée du grand précédent historique. En 1789 les États généraux avaient ouvert le processus qui conduisit la nation à se reconnaître dans la bourgeoisie, alors révolutionnaire. En 1945, c'est « autour de la classe ouvrière », qui « seule dans sa masse est restée fidèle à la France profanée », selon une expression de François Mauriac servie à satiété, qu'elle peut et doit se rassembler. Le PCF, qui se veut l'incarnation de cette classe à qui échoit désormais le rôle national et révolutionnaire,

2. Cité par Gérard Namer, *La Commémoration en France de 1945 à nos jours*, L'Harmattan, Paris, 1987, p. 91.
3. Id., *ibid.*, p. 91.

attend de cette répétition de l'histoire sa promotion au rang de force politique dirigeante du pays.

Mais l'histoire fit la sourde oreille.

Nous touchons là à un problème que le PCF n'est jamais parvenu à résoudre et qui est peut-être tout bonnement le problème du PCF lui-même : celui de ses rapports avec ce qu'il appelle le « mouvement des masses ». A l'origine de ce problème insoluble se trouve un stéréotype fait d'emprunts à la Révolution française : celui d'un mouvement populaire porteur de la « volonté profonde de la nation », mais d'une volonté qui a dû être décryptée et mise en actes par la bourgeoisie, faisant alors office « d'avant-garde » et que le peuple a reconnue comme telle. Le PCF n'a cessé de courir après la reproduction de ce schéma pour son propre compte, c'est-à-dire pour que cette reproduction fasse de lui la composante essentielle de l'expression politique des aspirations populaires. Tant que le « mouvement des masses » ne parvient pas à se couler dans ce schéma c'est, soit qu'il n'est pas assez puissant, soit qu'il n'est pas parvenu à affirmer et à préserver son autonomie. Il ne peut être, dès lors, que dévoyé et trahi par les autres forces politiques. Le PCF se doit d'en tirer les conclusions : il rompt ses alliances, se retire sous sa tente et travaille à l'avènement du prochain « rassemblement populaire majoritaire ».

La Révolution et les deux mémoires

La droite, au lendemain de la Libération, fit le gros dos. Jamais sans doute dans l'histoire de notre pays son crédit dans l'opinion n'avait été aussi bas. Pour René Rémond, l'effondrement du régime de Vichy a failli signifier « sa condamnation irrévocable[4] ». Prolonger la symétrie gauche/droite des références à la Révolution, telle qu'elle s'était constituée avant la guerre, eût été alors de sa part proprement suicidaire. Ses gros bataillons virent en de Gaulle le rempart contre une Révolution à propos de laquelle ils n'avaient jamais eu autant de raisons de craindre qu'elle ne demeurât pas à l'état de spectre.

4. René RÉMOND, *op. cit.*, p. 238.

Tout comme le PCF, de Gaulle s'inscrivit dans une filiation historique qui devait apporter sa caution aux objectifs qu'il proposait et contribuer au rassemblement des Français autour de ceux-ci.

Les moments du passé historique de la France dont de Gaulle et le PCF vont respectivement se réclamer doivent s'articuler avec la séquence 1939-1944 puisque c'est leur rôle au cours de celle-ci qui fonde, pour l'un et l'autre, leur prétention à devenir la force dirigeante du pays. Ils vont donc l'un et l'autre proposer aux Français une lecture de cette séquence qui lui assure une cohérence avec les grands moments du passé dans la filiation desquels ils s'inscrivent. Pour les communistes, nous l'avons vu, cette lecture embellit considérablement le réel à l'aide d'images de la Révolution. Elle s'articule autour de l'idée d'un peuple victime de la trahison des élites et rejetant, dans sa masse, la servitude et l'oppression étrangère. De Gaulle, lui, privilégie le combat militaire des Forces françaises libres aux côtés des Alliés et il estime que, si les résistants ont été héroïques, ils n'ont fait que leur devoir de soldats. Il ne veut voir dans la période 1939-1945 qu'une page glorieuse ajoutée aux autres pages glorieuses de notre histoire, qu'elles aient nom Jeanne d'Arc ou 1914-1918. Cette démarche trouvera son expression la plus achevée dans le discours qu'il prononcera le 18 avril 1959... à Vichy, discours dont le texte ne figure pas dans l'édition des *Discours et messages* publiée chez Plon. « ... Maintenant, déclara-t-il, je vais vous faire une confidence que vous ne répéterez pas, mais je suis obligé de dire qu'il y a pour moi un peu d'émotion à me trouver officiellement à Vichy. Vous en comprenez les raisons, mais nous enchaînons l'histoire, nous sommes un seul peuple, quels qu'aient pu être les péripéties, les événements, nous sommes le grand, le seul, l'unique peuple français. C'est à Vichy que je le dis. C'est à Vichy que j'ai tenu à le dire. Voilà pour le passé. Vive Vichy ! Vive la France ! Vive la République [5] ! »

Ainsi se mirent en place, au lendemain de la Seconde Guerre mondiale, deux mémoires du peuple français relativement à son passé de 1939 à 1945. Les pôles historiques

---

5. Cité par Henry ROUSSO, *Le Syndrome de Vichy, 1944-1980*, Seuil, Paris, 1987, p. 85.

auxquels elles s'efforçaient d'arrimer ce passé étaient différents et leurs visées politiques s'opposaient. Elles avaient cependant un point commun : elles « héroïsaient » ce passé tout proche en l'inscrivant dans le droit fil d'une histoire exemplaire. L'image flatteuse que l'une et l'autre projetaient aux Français, et à laquelle tant d'entre eux avaient besoin de croire, entretiendra la dramatisation des enjeux politiques pendant des décennies. Le « combat des mêmes contre les mêmes » n'avait ainsi pas connu d'interruption. Derrière les acteurs de la vie politique se profilaient toujours les acteurs les plus prestigieux de l'histoire.

Malraux : « Nous sommes en 1788 »

La Révolution retrouva son rôle de pourvoyeuse de références historiques pour les deux camps dès 1948, lors de l'équipée gaulliste du RPF qui fut « de toute l'histoire du gaullisme, si riche en variations, l'épisode le moins éloigné de ce qu'on avait pris en France l'habitude de désigner comme le fascisme[6] ».

Mais dans cette période s'amorce un tournant dans l'usage de ces références par les principaux courants politiques. Les communistes, les socialistes, d'autres secteurs de la gauche et des éléments de la droite républicaine estimaient que c'était l'œuvre même de la Révolution, la République, qui était visée par l'entreprise gaulliste. Or, le RPF, qui chassait très loin pour son recrutement, sur les terres de l'extrême droite, fit coexister les thèmes propres à attirer celle-ci avec une bruyante exaltation des grands révolutionnaires français. André Malraux, délégué à la propagande du Rassemblement, lors d'un meeting au Vel'd'hiv en février 1948, lança : « Nous sommes en 1788[7]. » Il estimait, écrit Jean Lacouture, « que le système ne serait renversé que par l'audace. Et de citer Danton et Saint-Just, persuadé qu'il était de réincarner, face aux Tartares [les « staliniens »] ce qu'avaient été face aux Autrichiens les grands convention-

6. René RÉMOND, *op. cit.*, p. 249.
7. Cité par Jean LACOUTURE, *André Malraux, une vie dans le siècle*, Seuil, Paris, 1983, p. 345.

nels. Il se crut, il se crut vraiment un membre ressuscité du Comité de salut public[8] ».

Les emprunts de Malraux à la Révolution n'ont pas un caractère anecdotique ou polémique. Ils sont tout à fait caractéristiques de la démarche gaulliste telle qu'elle est en train de s'affirmer. De Gaulle, au-delà de ce qu'il tenait pour des « péripéties », estimait qu'il incarnait la France depuis 1940. Les paroles qu'il prononça à Vichy sur l'unicité du peuple français déboucheront tout naturellement sur cette idée, formulée dans un discours prononcé le 6 septembre 1964 à l'occasion du cinquantième anniversaire de la bataille de la Marne : « Il n'y a qu'une histoire de France. » Le caractère inattaquable de l'affirmation encourage toutes les interprétations, y compris les plus politiciennes. Elle contient toute l'ambiguïté du gaullisme. Un seul peuple, une seule histoire : voilà, en tout cas, des notions qui, mises en pratique avec beaucoup d'habileté, assureront le succès d'un pouvoir et d'une constitution gaullistes dont l'essence monarchiste est, pour les uns, évidente, tandis que d'autres louent son caractère authentiquement républicain.

Derrière l'évocation par Malraux du Comité de salut public, on discerne déjà le brillant avenir promis à la notion « d'intérêt général » sur laquelle elle débouchait et qui dans l'esprit de De Gaulle devait se substituer à celle de « lutte des classes ». Pour incarner cet « intérêt général », il conviendra, au plan constitutionnel, d'assurer la prééminence de la fonction présidentielle et donc d'élire le président de la République au suffrage universel. C'est une nouvelle fois en se référant à la Révolution française que Malraux, dans le discours qu'il prononça aux assises du Rassemblement en avril 1948, dessina les contours de l'évolution souhaitée : « Nous avons [...] pour la première fois donné un contenu sérieux à l'idée d'intérêt général : d'une part un arbitrage puissant et d'autre part un amalgame réel dans lequel la nation se reconnaisse... Cette idée d'intérêt général sur laquelle se fonda la France, elle a été rapportée par nous dans un pays qui l'avait oubliée depuis la mort de Hoche et la mort de Saint-Just[9]. »

8. Id., *ibid.*, p. 340.
9. Id., *ibid.*, p. 343.

Lors de la grande manifestation gaulliste du 4 septembre 1958 à Paris pour le soutien du projet de Constitution soumis au référendum, Malraux en appela de nouveau et avec la même emphase à la Révolution : « Le souvenir de la République [au temps de l'Occupation] c'était pour vous comme pour nous aujourd'hui, comme toujours pour la France, le souvenir de la Convention, la nostalgie de la ruée de tout un peuple vers son destin historique... la fraternité dans l'effort et dans l'espoir [10]. »

Mai 68 et l'histoire

« Dix ans ça suffit » : nous sommes en mai 68.

Le drapeau rouge a supplanté le drapeau tricolore. La Révolution française n'est pas au rendez-vous. Son souvenir pointait, tout au plus, lorsqu'il était question d'en finir avec les « rapports féodaux » dans l'université, à quoi faisait faiblement écho la même revendication à propos du « pouvoir monarchique » des patrons.

Le mouvement étudiant puise son inspiration à d'autres sources. La Révolution chinoise et les luttes de libération nationale des peuples colonisés dessinent la carte des nouvelles terres d'utopie. A la différence de la Révolution bolchevique cinquante ans plus tôt, elles ne renouent pas le fil avec 1789. Elles tendraient plutôt à pousser la Révolution française vers le musée des antiquités dans la mesure où elles nourrissent l'idée de la « table rase ». Pour croire à l'émergence d'une ère nouvelle vierge des stigmates du passé, il faut d'une certaine manière donner congé à l'histoire.

L'image de la Révolution française chez les étudiants contestataires subit également le contrecoup du discrédit qui, à leurs yeux, frappe la gauche traditionnelle. Cette gauche-là ne s'était-elle pas mise dans l'incapacité de comprendre leur mouvement pour avoir trop sacrifié aux mythes révolutionnaires « classiques » et à des principes devenus caducs ?

Telle était du moins la surface des choses. Il est permis de penser qu'elle recouvrait une réalité infiniment plus complexe

10. Id., *ibid.*, p. 363.

quant aux rapports des acteurs de Mai 1968 avec l'histoire en général et la Révolution française en particulier. N'en prenons pour preuve que le succès du très contestable slogan « CRS-SS ». Ce succès fut un bon révélateur de la présence latente de l'histoire dans le corps social. Le rapprochement de ces deux sigles reliait le présent au passé et réactivait un ensemble de représentations collectives qui étaient comme autant de traductions abrégées d'un passé commun. Serge July note que « CRS-SS, c'est le raccourci le plus rapide pour mettre de notre côté toute l'histoire positive de la France. C'est l'histoire française. Avec ça, on a tout. On a les résistants, on a les communistes... [11] ». Le personnage du SS est la figure la plus représentative de la violence et de l'oppression. Son évocation fait se dévider une chaîne associative qui relie en chacun images, connaissances et souvenirs relatifs à toutes les périodes sombres de l'histoire. Chacun voit derrière le SS toute la cohorte de ceux qu'il tient pour les responsables des malheurs du monde. Ce mot d'ordre a été efficace, car il faisait de ceux qui reconnaissaient en lui quelque chose d'eux-mêmes les héritiers de tous les combats pour la liberté.

Les Droits de l'homme en première ligne

« L'histoire française » fut donc bien présente dans le mouvement de Mai 68. Mais, pour la première fois depuis longtemps, un mouvement de masse de grande ampleur ne rejoua pas les figures connues de la Révolution française.

Les raisons de ce relatif effacement sont à rechercher du côté des profondes transformations qui étaient à l'œuvre dans la société française. La France paysanne cédait la place à une France industrielle, le Français propriétaire ou aspirant à le devenir au Français salarié, le pays des campagnes au pays des villes. Le décalage entre la réalité et certaines images de 1789 s'était brutalement approfondi. Les sources de l'oppression que ces images avaient jusqu'ici clairement situées, à la fois au sommet de l'État et dans les rapports de propriété, étaient devenues plus diffuses et devaient

11. Débat sur *France Culture*, 4 octobre 1986.

désormais être recherchées ailleurs, dans un tissu de relations sociales infiniment plus complexes. Le pouvoir lui-même dont elles avaient parfaitement tracé les traits avait changé de figure.

En trente ans, la France accomplit une révolution qui bouleversa les rapports qu'elle entretenait avec sa Révolution.

Ces trois décennies ont élargi le consensus sur les principes républicains. Les débats et les combats à propos de leur interprétation sont loin d'être clos et les nouveaux enjeux sont considérables. Mais ces principes ne sont plus l'objet d'un rejet explicite que de la part de courants très minoritaires. C'est là une différence capitale avec la période d'avant-guerre. Elle marque un indiscutable succès de la Révolution, puisque c'est dans une large mesure son œuvre qui se trouve ainsi consacrée.

Les transformations de l'économie ont contribué à cette évolution. Dans notre pays comme dans la plupart de ceux qui en ont connu d'équivalentes, elles constituent une sorte d'appel d'air pour la modernisation de la vie politique. Mais le plus important est ailleurs. Si le développement économique s'accompagna du maintien, voire de l'aggravation des inégalités, il eut pour résultat une hausse générale du niveau de vie. Du fait de l'ampleur et surtout de la rapidité de celle-ci, on comprend que l'attention populaire ait commencé, dans cette période, à se déplacer des espoirs investis dans la révolution sociale vers les réalités concrètes de l'économie. Celle-ci affirmait une capacité à promouvoir des changements dont on considérait jusqu'alors qu'ils nécessiteraient une révolution.

Mais on ne soulignera jamais trop ce que l'évolution démocratique des dernières décennies doit à la prise de conscience du caractère de la Seconde Guerre mondiale. Cette expérience décisive a montré que, dans les conditions du XXe siècle, la remise en cause de la démocratie conduisait non à des retours en arrière s'inspirant plus ou moins des restaurations monarchiques de type classique, mais aux horreurs du fascisme.

La mise en évidence de la réalité du stalinisme, le génocide cambodgien, la révélation de l'envers du maoïsme, etc., donnèrent à cette leçon de nouveaux prolongements. Les fléaux qui guettent la société dès lors que les droits essentiels des individus et un minimum de règles démocratiques ne sont plus considérés comme absolument intangibles, fût-ce au nom des meilleures intentions, apparaissaient dans toute leur étendue.

La place de premier plan que la question des droits de l'homme est venue occuper dans la vie politique a donné naissance à une nouvelle génération de représentations de la Révolution. Ces représentations tendent à identifier la Révolution à une réalité repérable dans l'actualité et à des valeurs exaltées comme éminemment positives. Dans la mesure où la droite, délivrée de l'hypothèque coloniale, a fait de la question des droits de l'homme une arme de guerre contre la gauche, de larges secteurs de l'opinion qu'elle influence ont été amenés à procéder à une relecture de la Révolution. Certes, elle continue de ne pas dédaigner les bénéfices secondaires que lui valent la culture des thèmes anti-révolutionnaires les plus virulents du type *Figaro Magazine*. Il y a dans l'électorat des partis de droite une fraction plus ou moins importante de gens dont l'opinion, réactionnaire au sens strict, s'inscrit encore dans la filiation classique d'une opposition irréductible à la Révolution et qu'il faut ménager. Mais l'avenir de la fertilité de ce filon est problématique. Son exploitation, si elle devient trop voyante, peut même se révéler périlleuse. Il est en effet difficile sinon impossible, à la longue, de faire tenir ensemble une défense des droits de l'homme qui se veut la plus intransigeante et une condamnation en bloc de la Révolution. L'inscription de la question des droits de l'homme dans les enjeux politiques immédiats a eu pour conséquence de provoquer à droite des migrations vers des représentations plus positives de la Révolution. Les Droits de l'homme finissent par constituer pour certains l'unique circonstance atténuante qui retient leur jugement de pencher vers sa condamnation. Nous sommes en présence d'un ultime repêchage de l'image de la Révolution par l'actualité. Certains parleront à ce propos d'un opportunisme qui ne va pas sans provoquer des effets pervers. La Révolution ainsi « revalorisée » par un biais aussi douteux ne voit-elle pas son sens et sa portée tronqués ? On peut, à l'inverse, parler de sa belle santé qui contraint finalement à lui rendre hommage, fût-ce du bout des lèvres, les héritiers de ceux qui l'avaient combattue.

L'importance prise par la question des droits de l'homme a également constitué l'un des facteurs importants de l'évolution des rapports de la gauche avec la Révolution française. Une certaine lecture de celle-ci avait durablement modelé ses espoirs de changement autour du schéma suivant : rupture avec le système en place, passage d'un type de société à un autre et transformation de la vie de l'individu par les moyens de la politique (« changer la vie »). Aux yeux de beaucoup, il est apparu, à la lumière de l'expérience, que non seulement le bénéfice à attendre d'un tel bouleversement au plan du niveau de vie n'était pas évident, mais que les dangers qu'il pouvait faire courir à la liberté étaient réels.

Lorsque la gauche accède au pouvoir en 1981, l'idée qu'il va en résulter une nouvelle étape de l'histoire ayant quelque parenté avec ce qui s'était passé en 1789 n'était déjà plus sérieusement partagée par le « peuple de gauche ». Jamais pourtant dans notre histoire la gauche n'avait connu une victoire de cette ampleur qui lui assurait en outre ce qui lui avait toujours manqué : la durée. Certes on ira danser à la Bastille, Jack Lang célébrera le passage de « la nuit à la lumière » et, au congrès de Valence du PS, Paul Quilès renchérira sur Robespierre : « Il ne faut pas, déclara-t-il, se contenter de dire, de façon évasive, comme Robespierre à la Convention le 8 Thermidor : des têtes vont tomber ! Il faut dire lesquelles et le dire vite. » Ce devait être, en 1981, l'une des rares références de la gauche à la Révolution. Elle provoqua dans ses rangs infiniment plus de consternation qu'elle ne suscita d'enthousiasme.

L'expérience d'un pouvoir de gauche, puis celle de la cohabitation ont accentué une mutation déjà largement engagée. Les contraintes d'une économie ouverte et insérée dans une concurrence internationale de plus en plus vive se sont fait sentir brutalement et dans toute leur ampleur. Surtout, l'alternance à la direction du pays de majorités politiques opposées s'est banalisée. L'arrivée de la gauche au pouvoir, puis le remplacement sous la présidence d'un socialiste d'un gouvernement de gauche par un gouvernement de droite se sont opérés sans que soit posée la question, héritée de la Révolution et qui resurgit un siècle et demi durant, de la légitimité historique de la gauche et de la droite à gouverner le pays.

La volonté de sauvegarder un aspect essentiel du legs de la Révolution — le cadre républicain et les principes démocratiques — l'emporte désormais dans le corps social sur celle de prolonger ses affrontements ou de reproduire son processus. Les luttes politiques y perdent une partie des prolongements imaginaires dont la Révolution les avait longtemps pourvues. En ce sens la Révolution est sinon terminée du moins abandonnée comme matrice conceptuelle pour les transformations de la société. Celles-ci ne sont plus pensées en termes de processus global devant conduire à la substitution d'un nouveau régime à l'ancien.

Cette évolution n'est peut-être pas loin de constituer en elle-même une révolution. Ce qui est dénoncé comme un affadissement de la vie politique, un tournant à droite de la société française, voire une dangereuse régression démocratique, n'est-ce pas plus simplement une approche des problèmes moins tributaire du poids de ces « grands souvenirs » déjà évoqués et en qui Marx voyait un obstacle à la lucidité politique des Français ? L'impression de vide ne vient-elle pas du fait que s'estompent les batailles du théâtre d'ombres que projetaient ces grands souvenirs sur le fond de la scène politique ?

1789 fondement d'un « national-libéralisme » ?

Le déplacement des enjeux — disons, pour résumer, de la Révolution aux Droits de l'homme — ne signifie pas la fin des affrontements entre la gauche et la droite sur la Révolution française. Ils portent désormais principalement sur l'interprétation de ces droits et le contenu à leur donner. Ils promettent d'être aussi vifs que les précédents car, pour s'être déplacés, les enjeux n'ont rien perdu de leur importance. En ce sens, la Révolution n'est pas terminée.

Les travaux du Club de l'horloge méritent, à cet égard, une attention particulière dans la mesure où ce club est le plus actif et le plus influent laboratoire idéologique de la droite.

Tous les courants politiques de celle-ci y sont représentés. Son président d'honneur, Yvan Blot (député RPR), y côtoie Michel Leroy (membre du cabinet d'Alain Madelin), secrétaire général, Yvon Briant (député et secrétaire général du Centre national des indépendants) et Bruno Megret, député Front national et bras droit de Le Pen. Henry de Lesquen, président du Club, peut à bon droit parler d'une vocation à « l'œcuménisme de la droite ».

Pour le Club de l'horloge, la droite ne doit pas seulement disputer à la gauche l'héritage de la Révolution. Elle doit le retourner contre elle. Seule la droite est désormais fidèle à la Révolution que la gauche a trahie. Celle-ci est accusée de « détournement des Droits de l'homme », titre d'un colloque que le club a tenu en octobre 1987. La cohérence idéologique qui a marqué les travaux de ce colloque conduit à se demander si la Révolution ne va pas être mise au service d'un « national-libéralisme » qui constituerait la référence théorique d'un regroupement de la droite autour de son noyau dur.

Cette construction doctrinale a pour fondement la prééminence accordée « à l'enracinement de l'idée de nation dans l'histoire[12] ». Dans cette optique la Révolution et son œuvre ne sont rien d'autre que « la théorisation d'une évolution spontanée des sociétés européennes depuis l'Antiquité[13] ». Au nombre des apports déposés par les millénaires figurent la démocratie grecque, le juridisme romain, la rupture avec la théocratie fruit du christianisme, les franchises et libertés médiévales. L'œuvre de la Révolution et particulièrement la Déclaration des droits de l'homme et du citoyen du 26 août 1789 n'auraient donc pas vocation à l'universalité ; cette Déclaration « n'est pas le produit d'on ne sait quelle nature qui lui donnerait une valeur universelle, mais d'une culture, notre culture[14] ». La signification de la Révolution est au mieux européenne, mais entièrement captive de tout le cours antérieur de l'histoire, elle est surtout et avant tout française, nationale.

---

12. Yvan Blot, *Le Général de Gaulle et la tradition républicaine*, document du Club de l'horloge, 26 mai 1980.
13. Ivan Chiaverini, colloque du Club de l'horloge sur le « Détournement des Droits de l'homme », Paris, 24-25 octobre 1987.
14. Michel Leroy, *ibid.*

Aujourd'hui, la fidélité à son égard et la mise en œuvre de son héritage devraient prioritairement passer par l'affirmation de l'identité nationale française.

L'article 3 de la Déclaration de 1789 qui énonce que « le principe de toute souveraineté réside essentiellement dans la nation » est invoqué à titre d'argument principal pour l'élaboration d'une démarche qui fait des hommes de la Révolution les inspirateurs directs des actuels comportements racistes ou xénophobes. Partant de la constatation, tout à fait pertinente, que les droits des citoyens découlent du principe instaurant la souveraineté de la nation, Yvan Blot enchaîne : « Le peuple ne peut retrouver ses droits qu'en retrouvant son identité. Sans identité, l'homme ne peut se battre pour des droits dont il n'aurait pas conscience. C'est pourquoi on peut dire que tout citoyen a droit à son identité nationale, avant même d'avoir droit en quelque sorte à des libertés [15]. » M. Ivan Chiaverini, vice-président du club, prolonge cette analyse en développant une conception de l'identité nationale parfaitement raciste. « La nation, déclare-t-il, est la garantie des libertés [...]. Une société de liberté a besoin d'un minimum de liens entre les membres du groupe. L'altruisme sous toutes ses formes suppose qu'on s'identifie à l'objet de son attention. Or, cette identification n'est pas possible s'il n'existe pas une certaine *parenté de nature, donc quelque proximité génétique* [souligné par moi, *G.B.*]. C'est une conclusion où se rejoignent l'éthologie et la sociobiologie, Konrad Lorenz et Edward Wilson. La famille, cellule primordiale de la société, existe à cause de cela. Elle est un lieu d'altruisme, limité, mais vivace. La nation, elle, est une famille étendue dans laquelle chacun se reconnaît par opposition à l'étranger, d'où le troisième terme de la devise républicaine : la fraternité. Et sans le sentiment de fraternité, il n'y a pas d'égalité devant la loi. On peut donc affirmer avec force qu'un droit de la nationalité qui n'est pas fondé sur le *jus sanguinis* est antirépublicain [16]. »

Les socialistes sont accusés de captation d'héritage. Ayant échoué dans le domaine économique, ils pensaient pouvoir se refaire une santé politique en reportant tous leurs efforts

15. Yvan BLOT, colloque cité.
16. Ivan CHIAVERINI, colloque cité.

sur la défense des droits de l'homme. Mais la conception qu'ils en ont est une perversion des principes de 1789 et elle aboutit à un véritable détournement de ceux-ci. L'origine du discours « néo-socialiste » s'enracine dans la « volonté d'arracher les droits de l'homme à leur espace civique et communautaire, de les transformer en avatar d'un individualisme anarchisant [17] ». Au fond, pour les socialistes — et c'est bien en cela que leurs positions sont attentatoires aux libertés et à l'existence de la nation — « il s'agit d'abolir la distinction entre le citoyen et l'étranger [18] » et de transformer la nation « en une sorte d'association, de société de prestation de services à vocation universaliste, déracinée dans le temps et déracinée dans l'espace [19] ». Avec les socialistes, sont accusés tous ceux qui tiennent le « discours humanitaire » en ne limitant pas son objet aux « nationaux », car selon Didier Maupas, vice-président du club, ils travestissent « la bienveillance pour le prochain en véritable culte de l'altérité [20] ».

Ce discours, y compris dans ses développements aberrants, n'est pas nouveau. Une partie de la droite française a toujours vu « le Juif » ou « les métèques » à l'origine des malheurs du pays. La nouveauté réside dans le fait que cette droite qui liait jusqu'à une époque récente ce discours à la condamnation de la Révolution française (un « complot juif », la « porte ouverte aux étrangers », etc.) le tient désormais au nom de celle-ci. Les tenants d'une conception « génétique » de la nation allient désormais à leur prétention au monopole du patriotisme celle du monopole du républicanisme.

Libéralisme et liberté

Ce volet « national » doit devenir pour le Club de l'horloge le fondement d'un volet « libéral » lui aussi rénové, grâce toujours à une relecture des principes de 1789. Il s'agit,

17. Michel LEROY, *ibid.*
18. Michel LEROY, colloque cité.
19. ID., *ibid.*
20. Didier MAUPAS, *ibid.*

dans l'esprit de ses animateurs, d'opposer à de « prétendus droits universels » des droits enracinés dans notre histoire nationale, fruits de cette histoire.

L'enracinement des droits dans l'histoire nationale consiste, en fait, à nier la part d'utopie positive que comportait la démarche des hommes de la Révolution, cet arrachement à leurs conditions, lorsqu'ils proclamaient le principe *Liberté-Égalité-Fraternité*, et à ériger en absolu indépassable les limitations propres à leur temps. Il en est ainsi par exemple du droit de propriété.

L'idéal de ce libéralisme, c'est l'idéal du propriétaire. Incontestablement, il fut celui des hommes de 1789, bien que certains d'entre eux aient entrevu que l'exercice du droit de propriété qu'ils proclamaient inviolable et sacré puisse contredire l'exercice d'autres droits qu'ils proclamaient tout aussi inviolables et sacrés. L'article 17 de la Déclaration des droits du 26 août 1789 porte d'ailleurs la trace de leur prudence en la matière et ses termes résonnent comme l'annonce d'un problème difficile mais de toute première importance légué à l'avenir : « La propriété étant un droit inviolable et sacré, nul ne peut en être privé, si ce n'est lorsque la nécessité publique, légalement constatée, l'exige évidemment, et sous la condition d'une juste et préalable indemnité. »

Dans l'optique du Club de l'horloge, la violation des principes de la Révolution commence avec toute réflexion sur les conditions de l'application effective des droits qu'elle a proclamés. Pour le national-libéralisme, leur perversion est inévitable dès lors qu'on entreprend de déchiffrer les termes concrets de la réalisation de l'article 2 de la Déclaration du 26 août 1789 qui énonce : les « droits naturels et imprescriptibles de l'homme » sont « la liberté, la propriété, la sûreté et la résistance à l'oppression ». Peu importe que ces droits soient vidés d'une part de leur contenu pour une fraction importante de la nation pour des raisons socio-économiques et culturelles. Le Club de l'horloge érige cette situation en théorie et produit une formulation des droits qui tend à justifier les inégalités sociales et les exclusions. Il introduit une distinction entre les « droits de » qui seraient les seuls « droits-libertés » et les « droits à » (droit au travail, à l'accès à l'enseignement, etc.). Ces derniers, baptisés « droits-créances », non seulement ne sont pas des droits et ne relèvent pas des conditions nécessaires pour assurer la liberté, mais leur prise en compte constitue une menace pour celle-ci. Elle conduit, en effet, au développement du rôle de l'État alors que les « droits-libertés » tendent à le limiter. Pour le libéralisme, on le sait, l'État devrait se borner à assurer le libre jeu des forces économiques, ce qui revient à favoriser celles qui sont en position dominante.

Rien de tout cela n'est véritablement neuf. M. Yvon Briant est tout à fait dans son rôle de secrétaire général du CNI lorsqu'il déclare que le droit au travail, inscrit dans la Constitution de 1946 et repris dans le préambule de la Constitution de la Ve République, est un « droit qui ne résiste pas à l'analyse », que « ce n'est pas un droit mais un prétexte commode à l'interventionnisme économique », que « la liberté du travail, c'est la liberté de pouvoir offrir ou non sa force de travail », et que « toute atteinte à la liberté d'entreprise est une atteinte à la liberté du travail [21] ».

La prise en compte de l'environnement communautaire de l'individu et de son insertion dans l'histoire, par ailleurs si bruyamment revendiquée, s'évanouit complètement lorsque le national-libéralisme s'avance sur le terrain de l'économie. Les rapports qui s'établissent entre les individus dans les activités productives de la société ne relèvent plus, pour lui, de l'histoire. La référence à celle-ci s'arrête à la fin du XVIIIe siècle, c'est-à-dire au moment où ces rapports se limitaient principalement à des rapports interpersonnels régis par les normes juridiques du droit privé : rapports établis librement par un contrat conclu par des individus entièrement maîtres d'eux-mêmes et parfaitement égaux en droits. Depuis lors, aux yeux du libéralisme, l'histoire économique et sociale ne serait rien d'autre que le déroulement d'une libre compétition entre des individus ainsi définis. Cette compétition a donné à chacun une place correspondant à l'usage qu'il a souverainement décidé de faire de ses droits, à ses qualités, à son travail et à son mérite. Si le classement a été faussé, il ne l'a été que par les interventions de l'État qui tendent généralement à pénaliser les meilleurs. Ce sont ces interventions qui portent principalement atteinte à la liberté et à l'égalité. Le libéralisme, en réclamant moins d'État, serait le meilleur défenseur de celles-ci.

---

21. Yvon BRIANT, colloque cité.

Difficulté et grandeur de la démocratie

Le marxisme en développant la théorie d'une opposition entre « libertés formelles » (les droits civils et politiques) et « libertés réelles » (les droits économiques et sociaux) n'a pas eu la main heureuse. La traduction de cette opposition en termes de stratégie politique a conduit à la sous-estimation, quand ce ne fut pas à la négation, du caractère intangible, sacré pour parler comme les révolutionnaires de 1789, des libertés politiques. Elle a conduit à la dénaturation de la notion même de droits.

Mais le marxisme a mal posé et encore plus mal résolu un vrai problème. Car il est en effet indéniable que la possibilité effective pour les citoyens de jouir des droits civils et politiques n'est pas séparable de leur condition socio-économique et culturelle. Parler de liberté et d'égalité en dehors du contexte social n'a pas grand sens.

Sur la question des droits, le libéralisme prend évidemment le contre-pied du marxisme. Pour ses zélateurs, « par définition un droit est formel et c'est ce qui fonde sa légitimité. Les droits fondamentaux inscrits dans la Déclaration de 1789 sont liberté et ils en garantissent l'usage éventuel. Il est logique et satisfaisant que ces droits soient formels, puisque seul chaque citoyen est à même d'user de ses droits selon sa volonté. Le formalisme de ces droits est la garantie de la liberté. Ce formalisme est bien conforme au libéralisme le plus cohérent [22] ». Cette réponse ne résout pas le problème posé par le marxisme. Ce n'est pas réduire l'homme au simple produit d'une structure qui déterminerait de part en part sa personnalité que de considérer que sa volonté et le pouvoir de celle-ci sont des données qui n'ont rien à voir avec le contexte social. L'acquis des sciences sociales et l'expérience quotidienne des citoyens sont à cet égard suffisamment éloquents pour qu'il soit inutile d'insister davantage sur ce point.

Alors, entre des « libertés formelles » ne prenant tout leur sens que pour ceux qui peuvent en bénéficier grâce à leur condition sociale et des « droits réels » dont la réalisation supposerait que soient plus ou moins bafouées les « libertés

22. Michel LEROY, colloque cité.

formelles », l'exigence démocratique n'aurait qu'un choix toujours insatisfaisant ? Il n'y a effectivement pas de solution à ce problème, si on entend par là une solution trouvée une fois pour toutes, intemporelle, immuable, sans référence à l'histoire et détachée du contexte. Nous touchons là aux difficultés mais aussi à la grandeur de la démocratie, comme création continue, comme système à réinventer en permanence.

Pour les hommes de la fin du XXe siècle, l'apport de la Révolution française n'a pas consisté à formuler à la lettre les modalités concrètes de la démocratie, mais à en énoncer les principes essentiels. Les hommes de 1789 se sont efforcés d'établir un équilibre entre ces principes et de dégager des applications de ceux-ci à partir des conditions propres à leur temps. Ce qui de leur œuvre demeure aujourd'hui valable pour le progrès démocratique ce sont ces principes. A charge pour nous de faire comme eux, c'est-à-dire de rechercher en permanence leur sens et leur équilibre actuels en les remettant cent fois sur le métier du débat et de la pratique démocratiques pour trouver les traductions concrètes susceptibles d'approcher au plus près cet idéal : « Les hommes naissent et demeurent libres et égaux en droits. »

Conclusion

Les représentations de la Révolution ont joué un rôle de premier plan dans la vie politique française jusqu'à une époque récente. Elles ont littéralement hanté l'esprit des acteurs d'une série d'événements capitaux de l'histoire du XXe siècle.

Cette présence de la Révolution française dans le débat et le combat politiques ne cessa de pourvoir ceux-çi de prolongements fantasmatiques à la mesure des enjeux qui furent souvent ceux de cette révolution. Les adversaires en présence furent l'objet d'une sorte de diabolisation réciproque. Derrière eux se profilaient les figures admirées ou honnies des protagonistes des événements de la fin du XVIIIe siècle.

Dans l'histoire en train de se faire, les représentations du passé tiennent toujours une place importante. Celle, exceptionnelle, de la Révolution française a découlé de l'ampleur de la rupture qu'elle a représentée. Sa pérennité a tenu à la lenteur de l'évolution de la société française liée notamment à la persistance de son caractère paysan.

Parmi les facteurs qui ont permis à la dynamique de la Révolution française de perdurer, il convient de souligner l'extraordinaire impulsion que cette dynamique a reçue, à partir de 1917, de la Révolution bolchevique. Le télescopage des deux révolutions a entraîné une relecture léniniste, puis stalinienne, de la Révolution française qui a exercé une influence déterminante pendant un demi-siècle au sein de la gauche.

La société française a connu, au cours des quarante dernières années, une transformation qui a littéralement révolutionné ses structures et ses manières de penser. Ces années ont accru considérablement la distance qui nous sépare des représentations de la Révolution française telles qu'elles se sont élaborées jusqu'au lendemain de la Seconde Guerre mondiale.

La Révolution française est terminée si l'on entend par là qu'elle ne joue plus le rôle de modèle pour penser le processus de transformation de la société. Elle est terminée si l'on considère que son œuvre, la République, n'est plus remise en cause que par des courants marginaux de l'opinion et que la lutte qui oppose les forces politiques ne soulève plus désormais le préalable de la légitimité historique de leur accession à la direction du pays. La Révolution française est terminée dans la mesure où la gauche n'attend plus la réalisation de ses objectifs de la reproduction d'un schéma qui s'inspirait largement de son déroulement et où la majeure partie de la droite n'inscrit plus les siens dans la perspective de la destruction de ses acquis essentiels.

Cette évolution relativement récente a contribué sinon à la mort des idéologies, régulièrement et toujours bien imprudemment annoncée, du moins au recul des dimensions mythologiques des affrontements politiques. Disons que l'on joue un peu moins, de part et d'autre, à se faire peur et que recule la propension à considérer que rien n'est changé tant que tout n'est pas changé. Ce que le combat politique perd sur ce plan il peut le gagner en réalisme, en attention plus grande portée à ses véritables enjeux.

La révolution a désormais largement cédé la place aux Droits de l'homme. En ce sens, la Révolution française n'est pas terminée. Elle est même, à proprement parler, interminable. L'idéal dont elle a dessiné les contours en proclamant ces droits exige, en effet, que soient constamment recherchées leurs interprétations concrètes les plus aptes à faire reculer les oppressions, les exclusions et les inégalités. Les enjeux liés à la Révolution française se sont déplacés. Ils n'ont rien perdu de leur importance.

Table

INTRODUCTION 5

I. — Fragments d'une mémoire éclatée

1. LA MÉMOIRE DE DEMAIN : la Révolution à l'école 11

2. LA VENDÉE : le cheminement d'une mémoire enclavée 34

3. LES CATHOLIQUES ET LA RÉVOLUTION : la fracture 59

4. JUIFS, PROTESTANTS, FRANCS-MAÇONS : le socle républicain........................... 76

5. LA MÉMOIRE DES VILLAGES : la révolution d'un peuple paysan 91

6. MÉMOIRES MILITAIRES : l'avènement du soldat-citoyen 118

7. Les descendants d'autres mémoires : images de la Révolution chez des immigrés 142

8. Mémoires républicaines : idéal de la Révolution et révolution idéale 160

II. — La Révolution au cœur du xxe siècle

9 La filiation bolchevique : la gauche dans le jeu de miroirs des révolutions française et russe .. 181

10. 1933-1939, l'héritage de la Révolution en question : 1789 dans l'affrontement entre démocratie et fascisme 205

11. La « Révolution nationale » de Vichy contre la Révolution française : 1789 dans la Résistance 230

12. De la révolution aux droits de l'homme : le déplacement des enjeux 245

Conclusion 266

Composition Facompo, Lisieux (Calvados)
Achevé d'imprimer en septembre 1988
sur les presses de la SEPC, Saint-Amand (Cher)
Dépôt légal : septembre 1988
Numéro d'imprimeur : 1545
Premier tirage : 4 000 exemplaires
ISBN 2-7071-1776-5